Scrittori italiani e stranieri

Alessandro D'Avenia

L'appello

ROMANZO

MONDADORI

Dello stesso autore in edizione Mondadori

Bianca come il latte, rossa come il sangue
Cose che nessuno sa
Ciò che inferno non è
L'arte di essere fragili
Ogni storia è una storia d'amore

www.profduepuntozero.it

⬧ librimondadori.it

L'appello
di Alessandro D'Avenia
Collezione Scrittori italiani e stranieri

ISBN 978-88-04-73424-6

L'appello

A Giulio e Beatrice.

*A tutti gli studenti che in questi anni
mi hanno aperto gli occhi su pezzi
di mondo che non riuscivo a vedere.*

*A tutti i bambini e le bambine
e a tutti i ragazzi e le ragazze
senza nome.*

Dimmi il nome con cui ti chiamano tuo padre e tua madre
e quelli della tua città e coloro che vivono intorno. Nessuno
degli uomini è senza nome, né il nobile né il miserabile, una
volta che è nato; a tutti lo impongono i genitori, quando li
mettono al mondo.

OMERO, *Odissea*, VIII 550

Era lì – lo comprendeva – per mettere ordine nel folle incanto
della terra e chiamare ogni cosa col proprio nome e, se non ne
avesse avute le forze, allora per generare, in nome dell'amore
verso la vita, dei successori, che lo avrebbero fatto al suo posto.

B. PASTERNÀK, *Il dottor Živago*

Ogni processo fisico ha un aspetto soggettivo e uno oggettivo. Il mondo oggettivo della scienza ottocentesca era in effetti
solo una riduzione, una idealizzazione, che non rappresenta
tutto il reale. In futuro, nei nostri incontri con la realtà, dovre-
mo distinguere tra sfera soggettiva e sfera oggettiva, e tracciare
una linea di separazione tra questi due ambiti. Ma dove esattamente corre questa linea di separazione dipende dal modo
in cui si guarda alle cose: in una certa misura siamo liberi di
stabilire questo confine.

W. HEISENBERG, *Fisica e oltre*

Le lettere del proprio nome hanno una terribile magia, come se
il mondo fosse composto di esse.

E. CANETTI, *La provincia dell'uomo*

Prologo

La vita va da quando decidono che nome darti a quando quello stesso nome è solo un graffio su una lapide. Nell'uno e nell'altro caso non hai l'iniziativa, quelle lettere sono tutto ciò che hai per venire alla luce e provare a rimanerci. Forse per questo gli antichi dicevano che il destino è nel nome: che ti piaccia o no, sei chiamato a rispondere all'appello. Nel mio caso è così: mi chiamo Omero, in greco "colui che non vede"... e cinque anni fa sono diventato cieco. Omero Romeo a dirla tutta, 45 anni, DNA per metà di padre professore universitario di astrofisica, appassionato di musica classica e di sua moglie, iniziato al mistero della vita e precipitato ora in quello della demenza senile; per l'altra metà di madre professoressa di greco e latino, appassionata di Omero (il mio nome lo ha scelto lei, mio padre aveva proposto un più semplice Alberto, in onore di Einstein) e di enigmistica (il mio nome è anche l'anagramma del mio cognome). Ho cercato di mescolare alla meglio questo eccessivo patri-matri-monio genetico con risultati in corso di verifica. Laureato in chimica, fede certa nella tavola periodica e nel mistero, appassionato del cosmo e di Dio, sedotto ogni giorno da mia moglie e allenato all'esistenza da due figli, amico immaginario di Einstein e nuovo insegnante di scienze di una classe abbandonata dalla professoressa precedente per morte repentina, occorsa il 2 settembre. La forza di gravità l'ha richiamata con violenza sulle scale di casa a motivo dell'attrito esercitato sul suo piede dall'unico affetto che le era rimasto, un gatto raccolto per strada, ironia della sorte o della morte, e dimostrazione di ciò che ho sempre pensato: i gatti, oltre a dormire 16 ore al giorno, sono animali senza scrupoli. L'unico che io abbia mai amato è il gatto del paradosso di Schrödinger, vivo e morto nello stesso istante. Sono quindi diventato all'improvviso il direttore di un'orchestra che caos e probabilità con studiata ironia hanno messo insieme.

Ma se è vero che tutte le classi felici sono simili fra loro, è ancor più vero che ogni classe infelice è infelice a modo suo. La quinta che ho ereditato proprio nell'anno in cui mi sono deciso a riprendere l'insegnamento da quando ho perso del tutto la vista canta una infelicità corale, a cui ciascuno partecipa con un timbro inconfondibile. Ne scaturisce una sofferenza polifonica, in cui ogni dolore si collega a un altro, lo arricchisce, per affinità, o lo esalta, per contrappunto, con inattesa armonia. Se di una sinfonia si ascolta la partitura di un singolo strumento può sembrare persino stonato, eppure quella linea musicale è necessaria all'insieme. Decimati in senso letterale – sono rimasti in dieci – dalle intemperie della scuola, ma più ancora da quelle della vita, non li hanno ridistribuiti, perché la loro peste avrebbe contagiato altri: conveniva tenerli isolati e aspettare che l'infelicità si autodistruggesse. Proprio loro sono capitati a me, che avevo smesso di insegnare da cinque anni, e mi sono reso di nuovo disponibile: ho bisogno di sapere se sono ancora vivo. Einstein ha detto che Dio non gioca a dadi con l'universo, ma il supplente cieco mi sembra proprio un brutto tiro: precario nell'anima e nel corpo, fa da guida a precari del corpo e dell'anima. O è una commedia o è una tragedia, non ci sono vie di mezzo. Oppure semplicemente è la prima puntata di *Lost*.

Quel che è certo è che da quando sono diventato cieco la mia vita è diventata epica, come quella degli eroi antichi: un'occupazione a tempo pieno, senza pause. Devo essere sempre lì: presente. Non posso nascondermi, posso solo abbandonarmi e rischiare. Vivo allo scoperto e la vita mi sbatte in faccia come il vento: una bella giornata non è più una giornata di luce, ma di vento sulla pelle, nelle orecchie e nelle narici, perché il vento racconta, trasportando polvere, suoni e odori, tutto ciò che ha raccolto lungo il suo viaggio. Per me le cose e le persone non sono, accadono. La fisica del ventesimo secolo lo conferma: la realtà è un intreccio di storie che accadono e vivere è imparare ad ascoltare, perché le cose e le persone si rivelano solo quando dai loro il tempo di cui hanno bisogno per raccontare la propria, il tempo che ci vuole a spogliarsi senza provare vergogna. *Dove sei?* Fu la prima domanda di Dio a Adamo dopo che ebbe mangiato del frutto che l'avrebbe dovuto rendere sovrumano. Ma lui, che non era diventato dio, si era invece scoperto vergognosamente mortale: *ero nudo e mi sono nascosto*. Sprechiamo la maggior parte del nostro tempo e delle nostre energie a nasconderci, ma sotto sotto vogliamo venire alla luce. Siamo fatti per nascere, non certo per morire. E un nome ben detto dà luce e dà alla luce ogni angolo dell'anima e del corpo, perché purtroppo ciò per cui vogliamo essere amati, noi, lo nascondiamo. Questo è il potere di un nome proprio: fermare la ruota incessante del tempo e far ricominciare da capo una storia in cui tutto è stato già visto. Questo è il miracolo di un appello ben fatto.

SETTEMBRE

«Non sapevo fosse cieco, è sicuro di voler accettare l'incarico annuale?»

Così mi ha chiesto il dirigente scolastico, un tempo lo chiamavamo preside, il primo giorno di scuola del nuovo anno, non appena mi sono seduto di fronte a lui e mi sono tolto gli occhiali da sole. Il suo volto, costernato in una qualche forma di compassione, potevo solo immaginarlo.

È troppo presto per avere una chiara percezione delle masse, ma la sua sicuramente è densa e immersa nell'odore di muffa e candeggina della stanza, mentre lui sa di colonia e naftalina. La sua voce è secca, senza eco, ferma le vocali finali sul nascere, come chi è abituato a tagliare corto. Sento lo spazio che gli oggetti occupano, i loro odori, la loro consistenza, la loro paura e a volte la loro fame. Dagli oggetti esce esattamente la quantità di vita che i proprietari trasmettono loro, dagli oggetti puoi sapere se le persone sono ancora vive.

«Sono tempi bui per noi insegnanti...»

Silenzio. Non ha capito la battuta, come spesso accade quando le frasi implicano metafore visive che uso per sdrammatizzare la mia condizione, forse perché ne ho ancora paura. Continuo:

13

«Non riprenderei a insegnare se non fossi convinto.»

«Riprendere?»

«Avevo smesso...»

«Ah... certo che per ricominciare le è capitata una classe un po' sfortunata...»

«Anche io lo sono... uno più, uno meno...»

«Erano rimasti in nove, poi si è aggiunta una ragazza che ripete l'anno. Abbiamo preferito tenerli insieme e non ridistribuirli in altre classi.»

«Giusto! Come si fa con un virus: lo si isola.»

«Come si fa con i gruppi difficili. È un miracolo che siano arrivati alla maturità.»

«Maturità è tutto, diceva il re!»

«Chi?»

«Lear, Shakespeare! "L'uomo deve aspettare con pazienza / il suo momento di uscire dal mondo, / come aspetta il momento per entrarci. / Maturità è tutto!" *Ripeness is all.* Lo ripeteva sempre la mia professoressa di inglese delle superiori, e ci spiegava che in inglese *ripeness* significa sia "maturità" sia "essere pronti".»

«Ma lei come fa a insegnare?»

«La vista è sopravvalutata.»

«Non la seguo.»

«Dai Greci in poi non abbiamo mai smesso di pensare che la vista sia il senso più nobile.»

«Non lo è?»

«Lei cosa pensa?»

«Be', la nostra conoscenza inizia sempre dalla vista!»

«Dopo un po' che siamo usciti dal grembo materno. Ma quei nove mesi al buio ci hanno abituato a un'altra priorità.»

«Quale?»

«L'olfatto, l'udito, ma soprattutto il tatto. Il senso più importante è il tatto. Quando ancora non vedevamo niente, noi toccavamo tutto ed eravamo toccati da tutto. Il destino dell'uomo è nelle sue mani.»

«Certo, sta a noi decidere che cosa fare della vita, ma che c'entra?»

«Mi prenda alla lettera: nelle mani, queste mani. Le mani danno forma al mondo in cui vorremmo vivere. È con l'uso che facciamo delle nostre mani che facciamo la vita: quando le nostre mani hanno cominciato a costruire case e tombe, abbiamo deciso che il mondo sarebbe stato o una casa o un cimitero.»

«Comunque sia, in graduatoria lei era l'ultimo professore da contattare. Accetta la supplenza?»

«Non sarei in quella maledetta graduatoria altrimenti.»

«Magari ci ha ripensato... Sa com'è, non tutti i precari poi accettano quando vengono informati della situazione.»

«Accetto, ma a due condizioni...»

«I nuovi arrivati non possono avanzare troppe pretese, ma nel suo caso forse...»

«La ringrazio per la compassione, ma non sono un bambino. Avrei solo bisogno delle prime ore e di qualcuno che mi aiuti a raggiungere la classe.»

«Farò il possibile, toccare l'orario di una scuola è come calpestare un serpente velenoso. Piuttosto, come farà con le interrogazioni e le verifiche?»

«Basta ascoltare.»

«Le verifiche scritte, intendo.»

«Come sempre: io faccio le domande e loro scrivono le risposte.»

«E come fa a correggerle? O a vedere se copiano? O se nelle interrogazioni leggono?»

«Nessuno ruba le monetine a un cieco a meno che non sia proprio disperato, nel qual caso meglio lasciarglielo fare. Mi farò leggere le risposte da loro. Stia tranquillo. Non ci saranno problemi.»

«Spero sia così, in questa classe ce ne sono già stati abbastanza. L'anno scorso una giovane supplente che li ha avuti per un mese è venuta in lacrime, dicendo che aveva sbagliato mestiere. L'unico obiettivo è portarli alla maturità.»

15

«Un ottimo obiettivo, non crede?»

«L'ho appena detto.»

«A farci invecchiare ci pensa la natura, ma a maturare ci dobbiamo pensare noi... Ah, senta, posso chiederle un'ultima cosa?»

«Un'altra?»

«Posso toccarle il viso?»

«Che cosa?»

«Vorrei farmi un'idea più accurata di lei. È il mio nuovo dirigente ed è importante che io la conosca.»

«Ci siamo già conosciuti...»

«Capisco il suo imbarazzo, ma io vedo con le dita...»

«È necessario?»

«Sì.»

Dopo una pausa di qualche secondo, sento il movimento del suo corpo che si sporge timidamente verso di me. Mi alzo perché in mezzo c'è la scrivania e allungo delicatamente le mani verso di lui per trovarne le spalle. Risalgo lungo il collo grasso e le poggio sul suo viso, con molto tatto. Avverto la contrazione dei muscoli mandibolari e la pelle molle delle guance ben rasate. Le orecchie sono piccole, con i lobi attaccati alla base. Il naso è morbido e un paio di baffi folti incornicia le labbra serrate. Le occhiaie sono pronunciate, la fronte corrugata si distende senza confini. È pelato, e la testa ha una irregolarità sulla sinistra, come un bernoccolo. I volti sono come mappe, contengono tutta la geografia dell'anima, luoghi a cui occorre dare un nome e una storia. Il dolore, la fatica, le paure, il male, il bene, la pioggia, gli schiaffi, le carezze, il vento, i pianti, il sonno, la felicità: tutto, giorno dopo giorno, gesto dopo gesto, scolpisce e trasforma quella carne. La vista non può cogliere con precisione imperfezioni e dettagli, perché ha fretta di far subito una sintesi. Io invece analizzo tutti i particolari separati, come un geografo, e solo dopo provo a metterli insieme. Sono arrivato alla conclusione che il tatto è più onesto della vista, perché è libero dai pregiudizi che abbiamo negli occhi. È un paradosso, ma ciò che ci troviamo davanti agli occhi non lo vediamo, anche perché in genere non vogliamo vedere davvero, quanto piuttosto ottenere conferma di quello che già crediamo di sapere e rimanere ciechi su ciò che non ci conviene sapere.

La sua pelle si imperla di sudore e allora fermo le mie dita, le tengo immobili sulle guance come fa una madre con un bambino: un volto si spoglia solo quando lo tocchi a lungo. Niente ci spaventa più di esser toccati dall'ignoto.

Bussano alla porta e il dirigente si scioglie rapidamente dalla presa.

«Avanti!» urla.

«Le ho portato il caffè.»

«Grazie» risponde secco e circospetto.

Sento il movimento di un corpo non del tutto agile, nel cui incedere si mescolano l'odore del caffè appena fatto e un profumo da uomo con note marine in superficie e geranio e limone nel fondo. Da quando sono cieco sono diventato anche un naso infallibile.

«Le presento il professor Romeo, quello nuovo di scienze.»

Lancio la mano davanti a me più o meno in direzione del punto in cui mi pare che lei si sia fermata. Ho indossato di nuovo gli occhiali da sole e quindi non sa che sono cieco.

«Buongiorno, professore. Io sono Patrizia, il lievito e il sale di questa scuola. Non mi si vede ma senza di me rimane tutto piatto e senza sapore. Il mio caffè è noto in tutti i piani, risveglia dai sonni più duri e prepara alle battaglie più difficili contro la noia e l'ignoranza; quando vorrà ce ne sarà uno anche per lei» mi stringe la mano. La sua è morbida ma al tempo stesso segnata da qualche callo, tipico di chi ripete sempre gli stessi gesti.

«Piacere, Romeo. *Quello nuovo.*»

«È lei che prenderà i miei preferiti? Povera, la professoressa... che disgrazia.»

«I suoi preferiti?»

17

«Sì, sono ragazzi talmente mal assortiti che non si può non volergli bene. Li ho adottati. Ci vorrà un po' di pazienza all'inizio, ma basta prenderli per il verso giusto.»

«Mi spiegherà qual è... Anzi potrebbe essere lei a portarmi in classe al mattino» mi tolgo gli occhiali per rendere chiara la situazione.

«Mio Dio! Cioè, mi scusi, professor Romero.»

«Romeo. Come quello di Giulietta o come il gatto degli Aristogatti, scelga lei.»

«Io non sapevo...»

«Non si preoccupi, non è contagioso. Mi farà l'onore di farmi da guida?»

«Ma certo! Non c'è niente che mi sfugga! Sarò la sua spia. Che peccato però, lei, un così bel ragazzo...»

«Il professore ha 45 anni, i "ragazzi" sono quelli che stanno in classe. Grazie per il caffè, ora dobbiamo ultimare il colloquio» il dirigente interrompe bruscamente l'idillio.

«Posso avere un caffè anche io? Stamattina ancora non l'ho preso» chiedo, prima che Patrizia se ne vada.

«Ma certo! Con o senza zucchero?»

«Senza, altrimenti non è caffè.»

«Professor Romero, lei mi piace.»

«Romeo. O-me-ro Ro-me-o» scandisce il dirigente.

«E io che ho detto?» lo rimbrotta Patrizia.

Avverto un passo più leggero in uscita. La porta si chiude.

«La perdoni, è un po' troppo esuberante.»

«Mi piace.»

Poi avvicino il mio volto al suo e gli dico, come un amico a un altro:

«Le occhiaie si accentuano se si beve troppo la sera e se si dorme a faccia in giù.»

«Scusi?»

«Non sono affari miei, ma le sue sono molto accentuate... Era solo un consiglio. Sono un uomo di scienza e cerco sempre di catalogare i fenomeni, è un vizio.»

«Non ho notti facili, ma ha detto bene lei: non sono affari suoi. Ora vada.»

Taglia corto, come accade quando arriviamo alla soglia del dolore e, anche se vorremmo liberarcene raccontandolo, ne lasciamo intravedere solo uno scorcio attraverso i nostri gesti e il tono di voce, poi la vergogna ci blocca, come se il dolore fosse una colpa, e non vita che si è finalmente decisa a guarire.

«Allora la lascio ai suoi affari.»

«Al mio caos!»

«Amo il caos! Insieme alla relatività e ai quanti, è la terza scoperta più importante della fisica del Novecento. Ma le conseguenze della relatività e dei quanti non le percepiamo, nel caos ci siamo immersi: è la stoffa delle cose quotidiane, l'intreccio delle vite. Il caos ci ha liberato dall'ossessione del controllo e ci ha aperto gli occhi – in questo caso posso dirlo – sulla realtà: niente determinismo, niente catene di cause ed effetti. La vita del cosmo è un gioco imprevedibile ma non per questo assurdo, come tutti i giochi veramente divertenti. Il caos ha salvato la libertà e la libertà è l'unica cosa che rinnova la vita. Un gioco che ha regole precise, ma con libertà infinita per i giocatori. Quindi si diverta con questo caos, non si sa mai cosa può trovarci dentro...»

«Una massa di rompiscatole, lamentosi e inaciditi. Lei la fa facile, Romeo. Una cosa è la teoria, un'altra la vita...»

«Io la faccio com'è, né teorica né pratica, com'è.»

«Anche io un tempo credevo in quello che studiavo.»

«E cioè?»

«La filosofia.»

«E cosa le ha fatto perdere la fede?»

«La realtà così com'è, per l'appunto. La accompagno, sono pieno di cose da fare. Il primo giorno di scuola è una battaglia senza possibilità di vittoria. Portare a casa la pelle è tutto.»

Mi prende sotto braccio ma tenendosi distante, in modo

19

che i corpi non si tocchino, non sia mai che l'anima ne approfitti per uscire fuori dai suoi confini e mescolarsi un po' alla mia. Dopo un lungo corridoio, si ferma sulla soglia di una piccola stanza contro le cui pareti stanno rimbalzando sia il rumore sia il profumo di una caffettiera gorgogliante. La voce della signora Patrizia ci accoglie, squillante: «Senta che concerto, professore. Che profumo! È la perfezione, altro che le macchinette. Faccio questo lavoro da 38 anni, tolga le domeniche e moltiplichi per una media di cinque caffettiere al giorno. Questa caffettiera ha consolato più cuori della Madonna di Lourdes, queste tazzine hanno raccolto più lacrime di una stazione. Questo è il caffè che bevono gli angeli in paradiso».

«Come quello che faceva mia madre...»

«Faceva?»

«Magari sta continuando anche in paradiso.»

Il dirigente fa per andarsene, ma trattengo per un attimo la sua mano e gliela stringo forte.

«La vista è sopravvalutata: gli occhi finiscono per non vedere ciò che vedono sempre, più vedono e meno guardano.»

Immagino il suo volto perplesso. Anzi, lo vedo.

«Le ricordo che la sua prima lezione è dopodomani. Spero di riuscire a spostarla alla prima ora.»

«Ci sarò.»

«Lo spero.»

Si allontana e sento un movimento nell'angolo di una stanza piccola, i cui odori sono oscurati dall'aroma del caffè appena fatto e da quello che si è incrostato sulle superfici in anni di produzione. Credo si tratti di qualcuno che si era rintanato dietro qualcosa.

«È andato via...»

«C'è mancato un pelo, zia Patri. Se quello mi trovava qui a bere il caffè il primo giorno di scuola mi sospendeva facile», è la voce sgrammaticata di un ragazzo.

«Adesso torna in classe, che qui abbiamo da fare.»

«Meno male che ti hanno inventata, zia Patri. Ma che ci fai con tutti questi libri?»

«Li leggo, ignorante.»

«Che palle!»

«Smettila di dire parolacce, qui dentro sono vietate. Sparisci!»

Sento il ragazzo scappare, ma prima fa in tempo a dire: «Ti amo zia Patri. Un giorno ti sposo».

«Quello è il mio preferito. Si chiama Oscar. È cresciuto senza padre, fa lo sbruffone ma è di cristallo: fragile e trasparente... E sarà suo alunno!»

«Zia Patri?»

«Sì, qua dentro sono la zia di tutti.»

Mi porge la tazzina, che accolgo come un tesoro piccolo e prezioso: ci sono persone che mandano avanti il mondo ripetendo gesti gentili con precisione impeccabile. E così faccio conoscenza con il caffè della signora Patrizia: una tale gioia al palato e all'olfatto che quasi quasi mi scappa una carezza sulla sua guancia.

«Che cosa legge, signora Patrizia?»

«Romanzi. Ogni tanto qualche ragazzo o qualche ragazza viene qui e mentre beve il caffè io leggo ad alta voce.»

«E ora che cosa sta leggendo?»

«Ho appena cominciato Il dottor Živago, e sono in quella fase tipica dell'inizio dei romanzi russi in cui devi continuamente tornare indietro per controllare i nomi dei personaggi e magari scoprire che quella non è altro che una delle 15 versioni dello stesso nome, a seconda della parentela da cui lo guardi. Un romanzo russo lo riconosci subito.»

«Da cosa?»

«Dalla pagina con l'elenco dei personaggi... È indispensabile, perché a pagina 10 non ricordi chi era uno che hai incontrato a pagina 4. E poi perché il personaggio cambia continuamente in base alle relazioni e alle situazioni, come i 15 nomi che lo indicano...»

«Mi sembra una sintesi perfetta. E somiglia molto alla fisica dei quanti. Non ho mai letto *Il dottor Živago*, mi è sempre sembrato un mattone, ma lei mi ha fatto venire voglia.»

«I mattoni servono a costruire case bellissime! Quando vuole, professore, venga qui che gliene leggo qualche passo. E lei magari mi spiega qualcosa di questi quanti, di cui non so niente.»

«Forse *Il dottor Živago* è un romanzo quantistico.»

«Non lo so. Di sicuro in ogni pagina un nome diverso indica lo stesso personaggio...»

«Proprio come accade con i quanti... La luce e la materia sono come due facce della stessa moneta, e ora si manifesta l'una, ora l'altra...»

«Se lo dice lei... Vedo che ha la fede!»

«E come ha fatto a capire che credo in Dio?»

«No, no, intendevo l'anello...»

Senza dubbio Patrizia è una di quelle donne che vedono tutto meglio degli scienziati: sanno come interrogare le cose e i loro segreti, per farne poi infallibili leggi universali sull'arte di vivere e interminabili chiacchiere.

«Sì, sono sposato con Maddalena e ho due bambini bellissimi: Pietro di 9 anni e Penelope di 3.»

«Ma lei è sempre stato cieco?»

«No, lo sono diventato a causa di una malattia che ha deteriorato rapidamente la mia vista dieci anni fa. Da cinque non ci vedo più.»

«E non si può guarire?»

«Ci sono buone speranze. Sono dentro un protocollo sperimentale. Ho subito già due interventi per riabilitare il nervo ottico e i risultati sono stati positivi. E ora sono in attesa dell'operazione decisiva, che dovrebbe restituirmi la luce.»

«Mi scusi, non volevo essere invadente...»

«Non lo è stata affatto.»

«E perché sta piangendo?»

«Ah, mi scusi. Purtroppo è una conseguenza della mia patologia: si perde il controllo della lacrimazione. Piango spesso e per questo indosso gli occhiali scuri.»

«Però le stanno bene, le danno il tocco misterioso...»

«Del cieco!»

«No, dell'uomo di cui non sai dove sta guardando!» «Vedere senza essere visti l'ho sempre considerata una forma di potere. Io adesso posso solo essere visto senza vedere. Sono praticamente sempre in balia della vita.»

«Allora speriamo che funzioni questa cura. Un bel ragazzo come lei! È un peccato.»

«Sa cosa è un peccato, Patrizia?»

«Che cosa?»

«Che non ho mai visto il colore degli occhi di Penelope. Per questo voglio guarire.»

Patrizia sembra aver perso le parole. La sollevo dall'improvvisa e faticosa intimità creata dalla confidenza di un dolore.

«E quindi qual è il segreto per conquistare questa classe?»

Patrizia si affretta a rispondere: «Bisogna voler loro più bene di quanto riescano a volerne a se stessi».

«Cioè quello di cui abbiamo bisogno tutti...»

«Professore, ma lei perché ha deciso di riprendere il lavoro?»

«Mi serve lo stipendio.»

«Non ci credo che è solo per questo.»

«Einstein faceva supplenze nelle scuole superiori e nel frattempo rivoluzionava per sempre il concetto di spazio e di tempo. Magari invento qualcosa di grandioso... O semplicemente riesco a ritrovare fiducia in me stesso. Quando sono diventato del tutto cieco ho deciso di smettere.»

«E poi?»

«E poi è una storia lunga come un romanzo russo... per farla breve: non posso stare senza insegnare. Ma non so se riuscirò...»

«Anche Beethoven ha composto opere grandiose quando era già sordo.»

23

«Conosce Beethoven?»

«Professore, la smetta con questo tono da primo della classe snob e maschilista. Lei ancora non ha capito con chi ha a che fare... Quando vorrà fare due chiacchiere ascoltando della buona musica, avremo anche quella.»

«Mio padre ama la musica classica. Da lui ho imparato ad ascoltarla. Gli piacciono soprattutto Chopin, Liszt, Schubert e Rachmaninov.»

Patrizia si muove rapida nella stanza. Sento che estrae qualcosa da un armadio. Poi il rumore inconfondibile di una puntina su un vinile. E le note del primo dei 24 studi di Chopin riempiono la stanza, di cui adesso prendo pieno possesso grazie alla musica che si posa su ogni cosa, reagendo in modo diverso. Ricordo le sere passate ad ascoltare la musica con papà. E piango come un bambino di fronte alla signora Patrizia, senza neanche trovare il tempo di vergognarmi.

Una mano sosta sulla mia guancia per qualche secondo.

«Altro caffè?»

Da quando sono diventato totalmente cieco soffro di crisi di panico che si manifestano con tachicardia e vertigini, che riesco a superare in due modi: 1. prendendo tra le dita un oggetto piccolo e concentrando tutta la mia attenzione sui polpastrelli; 2. formulando classifiche impossibili: le 10 canzoni più belle, i 10 libri più noiosi, i 10 serpenti più velenosi, le 10 scene di corteggiamento più belle... A poco a poco le pulsazioni scendono, il respiro torna regolare e il mondo non mi dà più le vertigini.

In situazioni nuove o impreviste cerco di limitare al minimo le sorprese e, stamattina, primo giorno di lezione nella mia nuova classe, alle quattro ero sveglio in preda all'ansia. Così già da mezz'ora sono seduto alla cattedra della mia nuova aula, e sto ripassando l'elenco dei 10 robot della mia infanzia, in ordine di potenza: Daitarn, Jeeg Robot d'Acciaio, Mazinga, Daltanious, Goldrake... Nel frattempo, da solo, posso prendere possesso dello spazio acusticamente, per riuscire poi a collocare le cose e le persone con precisione, e non rimanere spaesato. Dai corridoi non proviene ancora alcun suono, mentre dalla strada la città cerca di imporre il proprio frastuono. I singhiozzi del traffico provano invano a sovrastare il vociare ricco di storie dei ragazzi che si incontrano con un'estate intera da raccontare, prima che la noia se li inghiotta. L'odore di vernice appesta la stanza: riverniciare le pareti delle aule è un rito propiziatorio, che promette una vita nuova semplicemente perché i muri non hanno gli stessi segni irriverenti dell'anno prima. Si sa, noi umani preferiamo essere delusi piuttosto che annoiarci. Dopo avermi offerto il suo caffè miracoloso, Patrizia mi ha accompagnato tenendomi sotto braccio e il suo calore semplice e profumato mi ha dato sicurezza. Ora sono seduto e in silenzio attendo la prima campanella dell'anno. L'aula è ancora vuota: *aula*, con il suo dittongo iniziale *au*, è l'onomatopea del dolore delle vite qui rinchiuse, un guaito. Anche se in realtà la parola segnala in modo acusticamente perfetto uno spazio vuoto, arioso, libero, in cui si può soffiare allo scopo di produrre un suono. Ho la fissazione dell'etimologia: solo le radici fanno crescere le parole forti e rigogliose. I Greci chiamavano *aulos* il flauto, l'aula è la cassa di risonanza in cui la vita soffia le storie di ragazzi che mai avremmo scelto. Per questo amo l'aula vuota, in attesa di anime e corpi. E qui noi insegnanti "professiamo" gli articoli del nostro credo: l'appello.

Per precauzione tengo tra le dita un dado a 10 facce, come quelli che collezionavo da ragazzino quando ero appassionato di giochi di ruolo. Ne seguo gli spigoli con i polpastrelli, cerco di prevenire il panico della prima ora con studenti nuovi. Mentre l'aula si riempie e io sono nascosto dietro il superficiale buio dei miei occhiali da sole, penso a 2006QV89. Non è una password alfanumerica imbattibile, ma il nome di un asteroide di 30 metri in orbita attorno alla Terra. Se ci colpisse sarebbe una bella apocalisse. C'è una possibilità su 10.000 che accada, cioè se avessi un dado a 10.000 facce dovrebbe uscire la catastrofe al primo colpo. Per dominare il caos di questo inizio immagino che il mio primo colpo vada a segno e che rimaniamo vivi solo noi di quest'aula: l'unica eredità che potremmo lasciare è quella dei nostri nomi. Da questo momento il mondo è tutto in un appello. Devo chiamare a uno a uno i nomi del mondo che è stato, è e sarà, come elementi di una nuova tavola periodica dell'umana avventura.

La campanella dissolve elenchi di robot, asteroidi e ipotesi apocalittiche. Il primo trillo del mio anno scolastico richiama all'ordine l'entropia esistenziale, più che mai fervida dopo la pausa estiva. Sono chino sul registro, indosso i miei occhiali da sole, ho un dado in mano che mi ricorda che per ognuna di quelle facce c'è un volto nella classe, e la vita sembra un vertiginoso gioco d'azzardo. Mi impongo di non sollevare lo sguardo mentre li sento disporsi e aggiustare banchi e sedie, li immagino pieni di imbarazzo e curiosità di fronte alla mia apparente, meticolosa disamina del registro. Nessuno mi ha salutato: morto un professore se ne fa un altro. Per i ragazzi noi insegnanti siamo ruoli non persone, un fato da scontare. So che si stanno chiedendo se lo scambio è convenuto loro, se sono più cattivo di chi mi ha preceduto, che ne sarà della maturità, se sono sposato o sfigato, o semplicemente se sono normale... I commenti sussurrati urtano contro le pareti e mi aiutano a capire esattamente come si dispongono i corpi nell'aula, il loro odore si mescola a quello di alcol e vernice, e a poco a poco lo sovrasta in un ventaglio di profumo, sudore, attesa, seduzione, fragranza, abbandono, amarezza e tutti gli odori di corpi in fermento come l'uva a settembre. Accarezzo il registro aperto con i polpastrelli fino a sentire i nomi scritti a mano nella colonna di sinistra, come se potessi impararli a memoria toccandoli. Quando il suono prolungato della seconda campanella cessa, l'aula precipita nel silenzio della curiosità, rarissimo a scuola. Adesso avverto più forte il respiro nelle bocche, l'attrito dei corpi fatti di dolori segreti, gioie strappate per caso alla vita, noia spessa, lacrime salate e ben nascoste, carne, muscoli, capelli e denti, tanti denti. Ci sono tutte le componenti invisibili della materia e dell'energia, le stesse che compongono il cosmo, da un granello di sabbia a una supernova. Sento ogni dettaglio ingrandirsi a dismisura come mi accadeva da vedente poco prima di addormentarmi, quando il cervello è in dormiveglia e gli occhi ancora no, e ho paura che si possa innescare una crisi di panico. Devo reagire. Tocca a me. Sento che cominciano a guardarsi e percepisco i gesti più o meno sconcertati o ironici che in genere rimpiazzano le loro paure. Abbandono il dado sulla cattedra, rotola, ne tocco la superficie in alto: 7. Un numero che indica pienezza. Mi schiarisco la voce e alzo la testa.

«Sono Omero Romeo, il vostro insegnante di scienze.»

Non appena ho finito di scandire le parole, mi tolgo gli occhiali da sole e mostro i miei occhi lattiginosi e perduti.

«E sono cieco.» Una presentazione che non lascia scampo a finzioni e maschere. Sono praticamente allo scoperto, da subito. Ed è bene farci i conti.

Un lungo silenzio paralizza l'aria e i corpi prima inquieti, come succede sempre con le verità nude e crude.

«Non sono sempre stato cieco.» La mia voce è limpida e le parole scandite con una precisione che non mi aspettavo, la scienza lo richiede quando si danno definizioni e si rischia una crisi respiratoria.

«Sono diventato cieco a causa di un interruttore genetico che ha deciso di attivarsi poco dopo il mio trentacinquesimo compleanno, velando con un progressivo e inesorabile crepuscolo i miei occhi. Cinque anni dopo non vedevo più nulla. Ne sono passati altri cinque e ora vedo attraverso i suoni, il tatto e gli odori. Nei primi cinque anni, in cui distinguevo ancora la luce e il buio, è stato il tatto a prevalere: mi dovevo aggrappare alle cose come un naufrago per non annegare. Nei successivi cinque, quando è sparito ogni barlume di luce, l'udito e l'olfatto hanno cominciato a reclamare la loro parte. Adesso ho un superudito, un superolfatto, un supertatto. Superpoteri senza pretese di salvare il mondo, perché a stento riesco a non sbattere contro le auto e a centrare il water per fare la pipì. Ho deciso di diventare professore perché in me i due elementi che fanno il destino di un uomo, il suo DNA e l'ambiente, non lasciavano scampo: padre professore di astrofisica all'università e madre professoressa di greco e latino a scuola. I genitori ti danno la vita, i genitori professori invece te la spiegano, e così ti sembra di poter vivere solo spiegando le cose a te stesso e agli altri. Ho scelto la chimica grazie al mio insegnante delle superiori. Un uomo che in qualsiasi stagione portava il panciotto sotto la giacca che toglieva in un momento preciso della lezione, abbandonandola sulla cattedra, arrotolava le maniche della camicia come se dovesse fare a botte con la realtà per strapparle un segreto, e poi se le tormentava quando le cose diventavano più difficili e interessanti. E senza mai aprire il libro cominciava a snocciolare i suoi miracolosi *perché?* Si sedeva solo quando la lezione stava per finire, come se dovesse lasciar decantare le risposte ottenute in una formulazione definitiva e incontrovertibile: una legge. Così ho imparato tutta la scienza che so e che ancora non so, con la domanda che ha guidato tutti gli uomini alla conoscenza della realtà, la stessa che va dalla poesia alla chimica passando per tutti i saperi umani, anche se si servono di strade diverse per afferrare un po' di realtà: *perché?* Quell'uomo col panciotto non distingueva tra spiegare e interrogare, erano la stessa cosa, cambiava solo il fatto che la ricerca fosse di classe o individuale. Le sue domande nascevano dalla realtà circostante: dalle stagioni alla cronaca calcistica. Versava l'acqua calda dal termos in un bicchiere, prendeva una bustina di tè dal taschino del panciotto in cui teneva anche l'orologio a cipolla e la immergeva nell'acqua, che a poco a poco si colorava di ambra. *Perché l'acqua si colora?* Oppure prendeva la pallina da tennis dal tubo di un mio compagno che si allenava dopo la scuola e la lanciava in aria seguendone il moto. *Perché il rimbalzo diminuisce?* Noi dovevamo rispondere a partire dalle conoscenze che già avevamo, viaggiare dall'ignoto al noto, fino ad arrivare a formulare una legge. Ci faceva ripercorrere tutta la storia della scienza, osservando e provando. La varietà dei fenomeni doveva condurre alla verità della formula che li regola, perché *la realtà ha un ordine che sta a noi scovare.* Per lui non c'erano segreti sul *come* delle cose, bastava usare l'intelligenza per riportare il molteplice all'unità. *E chi mette un po' di ordine nel caos*, diceva lui, *salva il mondo.*»

Sento che un corpo all'interno dell'aula si agita, producendo un'onda che coinvolge gli altri corpi, che non sanno scegliere se indirizzarsi alle mie parole o ai suoi gesti. Si chiama ecolocalizzazione la capacità di un cieco di percepire la pressione fisica emanata dalle cose, ti colpisce dritta in faccia, tanto che c'è chi la chiama visione facciale. E a me, in questo istante, arriva dritto in faccia che uno dei ragazzi si sta sbracciando, forse per prendermi in giro. Non posso ignorarlo.

«Dimmi» mi giro nella direzione del movimento interrompendo il mio discorso. La classe si paralizza. Nessuno risponde e l'imbarazzo satura il silenzio.

«Ve l'ho detto: ho l'udito di un supereroe.» Sento i corpi rilassarsi e rivolgersi di nuovo verso di me.

«C'è una intelligenza nelle cose, una fedeltà nei loro comportamenti, che ci obbliga a essere altrettanto intelligenti e fedeli. Questo è cercare la verità. E niente dà più gioia che raggiungerla, nella scienza come nella vita. *La verità è l'eros dell'intelligenza, il suo piacere.* Questo ci ripeteva quel professore. Io avevo solo 16 anni e decisi che volevo vivere così: trovare le risposte ai perché sollevati dalla vita di tutti i giorni, dal caos dei fenomeni all'ordine che governa le cose. Volevo mettere un po' d'ordine in quel caos, per salvare me, più che il mondo. Insomma ho scelto le scienze perché ero un adolescente imbranato e impaurito. Perché la polvere sotto i vostri divani si aggrega in nuvole? Perché la sedia su cui poggiate il sedere si riscalda? Ci chiedeva. E io dentro di me pensavo: Perché non ho ancora una ragazza? E speravo che la scienza potesse aiutarmi.»

Sento qualcuno ridere perché ciò che ho appena detto si presta a quelle facili scurrilità che tanto piacciono agli adolescenti, che del sesso credono di sapere tutto perché ne hanno visto tutto, ma in realtà ne ignorano il mistero.

«Perché il gesso rimane attaccato alla lavagna? Perché le lacrime escono dagli occhi? Nessuna lezione della vita comincia con l'enunciazione di una legge o di una regola. Comincia sempre con un fatto, un evento, con il caos che seduce la nostra curiosità o addirittura ci obbliga a difenderci.»

«Perché è diventato cieco?» mi chiede a bruciapelo una voce femminile proveniente dall'angolo destro della classe, vicino alle finestre. C'è sempre uno studente "da finestra", giustamente incapace di accettare che si possa rimanere cinque o sei ore incastrati in un parallelepipedo, e che si posiziona sulla soglia in cui l'immaginazione cresce, non appartenendo del tutto a nessuno dei due territori confinanti: il dentro e il fuori.

«L'ho spiegato prima, una malattia...»

«Non intendo questo. Perché proprio lei?» La classe ha un sussulto, le sedie si muovono nella direzione da cui proviene la voce.

Rimango in silenzio.

«Anche questo è un perché» rincara la ragazza.

«È vero, ma ci sono i "perché" che corrispondono a un "come", e sono i quesiti della scienza. Dall'effetto per risalire alla causa descriviamo il come, anche se lo poniamo in forma di perché. E ci sono dei perché che non sono sinonimo di come, non hanno a che vedere con la catena causale, ma riguardano il mistero. A questi perché cerchiamo di rispondere per dare un senso alle cose che accadono, ma non possiamo risolverli con una certezza scientifica. Posso spiegare come sono diventato cieco, ma non so la risposta al perché proprio io. È capitato.»

Le lacrime mi cadono dagli occhi a intervalli regolari e le asciugo con il dorso della mano.

I ragazzi sono muti e immobili.

«Mi vedrete piangere spesso: una delle conseguenze della mia malattia è una lacrimazione incontrollata. Ma non ne abbiate paura. Ognuno ha la sua maturità da affrontare: io spero di riacquistare la vista con un'operazione che attendo da tempo. È un nuovo protocollo per una patologia ancora senza cure.»

«Perché esiste il dolore?» chiede ancora la ragazza, con un tono di voce che non è spietato come potrebbe sembrare, ma disperato, perché quella domanda la sta ponendo a se stessa e non a me. Tutta la presenza di una persona per me è data dal timbro di voce, e non si può neanche immaginare quanto la voce sia precisa nel rappresentare ciò che non si vede. Un volto può abituarsi a mentire, anche nei tratti, una voce no. E gli adolescenti sono come mastini della verità, quando ne sentono l'odore non mollano più la presa e mordono finché non se ne portano via almeno un pezzo.

«Per raccontarlo. Il dolore ha la capacità di spogliarci di tutte le domande inutili e condurci all'essenziale, attira le componenti invisibili della vita come quello che in chimica si chiama catalizzatore. Dal dolore pretendiamo di ricavare sempre una formula, proprio come se fosse uno stato descrivibile. Ma il dolore è un processo e se ne può raccontare solo la storia, è una storia che si deve ancora fare. Non riguarda il passato, uno stato appunto, che si può descrivere, ma il futuro. Per questo è fatto per essere raccontato, perché è una storia. Altrimenti ci pietrifica: passiamo il tempo a imprigionare il dolore nel passato, cercandone le cause con la precisione di uno scienziato, ma non è questo che può guarirci. Noi possiamo guarire solo stando nel dolore e scoprendo dove ci porta, proprio perché non abbiamo più il controllo delle cose. Che cosa avrei visto se non fossi diventato cieco? Quello che vedono tutti. Invece vedo altro. Mia madre mi raccontava sempre della questione omerica, era il giallo che la appassionava di più: nessuno sa se Omero sia veramente esistito ma si racconta che fosse cieco, perché solo un cieco avrebbe potuto raccontare le cose come ha fatto lui.»

«Che significa? Non è il contrario?» mi interrompe un'altra voce inquieta. La lezione ha già preso il suo inarrestabile e imprevedibile percorso di ricerca. Le lezioni non sono tragitti di metropolitana, obbligati, ma passeggiate in montagna in cui ci si ferma quando si vuole, a riposarsi, a guardare il panorama, a toccare una pianta, a osservare un volatile...

«No, se ci pensate. Proprio per quello che vi ho detto. Quella cecità gli ha permesso di sentire il mistero profondo delle vite umane che ha raccontato. Ma queste sono cose che dovete chiedere alla vostra professoressa di lettere.»

Avverto delusione, come accade spesso ai ragazzi quando il programma spazza via il primo barlume di sapere che abbia a che fare con il senso della vita. Quello, in programma, non c'è mai.

«Dalla prossima lezione cominceremo a lavorare sui perché. Portate una penna e un quaderno: la chimica, la fisica, la biologia, l'astronomia c'entrano con la vita di tutti i giorni e non servono solo a sostenere un esame. E portate anche il vostro nome.»

«In che senso?»

«Dal momento che io non posso vedervi, dal vostro nome dipenderà la vostra stessa vita, come nella tavola periodica la posizione dell'elemento dal numero atomico. Per questo svolgeremo l'appello nel modo che adesso vi spiegherò.» Sento i corpi in attesa attraverso il lievissimo spostamento delle sedie e dei banchi, quello spostamento di pochi centimetri è la traiettoria del desiderio che fa tendere le schiene in avanti.

«Ciascuno di voi si alzerà e scandirà il suo nome, con voce chiara, così che io possa associare a quel timbro il nome e la posizione nell'aula. Vi chiedo per questo la cortesia, finché non avrò imparato a identificarvi dal timbro della voce, di occupare gli stessi posti nelle mie ore. Il suono della vostra voce, la direzione e il tempo che ci mette a raggiungermi mi dicono dove e chi siete. Dopo aver pronunciato il vostro nome, racconterete che cosa lo definisce meglio, come se doveste descrivere un minerale nelle sue manifestazioni essenziali: la conformazione fisica, la struttura cristallina, l'origine, le proprietà...»

«Ma questo tutte le volte?» chiede una voce femminile piuttosto timorosa.

«In ogni mia lezione. Sicuramente ciò che avrete da raccontare sarà diverso di volta in volta e attingerà a regioni del vostro nome sempre più nascoste, come accade con i fenomeni complessi di cui a poco a poco si scorgono le cause. Ogni giorno aggiungeremo qualcosa alla ricerca scientifica.»

«Ma perché? Che vuole che ci sia sotto un nome...» azzarda una voce maschile dalle retrovie in tono beffardo.

«Salvare un nome. Per questo faccio l'insegnante e non voglio smettere di farlo anche se sono diventato cieco. Niente di sentimentale, pura scienza: sino a che non lo identifichi e non gli dai un nome, un fenomeno non esiste. Voi siete i fenomeni per i quali a me è chiesto di stabilire il nome preciso e l'appello è la formula completa che salva il mondo. A voi la scelta se essere dei fenomeni unici o dei fenomeni da baraccone: tutti uguali e utili soltanto a far ridere la gente. Le dittature mirano a eliminare le differenze, nelle dittature infatti si usano tante uniformi e spariscono i nomi propri.»

«E si può rimanere zitti?» riprende il ragazzo, adesso più serio.

«Anche il silenzio sarà un modo di rispondere all'appello. E noi sapremo che quel giorno quel nome ama il silenzio, come accade nelle poesie in cui i nomi spuntano negli spazi bianchi. Ma non finisce qui.»

Un silenzio vigile si approfondisce.

«Alla fine di ogni racconto vi avvicinerete alla cattedra e io poggerò le mie mani sul vostro viso. Non potendo guardarvi negli occhi sono costretto a toccarvi.»

«Lei le mani addosso non me le mette» si ribella un'altra voce, femminile questa volta.

«Io non metto le mani addosso a nessuno. Porto avanti l'osservazione con metodo sperimentale. Cavità, sporgenze, contrazioni della pelle, imperfezioni, frequenza dei battiti delle palpebre... Sul volto si legge tutta la storia di una persona e io non posso conoscervi solo dalle vostre parole, ho bisogno di verificarle sul campo.»

«Nel mio caso si accontenterà delle parole.»

«Qual è il tuo nome?»

«Elena.»

«Domani cominceremo l'appello da te. Che numero sei nell'appello?»

«Non lo so, sono nuova in questa classe.»

«Leggilo tu» le porgo il registro.

Lei si avvicina e legge: «Il 7».

Il caso non esiste, vorrei impegnarmi in alcuni pensieri su questa coincidenza, ma la campanella suona a decretare che quel giorno ha già il suo carico di domande da smaltire.

«Chi mi dà una mano a uscire?»

«Io» risponde una voce stentorea, che riconosco come quella del ragazzo che si era nascosto dalla signora Patrizia il primo giorno di scuola. Mi faccio guidare verso l'uscita, la sua mano è grande e forte anche se mi sfiora appena, con un garbo mal gestito da quel corpo. La mia fragilità dispone le persone a un atteggiamento di tenerezza, e con questo ragazzo abbiamo già instaurato un rapporto che a volte non si costruisce neanche in cinque anni insieme. Decisamente le relazioni sono fatte come i puzzle, solo con gli incastri nei vuoti si stringono legami veri.

«Di qua, professore.»

«Non mi serve che tu mi dica "di qua", perché non so dove sia. Mi serve che tu mi prenda sotto braccio e mi guidi.»

Sento che mi afferra con più sicurezza e mi orienta verso la porta aggirando la cattedra.

«Adesso ci penso io, Oscar», è la voce di Patrizia che ci sta già aspettando fuori dalla porta come da accordi.

«Agli ordini, zia Patri.»

Gli altri attorno a noi ridono.

Ringrazio il ragazzo e mi affido alle mani di Patrizia.

«Lo vuole un caffè, professore?»

«Un altro?»

«I miei non sono mai troppi...»

Sotto braccio approdiamo al suo rifugio, che sa di lavanda e caffè.

«Come è andata?»

«Benissimo.»

«Ha visto che tesori che sono...»

«Non ho visto nulla, Patrizia.»

«Mi scusi, professore, mi confondo sempre.»

«Lo vedo.»

Rimane in silenzio, interdetta, poi capisce che è una delle mie stupide battute a cui non si sa come reagire per paura di offendermi, ma ci si sta abituando assai in fretta e scoppiamo a ridere.

La mattina chiama tutti alla luce e la città rimescola vite che partecipano a un gioco le cui regole troppo spesso restano ignote. Per questo un giorno quel genio della fisica di Erwin Schrödinger, che tutti conoscono per il gatto quantistico, si chiese: "Che cosa è la vita?". E intuì, lui che non era biologo, dieci anni prima che venisse scoperta, come doveva essere fatta la struttura del DNA: infinite combinazioni possibili di una stabile sequenza di atomi contenuti in uno spazio piccolissimo. La vita era un messaggio in codice. E non è forse questo un nome proprio? Una sequenza unica di lettere scelte dallo sconfinato alfabeto della vita, per identificare ciò che non si è mai dato nella storia e mai più si darà nel suo corso. Ma il nome ha bisogno di essere pronunciato da qualcuno, così come il DNA non basta a fare un destino. Il genoma infatti non è originale senza l'epigenoma, cioè il modo in cui la vita ci tocca ogni giorno e ci modifica anche nelle nostre strutture più profonde. Al nostro nome rispondiamo: PRESENTE! perché accende tutto il nostro destino come un interruttore fa con la luce. Siamo un fenomeno fisico e metafisico unico, che sparisce tutte le volte che diciamo "io" per finta, perché solo il suono magico delle nostre lettere può attivare il composto di gioia e dolore, di amore e disamore, di paura e avventura di cui siamo fatti. Non si può rispondere al proprio nome per abitudine, perché non si è vivi per abitudine, ma per inquietudine. Ho sempre pensato alle parole come composti e reazioni chimiche, e a questo ho aggiunto l'ossessione etimologica. Se al verbo latino *pello*, "spingere", mescolo la preposizione *ad-*, "verso", do vita al composto AD-PELLO, "spingere verso", ossia l'azione compiuta da una donna quando dà alla luce. APPELLO significa:

- chiamare per nome una persona per accertarsi che sia presente;
- invocazione, richiesta d'aiuto.

In entrambi i casi è presente una voce che definisce le condizioni di possibilità della vita umana: una volta spinti nella luce, che cosa dobbiamo fare per rimanerci? Tutti dalla mattina alla sera lottiamo perché il nostro nome venga pronunciato come si deve. Lo cerchiamo dappertutto, in un posto di lavoro, in una relazione, in una notizia, in un vestito, in un record, in una passione, in una perversione, nella violenza, nell'ambizione, nella dipendenza e nella distruzione, nel dominio e nel piacere, in una tomba e nella scelta di qualcosa o qualcuno a cui appartenere; perché questo è avere un nome: avere qualcosa o qualcuno che lo tenga al sicuro. Il nome ci fa essere un po' meno mortali, e questa è la vera lotta per la sopravvivenza, prima ancora che quella della specie. Troppo spesso i nostri nomi propri si riducono a nomi comuni, quelli necessari agli usi comuni, per i quali uno vale l'altro: piatto, letto, tavola... Ma quando un nome proprio diventa un nome comune smette di vivere: la poesia non serve forse a restituire ai nomi comuni la loro dignità di nomi propri? Per questo i poeti e gli scienziati migliori sono quelli che uniscono tenerezza e rigore. Dare un nome proprio e dare alla luce sono la stessa cosa. Da quando sono cieco ho capito che la luce non è semplicemente quella che si riflette sulle cose, ma quella che ne esce quando le chiami per nome. Il giorno in cui i medici mi hanno detto che nel giro di pochi anni sarei diventato totalmente cieco è stato il giorno del mio appello: la vita mi ha chiamato per nome e mi ha chiesto se ero presente, anzi se lo ero mai stato o se mi ero illuso di esserlo attraverso tutte le maschere che avevo indossato nel corso degli anni.

Per riuscire a insegnare devo concentrarmi sulla presenza dei ragazzi e non sulle mie aspettative, devo lasciare che siano loro a venire alla luce e non io a illuminarli. Almeno ci devo provare... Allo stesso modo in cui ho dovuto imparare a veder crescere mio figlio toccando il suo volto, ascoltando le sue parole e i suoi silenzi. Eppure vorrei di nuovo vederlo. E mia figlia, che non ho mai visto? Non riesco ad accontentarmi delle mie dita e della sua voce, anche perché, se sono ancora qui a raccontare questa storia, lo devo a lei...

Mentre sono immerso in questi pensieri suona la campana. Per un vedente alcuni suoni sono solo dettagli di un contesto, che il cervello automaticamente posiziona in sottofondo, per un cieco invece balzano in primo piano e cancellano tutto il resto. La campana è uno di questi. È ora di cominciare.

«Non sarà l'ordine alfabetico a guidarci, ma quello spaziale, così potrò associare la vostra voce alla posizione. Partiamo dal più vicino alla finestra e poi ci muoviamo verso la porta.»

Sento bisbigliare: si mescolano rapidamente esaltazione, paura, spavalderia... tutti i sentimenti dispersi dell'adolescenza sono catalizzati dall'appello.

«Più avanti ci lasceremo guidare dalle necessità della vita o dal caso del mio dado a 10 facce. Anche se già oggi cominciamo da un'eccezione, come accade in natura nei momenti di evoluzione: Elena?»

ELENA

Presente. Presente è il mio corpo e forse neanche quello. Come si fa a essere presenti in una cosa chiamata "dell'obbligo"? Come si fa a essere presenti per obbligo? Ma non voglio cominciare con una polemica, perché poi tutti mi danno della zitella inacidita alla prima settimana di scuola. Mi chiamo Elena e la colpa è di mio padre che è fissato con i miti, perché da bambino glieli raccontava sempre sua madre. Non so perché si raccontano i miti ai bambini, grondano sangue e violenza, e poi vi scandalizzate dei nostri gusti, come se degli dèi che mangiano i loro figli o si accoppiano in forma di animale con donne ignare fossero migliori solo perché sono antichi... Ma queste sono cose che a noi dello scientifico non interessano, noi siamo fatti di radici e integrali: verità senza sbavature. Ma sto divagando.

Mi chiamo Elena perché Elena era la più bella, e così mio padre ha deciso che si sarebbe chiamata la sua primogenita, prima ancora di averla vista. Era così fiero di me, non avrei potuto che essere la più bella di tutti, come se prima non fosse mai nato nessun altro. Credo sia l'effetto che fanno i primogeniti a un genitore, per questo poi li massacrano di aspettative. Ma non si era ricordato di quella parte del mito in cui Elena diventa una cagna, perché ha tradito il marito Menelao per andare a Troia con Paride, causando la prima guerra mondiale della storia. Mio padre ascoltava le storie di nonna Bianca nella versione purificata, nella quale Elena era stata rapita da Paride e i Greci non avevano fatto altro che andare a riprendere ciò che era stato loro sottratto con l'inganno. E con l'inganno se l'erano ripreso. Questo era quello che mio padre ricordava quando io nacqui, e mia madre lo assecondò. Mia madre era una donna bellissima, da lei ho preso il taglio degli occhi, il naso sottile e i capelli mossi. Ora lei è sfiorita, perché la vita non è dolce né a 18 né a 48 anni. Non credo lo sia mai, ma con mia madre si è accanita con un tumore al seno: tagliato. Da quel giorno in lei qualcosa si è spento, il tumore le ha preso il seno sinistro e il cuore dietro al seno. È diventata malinconica. Il tumore ha lasciato il corpo, ma continua nell'anima: non c'è molta luce, anche se mio padre cerca di portargliene un po'. Mio padre la ama sempre, lei non lo so, perché adesso non sembra che mia madre ami più nulla.

Quando sono entrata al liceo ero felice. Tutte le novità mi spaventavano al punto giusto, perché sapevo che avrei potuto affrontare qualsiasi cosa. Ho scelto lo scientifico nonostante i miei genitori: insistevano perché facessi il classico, come loro, ma io agli incubi dei miti preferivo la schiettezza dei numeri. Poi è arrivato il tumore e ho avuto paura di vivere. La matematica non mi interessava più, di sicuro non avrebbe salvato mia madre. E i miti con il loro orrore purtroppo avevano ragione: la vita è un'orrenda tragedia. Per oggi l'amarezza può bastare. Avanti il prossimo condannato.

CESARE

Ruggine è il mio nome d'arte, me la gioco sempre qualsiasi siano le mie carte, l'ho imparato da bambino, quando bisognerebbe essere felici, scrivere un pensierino e andare sulla bici. Ma la vita è un bordello, tutti a cercare la felicità, o almeno qualcosa di bello, ma alla fine la verità è che siamo soli, senza ali, senza voli. Ruggine dice sempre la verità, è stato all'inferno come Dante, ne è uscito senza pelle ma col cuore gigante. Io di Elena prima di oggi non sapevo niente, è bastato l'appello di un professore non vedente, allo stesso modo nessuno sa di me come è andata, si vede la maschera, la facciata. Ma questo gioco mi piace, sembra una sfida di beat, dici te stesso, senza feat, senza cit, tutto explicit. Cesare è il mio nome ma non so né quando né come mi sia stato dato, perché mia madre mi ha abbandonato. Un padre non l'ho mai avuto se non nel seme, peggio di uno sputo. La mia vita è iniziata senza permesso, il frutto benedetto di una rapida scopata. Non parlo mai di me, fa troppo male, come il mare che ha troppo sale, ti ricorda ogni ferita, la fa bruciare di brutto, anche la più piccola anche la più antica.

Ho un ricordo bello ma perso nel passato, perché il tempo è bastardo e il regalo te lo ha sempre dato quando non potevi accettarlo. Ho avuto un'amica in tutta la mia vita, era alle elementari e mi voleva bene, si chiamava Margherita e giocavamo sulle altalene. La maestra diceva che ero strano, perché alla mia età avevo troppa rabbia, e così me ne stavo zitto, in una gabbia, ma volevo distruggere ogni cosa, una testa o una rosa. Vivo in una comunità, senza una mamma né un papà, non parlo bene, parlo come mi viene, scrivo canzoni, a rime martellate, alcune belle altre cagate, dove nascondo tutto il dolore e lo trasformo in urlo e in amore. La musica è un salvagente, mi tiene a galla quando affondo, quando la tempesta distrugge ogni cosa, il mio corpo, il tuo, niente in me riposa, tutto ribolle e vuole uscire come lava, lacrime dagli occhi e dalla bocca la bava. Una volta ho scritto una canzone in cui ho promesso a Margherita di proteggerla dal male, questo mi tiene in vita, mi fa sentire meno il sangue e il sale. Cesare è il nome che m'hanno dato, un nome da comandante, un nome da imperatore, un nome sanguinante, un nome senza amore.

Ma il nome che mi sono dato è Ruggine perché ho i capelli rossi, di mia madre o di mio padre, chi lo sa, solo questo mi hanno lasciato in eredità, e come la ruggine corrodo e distruggo tutto, anche il ferro, e se provi a sfidarmi io ti sotterro. E stop.

ACHILLE

Io manco lo sapevo che ti chiamavi Cesare, ti ho sempre chiamato e sentito chiamare Ruggine. Io il nome di Achille ce l'ho dalla nascita, ma di Achille ho giusto quello, mi mancano il fisico e il coraggio, l'ira e l'aspetto, quindi praticamente tutto, in compenso ci so fare con i computer. Le mie battaglie si consumano in camera al buio, tra codici e password. Di Achille mi piace il progetto di diventare immortale, essere ricordato da tutti per aver fatto qualcosa di grande. Per adesso due sono le cose per cui sono memorabile: scovare una password di qualcuno in meno di 10 minuti e le mie crisi d'asma, soprattutto quella della gita del primo anno, quando siamo entrati nella serra delle piante grasse, e ho avuto una crisi talmente forte che hanno chiamato l'ambulanza per lo spavento e tutta la scuola ha riso di me perché sono diventato verde come le foglie della pianta

41

che avevo toccato. Da allora mi chiamano tutti Ventolin, altro che Achille piè veloce...

Io ho una famiglia normale, un padre una madre due fratelli. Una famiglia fin troppo normale, che quasi ci si annoia, perché non succede mai niente. Per fortuna che ho il mio computer e posso trasformare la vita in un'avventura. Ho imparato un po' di matematica avanzata e calcolo probabilistico per vincere al poker online. Riesco a giocare su tre o quattro tavoli contemporaneamente, mentre faccio i compiti. È tutta questione di logica, non certo di fortuna. Ieri ho vinto 135 euro in un pomeriggio, e c'è chi in una giornata si rompe la schiena per guadagnarne la metà.

Professor Romeo, se le serve un aiuto con i supporti digitali per le lezioni o per qualsiasi altra cosa che abbia a che fare con la rete o i pc, Ventolin è a sua disposizione... cioè Achille, volevo dire. Posso anche trovarle materiale utile a poco prezzo, basta andare nei posti giusti... Tutto legale.

STELLA

Il mio nome è Stella. Mi viene sempre da piangere quando penso all'origine del mio nome, però quello che hanno detto Elena, Achille e Cesare mi ha dato coraggio, quindi cercherò di parlare anche io.

Stellina. Così mi chiamava lui, ancora mi pare di sentirlo di sera, quando sto per addormentarmi. Non mi manca soltanto lui, mi manca ciò che sarei potuta diventare se ci fosse stato lui. Sarei forse meno timida e più alta, e non avrei il pianto sempre in punta di occhi. Avevo 10 anni quando lui è morto: un tumore al pancreas se l'è preso in un attimo, e lui, che era un guerriero, non è riuscito neanche a prendere le armi. Io non ero pronta. Non credo si possa essere pronti alla morte del proprio padre. L'ultima volta che l'ho visto ha cercato di abbracciarmi, ma le braccia erano senza forze e più che stringermi si sono abbandonate su di me in cerca di sostegno. Quell'abbraccio mancato, se ci penso, mi fa sempre piangere, senza motivo, nel bel mezzo di un tragitto in metropolitana o mentre ascolto una canzone. A volte mi pare di vederlo tra le persone e, dopo averlo seguito, mi risveglio con un dolore fitto tra le costole e le lacrime agli occhi. Ogni giorno lotto per ricordare qualcosa che altrimenti andrebbe persa. È come ripassare di continuo una materia che però non riesci mai a imparare. La prima cosa che ho perso è stata la sua voce, non riesco più a ricordarla. Certo, abbiamo i video, ma io non riesco a evocare da sola quella voce senza ascoltarla in una registrazione.

Sulla scrivania ho una foto in cui siamo al mare e lui mi tiene per mano mentre mi insegna a nuotare. In quella foto lo spazio e il tempo sono intatti, ma ritornarci è impossibile. Se mi rifugio nel passato non riesco a essere presente, se provo a essere presente smetto di ricordare. Non so più dove stare: nei ricordi o nel presente? Forse per questo ho delle crisi di ansia e dopo essere salita sull'autobus devo scendere subito e tornare a casa, perché ho troppa paura. È come se ci fosse una versione giusta della vita, in cui le cose vanno esattamente come devono andare. Come quando tuo padre ti insegna a nuotare. Lui scriveva libri per bambini e l'ultimo è rimasto incompiuto. A Stella era la dedica. Lo aveva intitolato: Come sarebbe dovuta andare, perché, diceva, c'è sempre una versione migliore ma non è mai quella che ci capita, e questo bisogna dirlo ai bambini, bisogna dirglielo per tempo.

OSCAR

È tutta colpa di mia madre. Il mio nome è da premio, Oscar, perché farai grandi cose. Mia madre me lo ripete da quando sono nato, forse da prima, tanto è fissata. Io non c'ho paura di niente, e se a 20 anni sono qui non è perché non sono preparato ma perché altri sono convinti che non lo sono, e mi hanno bocciato due volte. Ma li vorrei vedere sul ring, gli farei il culo a strisce. Quando salgo su quel quadrato con i miei guantoni, io so che devo colpire perché la vita è così, per buttarla al tappeto o esci dal tuo spazio e rischi o prendi un colpo dietro l'altro, perdi il fiato e l'orientamento, perché la vita magari non ti stende dritta dritta con un gancio sul muso, ma ti stanca con colpi regolari e precisi ai fianchi e, senza sapere come è successo, ti ritrovi col culo per terra quando eri convinto di poter stare in piedi. Mi alleno tutti i giorni: corsa, flessioni, trazioni, addominali, corda, bicipiti, tricipiti, gambe... e poi pugni, tanti pugni. Devo prendermi sto pezzo di carta, perché mia madre ci tiene. Parlo di mia madre non perché sono attaccato ancora alla sua tetta come molti qui dentro, ma perché è lei che mi ha tirato su da sola. Mio padre non lo vedo mai, perché sennò l'ammazzo. L'ultima volta per esempio ha dato uno schiaffo a mia madre e io gli ho mollato un gancio dritto sul naso che si è rotto facile e quindi non credo tornerà, quel figlio di puttana, con rispetto parlando per la nonna che non ho mai conosciuto e che magari era meglio di lui. Per questo ho deciso di fare pugilato, per difendere la mamma, ma ero troppo debole, dovevo mettere su muscoli. Non so perché vi sto raccontando queste cose, però questa è la lezione di scienze, quella in cui si dicono le cose come stanno, senza girarci attorno come invece si fa nelle ore di italiano e di filosofia. E le cose stanno sempre di merda. Invece quando studi la fisica tutto pare in ordine, quando studi la chimica tutto pare in ordine. Poi nella vita va sempre tutto a puttane.

Ogni giorno per noi è una sfida, perché quel bastardo non ci dà un euro. Prima uno ti dà la luce e poi te la toglie, proprio come succede a noi quando non riusciamo a pagare la bolletta. Per questo io faccio le scommesse sui miei incontri, come Rocky, e ho portato a casa 400 euro e li ho dati a mamma, e gli ho detto *comprati una cosa*. Lei mi ha chiesto *da dove vengono* e io gli ho detto la verità, e lei mi ha detto: *però non ti fare male.* E io gli ho detto *sono io a fare male.* Farò cose grandi. Le sto già facendo. 400 euro in questo posto di sfigati non li fa nessuno in un giorno.

Devo dirle che secondo me questa cosa di mettere le mani in faccia è da finocchi, ma se lei pensa che è necessario va bene, basta che dura poco, perché sennò poi qualcuno lo va a raccontare in giro e in palestra se lo sanno che un maschio mi dà le carezze mi massacrano. I maschi danno i pugni, non le carezze.

CATERINA

Ognuno fa il suo racconto credendo di dire la verità, ma chissà poi che cosa si nasconde dietro ogni nome. Ci vorrebbe per tutti la macchina della verità ogni mattina al momento della sveglia. Sei collegato e devi rispondere a una domanda che la persona che ti sta più vicino in quel momento può farti a bruciapelo *Mi ami? Sei felice? Hai un amante?* Invece noi sappiamo modellare la faccia sulle menzogne che ci raccontiamo, prima a noi e poi agli altri, aggiungiamo ogni giorno uno strato di trucco e poi non sappiamo più che faccia abbiamo o semplicemente non la troviamo più sotto tanti strati di menzogne. Non so se funziona il suo esperimento, professore, perché col tempo la faccia la perdi: le maschere ti si sono talmente incollate addosso che se te le togli ti si strappa la faccia vera. Sto divagando, ma dopo che ho ascoltato tutte queste storie in cui è sempre colpa di qualcuno, questo è quello che mi è venuto in mente. Abbiamo sempre un alibi per non affrontare la vita...

Mi chiamo Caterina. Il mio nome viene da santa Caterina, perché già nella pancia di mia madre non stavo mai ferma, e mia madre mi ha raccontato che Caterina era una donna che non si piegava davanti a nessuno e non scendeva mai a compromessi: "La mia essenza è il fuoco" ripeteva sempre.

So di essere antipatica per le cose che dico, ma anche io ho scelto di non scendere a compromessi con la verità, perché troppi ne ho visti in questi anni. Adulti che fanno esattamente il contrario di quello che dichiarano, la mattina una carezza alla moglie, la sera una scopata con l'amante, la sera un sorriso al fidanzato e la notte le foto nuda a un altro, l'aperitivo con un'amica che poi si nasconde in bagno a limonare il tuo ragazzo... Tutti con quelle facce truccate e quelle espressioni da manichino.

Ieri sono andata a fare compagnia ai malati di una casa per persone affette da diversi handicap. Ci vado due volte a settimana e lo faccio perché lì non ci sono maschere. Lì nessuno può fingere, perché non sa neanche come si fa. Lì ciascuno è se stesso, e infatti ti abbraccia e ride e piange così come viene, qualsiasi età abbia. In quel posto ho imparato ad avere due braccia, due gambe, due occhi, due orecchie... perché lì mi sono resa conto che le mie funzionano. Prima davo tutto per scontato, e quando dai qualcosa per scontato lo hai già perso. Ieri Anna, una donna di 40 anni che sembra una bambina, mi ha chiesto di cantarle una canzone e mentre lo facevo piangeva. Le ho chiesto perché e lei mi ha detto che gliela cantava sempre sua madre. Mi ha abbracciato ed è rimasta così in silenzio per un tempo lunghissimo e io all'inizio ero in imbarazzo, poi il suo abbraccio mi ha costretto a rilassarmi, a non resistere. Ho sentito l'amore così com'è, e ho avuto invidia di quella semplicità, che non ho mai trovato nell'abbraccio di un ragazzo. L'amore così com'è è quello che serve, ma non si trova quasi da nessuna parte. Per questo mi piace quello che lei sta facendo, professore, è la prima volta che sento parlare di verità a scuola, non in astratto ma nei fatti. Ecco qua il mio volto, spero sia più sincero delle mie parole, perché le parole spesso sono la nostra prima maschera.

ETTORE

Il mio nome è Ettore, il nome perfetto per chi deve morire.
E ieri sono andato al funerale di mio nonno Giulio. Io abitavo con lui. Mio nonno non doveva morire. Tutti piangevano perché non c'era più, io invece non ho versato una lacrima, perché sono incazzato con lui, che mi ha tradito. È lui che mi ha cresciuto, perché i miei genitori erano troppo impegnati a gridarsi addosso e a rinfacciarsi le loro frustrazioni. Ora sarò costretto a tornare a vivere da loro, a turno, come se un figlio si potesse amare a turno. Non è a turno che mi hanno messo al mondo, ma insieme. E io da loro non ci torno, no io non ci torno, dovessi rimanere da solo a casa del nonno o dovessi dormire sotto un ponte, giuro che non ci torno. Questo è tutto. Si accontenti del mio volto, se è questo quello che vuole, e voi smettetela di compatirmi con i vostri sguardi, perché qua dentro la mia vita di merda brilla in confronto alle vostre...

ELISA

Mi chiami Virginia, come la mia scrittrice preferita. Mi piace molto viaggiare e perdermi nei boschi. Nei boschi si trovano i fatti essenziali della vita e io voglio sapere che cosa serve per dire d'avere vissuto. Mi stanca la velocità della città e amo il silenzio in cui la vita cresce senza bisogno di dirlo a nessuno. Nei boschi mi sento a casa perché sono come me: una vita intricata e silenziosa che cresce. Gli alberi mi fanno sentire a casa perché come loro sono fatta di cielo e terra, e le loro radici non si congelano mai, neanche d'inverno. Quest'estate ho fatto un trekking nei boschi della parte orientale del Canada, il Québec. Ho toccato foglie dai colori mai visti e mi sono persa su sentieri che conservano ricordi vergini e preistorici, nuovi e antichissimi. La notte è stata piena di rumori spaventosi, e la Via Lattea si moltiplicava nelle acque del lago vicino a cui mi ero accampata. La mia anima ha vagato leggera nella notte senza macchia. Ho bevuto caffè bollente all'alba e ho visto l'acqua cambiare colore minuto dopo minuto, mentre voli improvvisi di uccelli che non conosco mi ignoravano, eppure erano perfetti e lo sarebbero stati anche senza nessuno spettatore. Il profumo della resina era intenso e il vento soffiava libero. Soffoco tra queste mura così strette e mi chiedo che ci facciamo qui, tutti i giorni, a morire di noia. Perché volete costringere la vita nella taglia XXS dell'abitudine? Spero che lei possa raccontarci qualcosa che non abbiamo mai visto... Altrimenti la mia anima sarà costretta ad andarsene anche durante queste ore, pur di respirare. Non ho mai sentito una nota di meraviglia nelle parole della nostra professoressa di scienze.

Io sono fatta per vagare. Forse per questo il mio libro preferito è *Orlando* di Virginia Woolf, nel quale il protagonista viaggia nello spazio e nel tempo: cambia identità ed epoca dopo strani e lunghi sonni. Da bambino, quando i suoi genitori gli tolgono le candele perché non legga fino a tarda notte, raccoglie le lucciole dal giardino e le nasconde in una scatola, pur di continuare il suo rito, necessario a vivere più vite possibili, e diverse dalla sua.

Così è la mia vita, professore, fuggo sempre da dove ci si annoia e mi abbandono a lunghi sonni di trasformazione. Viaggio con l'anima e divento tutto ciò che mi stupisce. E devo farlo per forza, se non voglio morire di realtà.

MATTIA

Professore, da 12 anni sono a scuola e nessuno mi ha mai chiesto di raccontare la mia storia. Bisogna diventare ciechi per chiedere agli altri chi sono e bisogna essere giovani per portare la fiamma della vita... Come Arthur Rimbaud, che a 17 anni aveva già visto tutto e ne era nauseato, per questo cercava di rifarsi la vista e la vita attraverso la poesia.

Mi chiamo Mattia e il mio nome è irregolare e vagabondo come i poeti che mi piacciono: sembra femminile e nasconde l'indole del "matto", che poi alla fine è l'unico normale, come nell'*Albatros* di Baudelaire. Ho le ali di quell'animale maestoso, mi sollevo sulla vita e mi esce dal petto un grido azzurro e incandescente, ma quando racconto ciò che ho visto in volo mi prendono per pazzo, sognatore e adolescente, perché credo nelle metafore come squarci della vera vita e non incantesimi lanciati sul mondo per illuderci che sia bello. Uno scrittore ha detto che ci si sente incompleti e si è soltanto giovani, invece è proprio il contrario: ci si sente giovani e si è soltanto incompleti. È questo che ci salva. Vi scandalizzate perché ci droghiamo o beviamo sino a svenire, ma lo facciamo proprio per non vedere quello che ci avete preparato: una realtà senza metafora, tutta sotto controllo, senza mistero. Mi scusi, professore, se faccio questi discorsi, ma dopo dodici anni di indifferenza esce tutto come un fiume che affiora dopo essere stato a lungo sotto terra. La droga o l'alcol ci servono a risvegliare la favolosa sostanza che nelle vene della vita scorre naturalmente. Voi adulti ce l'avete con noi perché abbiamo ancora la droga che avete perso, e la chiamate adolescenza come fosse una malattia o un'ossessione, perché si dà un nome a tutto ciò che si è perso e non solo a tutto ciò che si scopre per la prima volta. Questo ho imparato dai poeti, che i nomi sono il primo vagito e l'ultimo rantolo delle cose, il tentativo di salvarle dal loro dover morire, prima o poi. Noi abbiamo il sangue pieno di questa sostanza favolosa: fiamma, eros, luce, senza i vostri mezzi termini. La vita da sola sa darci tutto, purché siamo disposti a pagare il prezzo di questa innocenza, di questo candore: ci date sicurezza, ma quello che vogliamo è salvezza. Io non voglio perdere la mia purezza, tra carriere, oggetti, copioni. Essere giovani è avere una vita intera da spendere per qualcosa, professore, e non da conservare come si fa surgelando le cose.

AURORA

Sono l'ultima. *Dulcis in fundo* dicevano i Romani, la parte dolce meglio lasciarla per il finale. Dopo l'amarezza e la pesantezza di Mattia, comunque, qualsiasi cosa potrebbe sembrare dolce e leggera. Che cosa è tutto questo prendersi sul serio? Mettiamo le cose in chiaro: mi chiamo Aurora e come tale provo a cercare sempre il lato luminoso della storia. E non perché io sia ingenua, ma perché non voglio concedere neanche un centimetro all'ombra, se non le è dovuto. L'aurora sa, meglio di qualsiasi momento della giornata, a quanta notte deve portare la luce. L'aurora dalle dita di rosa, ma dai piedi di tenebra. Sono sopravvissuta al mio corpo e al modo in cui lo vedo, preferirei non vederlo più per riuscire ad accettarlo, e quest'estate ho dovuto combattere per ricominciare ad amarlo.

Per questo quando qualcuno si prende troppo sul serio lo devo immaginare seduto in bagno mentre cerca di arginare la dissenteria o si sforza di combattere la stitichezza. Questo aiuta anche con i professori prima delle interrogazioni, così non ho paura di loro. Adesso quando sono triste mi mangio un gelato e mi faccio una passeggiata. E mi piacerebbe ridere di me, come fanno i clown. Ricordo quando i miei genitori mi hanno portata al circo da bambina e sono arrivati i clown. Cercavano di fare le stesse cose che quelli di prima avevano fatto alla perfezione: camminare su fili sospesi nel vuoto, domare belve feroci, piroettare e lanciarsi in acrobazie. Ma sbagliavano tutto: erano il contrario della perfezione. Finivano sempre a gambe all'aria. Io sono dalla parte dei clown, di quelli che cercano di fare le cose al meglio, ma poi sono goffi e normali da fare schifo. Per questo mi basta vedere una foto di una ragazza magra per sentirmi in colpa. La perfezione mi soffoca e mi convince che non c'è spazio per me, che non sono all'altezza. Sarebbe tutto più semplice se nascessimo con il naso rosso di gomma dei pagliacci. Secondo me basterebbe questo per cambiare il mondo in un posto migliore. Rideremmo di noi e degli altri, senza farci del male. Ecco il mio volto, professore, glielo consegno. Non lo maltratti come spesso faccio io.

«Vi ringrazio per le storie che la vostra voce e il vostro volto hanno raccontato. In meno di mezz'ora so di voi cose che altrimenti avrei conosciuto in chissà quanto tempo. Forse mai. E quella paura che avete sperimentato nel farlo è il muro con il quale impediamo a noi stessi di lasciarci amare, che è tanto importante quanto amare, perché per dare bisogna saper prima ricevere... Quest'anno mi vedrete sempre alle prime ore. Mattina e maturità hanno la stessa radice, mi ripeteva sempre mia madre, soprattutto quando ero in ritardo per l'inizio delle lezioni, ingobbito sulla colazione, come se il fondo di caffè della tazza potesse promettermi un destino meno amaro. Mettiamo in chiaro che la materia che insegno non sono "le scienze", perché la materia è sempre e solo la vita, e le scienze sono un modo per capire qualcosa della misteriosa sostanza di cui è fatta. Il metodo scientifico ci offre istruzioni per la vita: prestare attenzione, stupirsi, raccontarla. Noi vediamo veramente soltanto ciò a cui accordiamo la dovuta attenzione, e l'attenzione è la presenza nel presente, altrimenti il presente ci sfugge di continuo. E così la vita diventa insapore, noiosa, ripetitiva. Invece se prestiamo attenzione, tutta quella che possiamo, allora la vita si apre, come se rispondesse all'amore del nostro sguardo o del nostro ascolto o del nostro tocco: più sensi usiamo e meglio è. E da questa vicinanza nasce sempre lo stupore, sia di fronte a qualcosa di bello e compiuto, sia di fronte a qualcosa di strano, di brutto, di ferito, di incompiuto. Dallo stupore, che è la risposta a ciò che le cose ci hanno detto grazie alla nostra attenzione, nascono poi le domande per comprendere. E quando si è compreso si può raccontare ciò che si è scoperto, perché anche altri sappiano, vedano, vivano.

Per questo le nostre lezioni prenderanno sempre l'avvio da qualcosa che ho notato in voi, qualcosa che mi ha stupito mentre vi ascoltavo. Questo metodo vi coinvolgerà personalmente e vi farà scoprire quanta vita c'è in ogni istante.

Per esempio: stamattina ho sentito uscire dalla classe uno di voi, uno spostamento d'aria leggero e profumato, più lieve di quello di un corpo costretto a cominciare una giornata di scuola. Era un movimento delicato, fatto di una stoffa più simile alle ali di una farfalla o alla leggerezza della seta. Uno scatto verso qualcosa o in fuga da qualcosa... Se ho inteso bene dal profumo di quello slancio, dovresti essere tu, Aurora.»

Mi volto nella sua direzione, mentre la classe tace, incuriosita dal nesso che ho creato tra la materia e l'esistenza.

«Sì, ero io professore.»

«E dove correvi?»

Aurora non risponde e percepisco che tutti si voltano verso di lei.

«Dove corrono tutte le cose o da che cosa fuggono?» chiedo per togliere la ragazza dall'imbarazzo.

«Al bagno!» risponde una voce, forse Oscar, accolta da una risata.

«Quindi perché corrono? Oscar, se non sbaglio.»

«Per un bisogno!»

«Quindi la quantità di moto di un corpo è determinata dalla mancanza di qualcosa, altrimenti se ne starebbe fermo.»

«Morto come una pietra» aggiunge una voce femminile, che assomiglia a quella di Virginia.

Penso un istante e aggiungo: «E la Terra non è una pietra in movimento?».

«Anche alle pietre manca qualcosa...» riflette ad alta voce la ragazza.

«Che cosa le mette in movimento?»

«La gravità» rispondono in coro.

«Solo? Quali sono le altre forze che imprimono movimento alle cose? Riflettete. Osservazione. Ragionamento. Verifica. Queste sono le tre parole magiche del metodo scientifico. Ripetiamole insieme.»

«Osservazione! Ragionamento! Verifica! Osservazione! Ragionamento! Verifica! Osservazione! Ragionamento! Verifica!»

«Allora?»

Il silenzio incombe sulla classe e decido di spezzarlo solo quando capisco che quelli ciechi sono loro.

«Immaginatevi che scoppi un temporale. Che cosa vedete?»

«Gocce d'acqua che cadono» risponde Caterina o Elena.

«Perché?»

«Vapore acqueo che si condensa e cade per gravità.» È Caterina.

«Bene. Poi?»

«Fulmini!»

«Che cosa è un fulmine?»

«Una scarica elettrica.»

«E dove si scarica?»

«Per terra.»

«Per la forza di gravità?»

«Non credo.»

«E perché?»

«La differenza di carica tra cielo e terra.»

«E come chiamiamo questa forza?»

«Elettromagnetica» risponde un'altra voce, credo sia Mattia.

«E siamo a due forze: gravità e campo elettromagnetico. Ne manca una. Di cosa è fatta la luce che in questo istante attraversa la finestra?»

«Fotoni» prova Achille, inconfondibile la sua voce nasale.

«E che cosa sono?»

«Onde e particelle luminose» continua la stessa voce.

«E come sono arrivate sino a qui dal Sole?»

«Energia.»

«Sprigionata da cosa?»

«Esplosioni?»

«Come si chiama questa forza?»

«Nucleare?»

«Perché?»

«Perché viene dal nucleo del Sole.»

«Non solo! Viene dal nucleo di ogni atomo spaccato da un'energia straordinaria, in questo caso quella della fusione solare, che così sprigiona una quantità enorme di energia. Ci sono due tipi di forza nucleare, una debole e una forte, ma per il momento accontentiamoci di considerarla un'unica forza. Riassumiamo: quali sono le forze che determinano il movimento?»

«Gravitazionale, elettromagnetica, nucleare» risponde Cesare con la sua cantilena che mi è già familiare.

«Quale di queste porta un alunno in bagno?»

Una risata riempie l'aula.

«La gravità. In assenza di gravità non avremmo neanche lo stimolo e ci esploderebbe la vescica. Infatti gli astronauti sono costretti a liberarsi meccanicamente a intervalli regolari per evitare infezioni. E quando finisce la lezione che cosa vi spinge a correre fuori? Dove correte?»

«A casa!»

«E quale forza vi porta lì? Osservate. Ragionate. Verificate.»

«L'attrazione magnetica del pranzo! L'attrazione gravitazionale del letto! L'attrazione atomica della mia ragazza!» risponde Oscar, la cui raffica di battute è accolta da una risata fragorosa. Lui è chiaramente il comico della classe. In ogni classe ce n'è uno.

«Una buona lezione è una lezione in cui si ride almeno una volta ogni 10 minuti, per il semplice fatto che ciò che rallegra produce calore, cioè mette in movimento la materia inerte, mentre ciò che annoia è freddo, la congela» dico con assoluta serietà, e dopo una pausa rido anche io. Poi rimango in silenzio e all'improvviso esclamo: «72 chilometri al secondo per Megaparsec!», lasciando la frase sospesa. «Per Mega che...?»

Altra risata. Il movimento neuronale è al culmine, è venuto il momento di assestare il colpo di memoria, quello che deve arrivare al terzo o quarto minuto di spiegazione, prima che l'attenzione di un adolescente contemporaneo decada rovinosamente.

«72 chilometri al secondo per Megaparsec è una stima della velocità attuale della corsa delle galassie verso non si sa cosa. Una velocità che, in base alle scoperte di Hubble, aumenta a mano a mano che le galassie si allontanano dall'espansione che ha messo in movimento il plasma di materia ed energia. Invece di rallentare come una qualsiasi palla da calcio, più avanzano più accelerano, sedotte da una meta sconosciuta, che loro stesse ignorano essendo loro stesse il limite. E allora dove corrono? Perché accelerano? Perché si espandono?» Lascio di nuovo la domanda in sospeso perché la loro immaginazione si accenda, poi continuo.

«Abbiamo verificato che l'espansione che ha innescato questo movimento è cominciata 14 miliardi di anni fa, ma questa corsa, invece di diminuire, accelera. L'accelerazione, quindi, non può essere l'effetto dello slancio iniziale ma di un'attrazione: là fuori qualcosa chiama tutto verso di sé, più che una esplosione è un risucchio o è un'energia misteriosa che si libera dalle cose stesse, come uno spasimante corre verso la propria amata.»

«Che cos'è uno spasimante?» chiede Stella, che ha la voce più sottile di tutti.

«Avete un dizionario in classe?»

«No.»

«Allora prendi il cellulare e digita: "spasimare Treccani", e leggi. Se vuoi scrivere come tuo padre, Stella, il dizionario è il tuo principale alleato.»

«Professore, è vietato usare il cellulare» dice provocatoriamente Cesare.

«Come se non li aveste già sotto il banco... tanto io non posso vederli.»

«Prof, lei ci vede meglio degli altri prof» esclama Oscar divertito.

Poi Stella comincia a leggere: «1. Essere in preda a spasimi, a dolori molto forti e acuti: ho una colica che mi fa spasimare; ha spasimato tutta la notte per il dolore; con valore estensivo e spesso iperbolico, soffrire: spasimare di sete; spasima per il caldo. 2. fig. Desiderare ardentemente: spasima di tornare a casa; i soldati spasimavano di rivedere la famiglia; è tanto che quei due spasimano di sposarsi; spasimare per uno, per una, esserne innamorato. Part. pres. spasimante, usato anche come sost.: innamorato, corteggiatore».

«Bene! Le galassie spasimano, di dolore o di amore, non lo sappiamo. Ma corrono perché mancano di qualcosa che non è il nulla, perché il nulla non può attrarre, solo una forza può farlo, un eros che tende le braccia alle cose che corrono verso quelle mani cosmiche. Quando ero giovane io, nel millennio scorso, c'era un gioco che si chiamava "Quindici": un quadrato con un lato di lunghezza di quattro tessere. Le tessere si potevano muovere nelle quattro direzioni, perché c'era uno spazio vuoto, e il gioco consisteva nel fare i movimenti giusti per ricomporre la sequenza da 1 a 15. Se non ci fosse stato quello spazio non ci sarebbe stato nessun gioco. Così accade anche nella vita, è sempre grazie a un'apparente mancanza che le cose possono muoversi, altrimenti rimarrebbero ferme, statiche, autosufficienti. Invece no. Tutto vibra in questo universo, in cerca di qualcosa che sempre manca, che non è un vuoto negativo, ma la spinta a una ricerca, a un compimento da raggiungere o da lasciare sempre incompiuto. Non è un caso che l'espansione dello spazio sia stata scoperta grazie alla tendenza delle galassie e delle stelle ad acquisire nello spettro il colore rosso, che indica velocità crescente e quindi un allontanamento. Si chiama *redshift*. C'è dell'eros in questa corsa, non è uno spegnersi nel blu freddo del nulla e della morte.» I ragazzi rimangono in silenzio, li immagino con le loro facce a metà tra il mondo reale e quello della immaginazione, mentre considerano che i loro movimenti quotidiani sono dettati da una forza simile, da una mancanza simile, che per la prima volta sentono essere qualcosa di positivo e non una condanna. Qualcosa che li affratella persino alle stelle. Lo so perché conosco il silenzio di chi sta scavando nella sua verità.

«Da questa forza dipende la ragione per cui io mi sono alzato stamattina per venire a scuola, perché è unico il movimento che espande le galassie e la vita di chi appartiene a questo universo. Unica la corsa fuori dal letto, fuori dal grembo, fuori dalla noia. Omero e il mare, Einstein e le farfalle, voi e io, ci muoviamo tutti verso qualcosa che è lì, da qualche parte. Tutte le cose sono risvegliate da Eros che, secondo Platone, è figlio di Ricchezza, perché è pieno di risorse, e di Povertà, perché gli manca sempre qualcosa. Un po' come voi. Il fatto che non sia percepibile non significa che sia irreale, ma è misterioso, per questo Eros era anche invisibile, a metà fra terra e cielo. E per noi? Di che materiale è ciò verso cui tutte le cose corrono? La sua stoffa è energia? È materia? È altro? È la morte? O la vita?»

«La vita! Perché altrimenti non ci metterebbe in moto. Abbiamo detto che è qualcosa che ci manca» esclama in preda all'esaltazione Aurora.

«Hai ragione. Noi ci muoviamo perché abbiamo bisogno della vita. Ci manca la vita. Vogliamo che esca da noi e non si fermi nella morte... Avete visto *2001: Odissea nello spazio*?»

Nel silenzio generale si fa strada un timido e solitario «Io» che ha la voce di Achille.

«Ti ricordi che nell'ultima parte del film, intitolata *Giove e oltre l'infinito*, inseguendo il misterioso monolite, il protagonista con la sua astronave viene inghiottito da una forza inspiegabile e cade in un abisso multicolore, finché non si ritrova in una casa sospesa nel tempo e nello spazio, dove incontra il se stesso del futuro che invecchia fino al faccia a faccia con il monolite, il mistero stesso rappresentato da un parallelepipedo nero e liscio, per poi trasformarsi in un bambino, che dallo spazio si muove verso la Terra a cui torna, rinato? L'odissea ai confini dello spazio-tempo, che si curva su se stesso come Einstein aveva capito, diventa un ritorno, l'incontro con noi stessi, nudi, gli unici esseri sulla Terra che sanno di essere vivi, che sentono di vivere e quindi sanno che sempre qualcosa gli manca. Sarà così anche per le galassie a fine corsa? Sarà così per noi dopo la morte? È per questo che vogliamo andare più veloci della luce: per incontrare noi stessi fuori dalla morte, finalmente faccia a faccia con l'eterno? Mi piacerebbe essere sulla cresta delle galassie più esterne dell'universo per toccare la consistenza, la trama di ciò che ci manca per trovarci faccia a faccia con noi stessi e con tutta la vita contemporaneamente, in un unico istante totale in cui non ci manca più nulla.»

Sento che le lacrime mi scorrono lungo le guance e le lascio cadere.

La classe tace e posso avvertire il fiato trattenuto nelle bocche semiaperte, come accade quando qualcosa ci fa paura o ci stupisce. Il corpo si fa attento, meno indifferente, generoso. Siamo arrivati a Dio partendo dalla fuga di una ragazza dalla classe, forse in bagno o forse tra le braccia di un ragazzo.

«Dove corrono tutte le cose sempre più veloci?»

«Tutte le cose corrono per la paura di non esistere» dice all'improvviso Mattia, con la sua voce malinconica e strascinata. «Più sento la fine vicina, più accelerano perché non riescono a trovare in se stesse ciò che cercano.»

Mi sorprendo sempre della loro capacità di afferrare la verità rapidamente, senza mezzi termini, con un istinto che brucia tutte le tappe. Per loro la vita è una preda inconfondibile.

«Credo che esistano due categorie di persone: quelle che fuggono da qualcosa e quelle che cercano qualcosa. O forse è più preciso dire che ci sono persone che smettono di fuggire da qualcosa e cominciano a cercare, e persone che non iniziano mai a cercare perché sono troppo impegnate a fuggire. Diventare adulti è smettere di fuggire, cominciare a cercare e poi restare, essere presenti a se stessi senza scappare di fronte alla realtà. La vita è resistenza, e questa mi sembra la lezione migliore che potrete imparare in quest'anno che vi porta alla maturità. Volendo riassumere, che cosa abbiamo appena scoperto?»

«Che tutte le cose corrono per paura di non esistere», l'ultimo intervento è di Ettore, oggi. Suona la campanella, non c'è altro da aggiungere ai misteri del moto universale di cose e persone.

Alla ricerca del tempo sprecato
Diario di un professore cieco

Vorrei scrivere qualcosa su di te, Elena, ma il tuo volto è assente per le mie mani. Su quel volto devono esserci i segni di qualcosa da nascondere. I corpi si nascondono quando temono di morire. Gli adolescenti a un tratto non vogliono più essere toccati dai loro genitori, forse perché sentono il bisogno di liberarsi da quella sottile forma di possesso che si cela nelle mani di chi ti ha dato la vita: vivere tuttavia non è possedere, ma liberamente appartenersi. Io non voglio prendere nulla da te, Elena, e mi chiedo che cosa tu tema ti sia strappato dalle mani di un uomo. Da che cosa stai scappando, Elena? Che cosa stai cercando di nascondere? Di che cosa ti vergogni?

Dopo la paura, è stata la vergogna a togliermi la vita. Tutti ci vergogniamo di essere visti, e vogliamo soddisfare lo sguardo altrui, per sentirci autorizzati a essere contenti di noi stessi e smetterla di vergognarci di come siamo fatti. Siamo disposti a darci in pasto agli occhi degli altri, a lasciarci masticare dalle loro palpebre, e ci offriamo in sacrificio, quando ci sentiamo all'altezza, con pose che possano renderci amabili. Quando sono diventato cieco non potevo più avere nessun controllo su questo sguardo e mi vergognavo ancora di più di me stesso. Mi vergognavo della mia cecità, anche se non ne avevo alcuna colpa. Ma la vergogna di esistere è proprio questo: sentirsi colpevoli di qualcosa di cui non si è responsabili. Per questo mi ero chiuso in casa e non volevo più uscire, per questo non volevo più andare a scuola. Io che sono sempre stato un avventuriero, pronto a esplorare la vita: il suo mistero e la sua comicità.

Con mia moglie ridevamo di tutto, come quella volta che leggevamo le fiabe nordiche in un rifugio di montagna e c'era un freddo mortale, perché il riscaldamento non funzionava abbastanza, e ci siamo messi le calze di lana sulle mani. L'ho conosciuta durante una noiosissima lezione di statistica: di lei mi colpì proprio il modo elegante di annoiarsi. Non abbandonava il corpo al banco, non sonnecchiava, non scarabocchiava gli appunti... Socchiudeva gli occhi come chi ricorda o immagina, mentre le labbra si atteggiavano a un sorriso appena accennato, quello di chi ride del mondo e della sua involontaria comicità. Sapevo che con lei non mi sarei vergognato di sognare, immaginare, viaggiare, perdermi nei dettagli, illuminare il nulla, strappare al vuoto un senso. Con lei non mi sarei vergognato di spogliarmi, io che del mio corpo ho sempre avuto una certa paura, perché non era mai abbastanza bello e forte. Dalle sue mani mi sono ricevuto. Era proprio il mese di settembre quando siamo saliti sul tetto del nostro palazzo, un tempo lo facevamo regolarmente per guardare il cielo con il telescopio che mio padre mi aveva regalato e a cui tenevo come alla mia vita. Poi non ne avevo più voluto sapere. Quel giorno lei mi ha preso per mano e mi ha raccontato quello che io non potevo più vedere.

«Siamo così piccoli in mezzo a tutte queste stelle» le ho detto.

«Eppure tutte quante le stelle non servono ad altro che a permetterci di parlarne, adesso, noi due. Niente è più grande di un uomo e una donna che si amano e lo sanno.»

«Noi ci amiamo?»

«Molto.»

«E come lo sai?»

«Perché non ci vergogniamo di nulla.»

«Cioè? Sii più scientifica.»

«Sono scientificissima: ci stiamo perdonando, una per una, tutte le cose che abbiamo nascosto persino a noi stessi.»

«E io che cosa ti avrei perdonato esattamente?»

«I miei capelli, il mio naso, la fissazione per l'ordine e per i programmi, la paura di guidare in autostrada, il rapporto difficile con mia madre, l'orrore per il giorno del mio compleanno, le mie valigie, i miei silenzi.»

«E quando l'avrei fatto?»

«Facendomele raccontare, senza fretta.»

«Neanche me ne sono accorto...»

«E io che cosa ti ho perdonato?»

«Persino il modo in cui mastico... E poi, se la nostra casa andasse a fuoco, tu sapresti esattamente che cosa salvare tra le mie cose...»

«Sei sicuro?»

«Prova.»

«Questo telescopio. L'Odissea con gli appunti di tua madre. E la tua collezione di foglie, di quando eri bambino... E tu? Tu cosa salveresti?»

«Di tuo?»

«Sì.»

«Come potrei salvare qualcosa, io che sono cieco?»

«Allora mettiti in salvo tu. Mi basta.»

Credo che l'amore consista in questo: mostrare la propria debolezza a qualcuno e scoprire che non se ne servirà per affermare la propria forza, anzi, al contrario, per mostrarsi altrettanto debole. Unire due debolezze è il modo di diventare forti. E proprio così è nata Penelope.

Quando ho perso del tutto la vista, ho deciso che non avrei più avuto figli: non sopportavo l'idea di non poterli vedere. Ma a poco a poco mia moglie mi ha insegnato ad amarmi attraverso di lei, a dare di nuovo la vita proprio quando credevo di averne perso la capacità. Lei mi ha guarito dalla vergogna e dal senso di colpa che ogni malattia comporta, anche se siamo innocenti. Il corpo di mia moglie è il luogo in cui mi sono ricevuto di nuovo e ho ricevuto ogni cosa, perché nel corpo di una donna è contenuto tutto ciò che esiste, la vita e la morte, per questo ne paragoniamo le movenze agli animali più eleganti e terribili, per questo ne assimiliamo la pelle, i capelli, gli occhi, le ossa a tutti i tessuti, ai minerali o alle piante... perché li contengono tutti. Quella notte lei mi ha aperto di nuovo il corpo al mondo, e così mi ha restituito il mondo. Grazie a lei non sono più colpevole, perché ho trovato il complice perfetto: quello che ti aiuta a derubare la morte.

Settembre tramonta e io sento il profumo troppo intenso di vigne spoglie, trasportato da venti che nascondono sottili brezze già autunnali. È un mese all'apparenza dolce, ma in fondo crudele perché mentre dona toglie: di settembre la notte al dì contende, dicevano i miei nonni. Al confine tra l'estate e l'autunno i desideri sono incerti tra possesso e perdita, settembre lascia le due condizioni in sospeso, le fonde insieme, e quindi ci confonde nascondendo la più scomoda delle verità: possiamo possedere solo ciò che impariamo a perdere. Le foglie diventano più belle proprio sul disfarsi, e non c'è alcuna ragione di utilità: i colori della festa sono il culmine della loro parabola. Da bambino le collezionavo, credo che sia nata in quel periodo la mia vocazione scientifica, che per certi versi è il protrarsi nel tempo di quella fase collezionistica che coglie tutti i bambini impauriti dal caos del mondo e pacificati dalla gioia di metterlo in ordine, raccogliendo e disponendo in caselle ben definite francobolli, tappi, farfalle, minerali... e foglie. Cercavo di riempire tutte le caselle con le gradazioni di colore, con la precisione assoluta del collezionista: dal verde al marrone, passando per il rosso, l'arancione e l'oro. Le disponevo su grandi cartelloni, fissando ogni foglia con una goccia di colla: ciascuna era un esemplare unico, meritava una didascalia e un posto tutti suoi.

Settembre è il più complesso dei mesi, perché contiene la fine di molte storie cominciate in primavera e l'inizio di altrettante che ci metteranno altre tre stagioni a maturare. La mia pelle è toccata ora da folate già autunnali ora da tepori ancora estivi, le mie narici sono punte dai profumi dei raccolti e allo stesso tempo dall'odore più calmo delle cose prive di fermento, le mie orecchie odono ora le gazzarre di radi uccelli mattutini ora i silenzi affollati delle migrazioni. La città è sovrastata dalla bellezza, e a stento riesce a reclamare i suoi assurdi privilegi, fatti di rumori del traffico e di odori al biossido di carbonio.

Non credo sia un caso che la scuola cominci a settembre, niente rappresenta meglio il toccarsi dell'inizio e della fine. Ed è stato proprio a settembre che qualche anno fa ho toccato la mia fine e il mio inizio, forse per questo è per me il mese più dolce e il più crudele, come il giorno del parto per una donna.

OTTOBRE

Prima che suoni la campanella dell'inizio, bevo il mio rituale caffè da Patrizia ascoltando le note di una sonata di non so chi, e poi mi faccio accompagnare in classe, dove il naso si riempie dell'odore di alcol con cui tutto è stato disinfettato dopo le cruente battaglie consumatesi sui banchi il giorno prima e mi godo il frutto migliore della solitudine: quel silenzio così raro oggi ma sempre capace di interrompere la continuità con la città e tutto ciò che già sappiamo della vita, come la vera musica, la vera arte, la vera scienza. Ottobre entra dalle finestre senza pretese, come tutti i mesi non troppo decisi. La città ottunde quasi ogni profumo e rumore naturali: siamo riusciti a far scomparire ciò che accade senza di noi, forse perché ci faceva paura renderci conto, ogni giorno, che ci sono cose su cui non abbiamo il controllo, quasi tutte per la verità. Resistono rari soffi di vento che vengono dai boschi del Nord e qualche sentore indistinguibile di fiori autunnali sopravvive ai gas di scarico. I clacson coprono i versi degli uccelli, gli unici animali che ancora ci ricordano che un tempo c'erano solo rami e foglie dove adesso corrono cavi e fili, e che cantare è il compito di tutte le cose.

Seduto, allargo le braccia sulla cattedra come fosse il timone della mia nave e analizzo lo spazio dell'aula dividendolo in tanti piccoli riquadri vuoti: non siamo diversi dagli elementi chimici. La tavola periodica mi ha sempre rassicurato nei momenti di sconforto, nelle eccessive incidenze del caos e del dolore, in particolare ora che il mondo di prima torna ad assillarmi come un cane abbandonato dal padrone. Mi rassicura che tutto ciò che conosciamo sia fatto di alcuni elementi disposti ordinatamente su una mappa. Quegli elementi, che si sono consolidati sulla Terra nelle condizioni uniche del nostro sistema solare, danno forma al mondo. Ciascuno con il suo posto, con le sue qualità, con il suo modo di essere, gassoso, liquido, solido, con i suoi elettroni da scambiare, con la sua stabilità o volatilità, ciascuno con la sua densità e la sua massa. Ciascuno occupa uno e un solo posto e non è sostituibile da un altro, e le relazioni, tra gli elementi e tra noi, non sono altro che lo scambio della propria vita con quella di altri che ne hanno bisogno, e viceversa. Ogni classe è fatta di tutti gli elementi necessari a comporre l'universo e ogni banco si impregna della vita segreta di chi lo abita, la custodisce e la racconta con graffi, gomme da masticare e altri materiali di scarto. Ma soprattutto con la sua posizione, in una specie di tavola periodica esistenziale.

In ogni classe, per esempio, c'è l'elemento *Panorama*. È uno studente che si siede sempre vicino alla finestra, dalla quale il suo sguardo è irrimediabilmente attratto. Spesso vi si perde, e non solo quando la lezione è noiosa o i problemi personali prendono il sopravvento, ma semplicemente quando questa vita non basta, cioè assai spesso. *Panorama* lo sa e lo sente, e il prezzo che paga è la malinconia. Ha indole artistica e una percentuale di caos nell'anima più alta rispetto a tutti gli altri. Poi c'è l'elemento *Invisibile*. La sua posizione non è per forza all'ultimo banco, ciò che conta è che stia in una zona periferica della classe, come quei quartieri in cui nessuno va mai tranne chi ci vive, o ci muore. *Invisibile* spera di non dover mai intervenire, di non essere tirato in ballo, perché si vergogna di stare al mondo così com'è e meno si vede la sua nullità meglio è, per lui e per gli altri. Solo quando viene interrogato gli altri se ne ricordano e con compiaciuta cattiveria si godono la nudità che ha fatto di tutto per nascondere, ma che al momento della chiamata diventa ancor più goffamente evidente. Difficile da collocare in classe è il *Vagabondo*: un elemento inquieto, le cui relazioni mutano spesso, perché è lui a cambiare spesso, come quegli elementi che, cambiando valenza, modificano del tutto la propria natura. *Vagabondo* trova ogni volta un compagno o una compagna diversi con cui sopporta l'esilio della scuola per un periodo, ma poi viene il momento di cambiare e ricominciare il viaggio. È soggetto a repentini innamoramenti, che si consumano come fuochi d'artificio. Non può mancare il *Comico*, senza di lui la classe sarebbe un funerale, è irrequieto come il *Vagabondo*, ma non perché si leghi o si sleghi da qualcuno, ma perché ha un bisogno continuo di cambiare punto di vista: per ridere delle cose e delle persone è necessario relativizzarle. Non sa bene chi è e si nasconde dietro le vite degli altri: imitandole, sbeffeggiandole, irridendo tutto ciò che viene preso troppo sul serio, sia dai professori sia dai compagni. Il *Comico* evita ogni fanatismo scolastico, ma come tutti i relativisti non è affidabile, perché in fondo non si fida di se stesso. Il *Condannato* non sfugge al primo banco, la sua indole da vittima lo costringe a sottoporsi al patibolo spontaneamente. Contro di lui si accanisce la sfortuna, che poi non è altro che la tendenza ad attirare su di sé i colpi del destino proprio per il fatto che si è convinti di meritarseli. Il *Maggiordomo* sta sempre vicino alla porta, sia perché è il primo a fuggire alla fine delle lezioni, sia perché è sempre in attesa di una interruzione, di un ospite, di una circolare, di una prova di evacuazione, di qualsiasi cosa possa interrompere il corso delle cose. Per lui la vita è oltre la soglia e qualsiasi cosa l'attraversi lo salva dagli effetti devastanti della noia. L'*Incontinente* non è molto lontano dalla posizione del *Maggiordomo*, perché anche lui ha bisogno di superare spesso la soglia, ma qui quello che conta è il movimento da dentro a fuori e non da fuori a dentro. Va spesso in bagno e non perché finga di averne bisogno, benché la sua diuresi sia senza dubbio influenzata dalla necessità di uscire e ritrovarsi nel luogo deputato a tutte le sue certezze: il bagno. Il bagno è il suo oracolo, con le scritte che conosce a memoria e i suoi inattesi incontri. *Primobanco* non ha bisogno di particolari descrizioni, lo occupa perché preferisce avere a che fare con gli adulti piuttosto che con i compagni che si lascia sempre alle spalle: interviene, risponde, dialoga con i professori, sa perfettamente le date dei compiti in classe e delle interrogazioni programmate. Non è necessariamente un secchione, ma di certo è uno che ha paura di perdere il controllo, e il primo banco offre meno appigli al caos. A ogni *Primobanco* corrisponde un *Ultimobanco*, esperto in attività di contrabbando, ammutinamento e sedizione, che mette in opera con una certa sicumera, perché non è e non sarà mai parte del sistema. Non è tuttavia il più pericoloso per l'ordine pubblico, perché il suo è un ruolo riconosciuto. Il più pericoloso è *Palude*. Occupa le zone intermedie, i banchi in mezzo, quelli che permettono vere e proprie attività di sabotaggio silenzioso e velenoso, ma senza che questo sia percepito o dichiarato da un ruolo moralmente riconosciuto. *Palude* non ha morale, si adatta a ciò che gli serve e sa sempre quale posto occupare per portare avanti, cinico e indisturbato, i suoi affari. Ai primi posti c'è spesso anche l'*Avvocato*, capace di trovare ogni contraddizione nei comportamenti dei professori e di far valere precedenti dimenticati da tutti nel caso di ingiustizie o presunte vessazioni. Vicino a lui c'è il *Campione*, sempre preparato e deciso a dimostrare che al mondo c'è qualcuno che affronta i problemi che i pigri vedono ma non si decidono a risolvere. Si offre volontario, si segna per primo nell'elenco delle interrogazioni programmate, prende appunti. Una funzione simile ricopre il *Martire*, ma a differenza del *Campione* si muove per masochismo. Quando c'è da soffrire e nessuno vuole è il primo a offrirsi: sono i suoi momenti di amara popolarità. Vive in una esaltata rassegnazione garantitagli dal ruolo di salvatore, fa comodo agli altri, che non si sognano di redimerlo ma se ne servono biecamente. Nelle ultime file c'è anche il *Veterano*, spesso ripetente, appartiene già alla vita adulta e si rapporta con i professori come un coetaneo. Disprezza i suoi compagni ma senza cattiveria: sa che non hanno colpa se la vita non li ha ancora sverginati.

Come nell'epica antica ogni elemento è universale, incarna certi valori con un nome e una qualità indissolubile: la forza di Achille, l'astuzia di Ulisse, la saggezza di Nestore... Ognuno occupa il proprio posto. I Greci erano ossessionati dal dare un ordine al caos, perché avevano troppa paura dell'ignoto, come me. Per questo devo mettere tutto in ordine, ma non basta mai.

Nel frattempo i ragazzi hanno riempito le caselle, ognuno ha assunto il proprio ruolo, come tutti al mondo, per poter fronteggiare gli imprevisti della vita, abbiamo un disperato bisogno di ruoli che ci rendano riconoscibili. Proprio per questo oggi voglio cominciare con il disfare la cartapesta di alcune facce e denudarne il volto sottostante. La campanella segna l'inizio della battaglia.

«Di recente siamo riusciti a fotografare per la prima volta un buco nero, grazie a un complicato sistema di radiotelescopi collegati tra loro a livello globale. Almeno per ora non ho il piacere di vedere ciò di cui Einstein aveva ipotizzato l'esistenza semplicemente per coerenza con la sua teoria della relatività. Vorrei che la nostra lezione, oggi, partisse da qui. Mi sono fatto stampare l'immagine che adesso farete girare tra i banchi. Potete descrivermi cosa vedete?»

«Un anello buio in mezzo alle stelle, così buio che le stelle che ci sono dietro non si vedono, mentre attorno sì.»

«I bordi emanano fiammate di dimensioni molto diverse. Assomiglia a un occhio con l'iride di fuoco, come Sauron nel film del *Signore degli Anelli*.»

«È una bocca che inghiotte anche la luce, e le labbra del mostro sono di fuoco.»

Ognuno descrive ciò che vede in base a ciò che ha vissuto, crediamo di vedere tutti la stessa cosa, ma ognuno riconosce segnali che la sua storia seleziona tra i milioni possibili, e ne fa una narrazione diversa. Per questo mi piace ascoltare le descrizioni altrui: più che le cose descritte imparo i segreti di chi le guarda, perché le cose parlano solo a chi se le porta dentro. Essere ciechi costringe a ricevere il mondo dagli occhi degli altri, e devo dire che semplifica molto la nostra difficoltà a comprenderci a vicenda. Quando mia moglie mi descrive un tramonto, un problema, una persona, io vedo non tanto quel tramonto, quel problema, quella persona... ma il rapporto che ha mia moglie con quelle cose, e questo non le rende meno oggettive. Il risultato è che io vedo le cose con gli occhi di un altro. E forse questa è la definizione migliore dell'amore.

«Ma insomma, prof, questo buco nero che cos'è?»

«Calma, calma che arrivo! Noi diciamo che quando nascono le persone vengono alla luce. Nessuna espressione descrive meglio la condizione umana. Dal buio tutti veniamo alla luce. Nascere è venire alla luce. Crescere è venire alla luce. Amare è venire alla luce. Essere felici è venire alla luce. Forse per questo amiamo così tanto i tramonti e le albe, perché ci ricordano che siamo una parentesi di luce nel buio. Ma che cosa accade a chi resta nel buio, a chi vive nel buio, a chi non può essere raggiunto da ciò che permette a ogni cosa di essere presente e di rendersi presente? La tua domanda è la stessa che ha messo in imbarazzo decine e decine di scienziati, perché quel buco non si lascia definire se non come assenza. Quel cerchio oscuro è stato definito "orizzonte degli eventi", un luogo che non può essere descritto perché quando lo guardi diventi cieco anche se ci vedi benissimo, perché là dentro la forza di gravità è talmente forte che inghiotte perfino la luce. Al centro della nostra galassia c'è uno di questi buchi neri. Non si tratta però di un vuoto, ma di una densità di materia ed energia tale da diventare incommensurabile forza di gravità. È un'attrazione totale, così potente che sfugge alle nostre capacità percettive. Dove dovrebbe essere tutto luce, perché lì sono concentrate l'energia e la materia, anche la luce viene inghiottita, e prima di esserlo manda gli ultimi incandescenti bagliori, che ci consentono di sapere che quel cerchio nero all'interno non è un vuoto ma un pieno. E quelle fiammate che vedete sono le fiammate che la materia e l'energia urlano per milioni e milioni di chilometri prima di essere inghiottite.»

«Perché lo hanno chiamato orizzonte degli eventi?» chiede Achille.

«Un *evento* è un fenomeno fisico osservabile nello spazio e nel tempo, l'orizzonte degli eventi è una zona dello spazio-tempo in cui diventa impossibile osservare il fenomeno. Al centro di questa sfera oscura c'è la cosiddetta singolarità, un abisso in cui la gravità è così potente che neanche la velocità della luce riesce a sfuggirle.»

La classe è in silenzio, quasi si stesse sporgendo su quel pozzo senza fondo, la cui sola esistenza ha impegnato gli incubi di tanti bambini: cadere per sempre.

«Anche al centro del nostro essere c'è un buio denso di gravità, attorno al quale la vita si accende. La morte chiama le cose alla vita, perché quando tocchiamo la nostra mortalità ogni cellula comincia a lottare per diventare immortale; per questo è bene averci a che fare con il nostro buco nero, perché da come lo affrontiamo dipende tutta la nostra esistenza, tutta la sua luce. Quindi nell'appello di oggi mi racconterete il vostro orizzonte degli eventi, ciò che inghiotte la vostra luce e dal quale vorreste tenervi lontani, ma la cui forza di gravità è talmente forte che è impossibile sottrarvisi. Cominciamo?»

So che la posta in gioco è alta, ma se per la prima volta abbiamo scattato una foto a un buco nero non posso perdere l'occasione di scoprire perché quella foto riguarda la nostra vita quotidiana come una delle figure con cui Dio mostra l'uomo all'uomo. La realtà è uno specchio in cui ci viene data la possibilità di riconoscerci, con tutti i rischi che gli specchi comportano. Se quel buco nero esiste, è anche in noi, come i boschi, le cime, i mari e ogni cosa che interpella la nostra geografia interiore perché ne è un simbolo materiale. Tutta la carne dell'universo è la nostra carne. E se quella foto ci attrae così tanto da afferrare anche dei diciottenni abitualmente indifferenti alla volta celeste, significa che è uno specchio formidabile.

ELENA

È un'illusione. Che là dentro ci sia qualcosa è solo un'illusione. È passato un mese da quando ci conosciamo e di cose ne ho imparate: mi sorprende che adesso mi importi conoscere i misteri di Marte e dell'atomo, ma poi non so nulla del senso da dare al dolore, alla paura, e alla vita stessa. Forse allora tutte queste ricerche, tutte queste scoperte che ci sembrano un modo di andare dentro le cose, in realtà non sono altro che le infinite vie di fuga dall'essenziale, che ci fa troppa paura per affrontarlo. Lo ha detto lei: è un buco nero.

Da bambina avevo tantissima paura di una soffitta nella nostra casa di campagna dove nessuno entrava mai, mio padre diceva che ci scorrazzavano i topi, e la muffa copriva ogni cosa. Non ci sarei mai entrata da sola e un giorno chiesi a mio fratello di accompagnarmi. Lui ha due anni meno di me e lo convinsi a esplorare quel luogo misterioso, ma dentro di me sapevo che se fosse successo qualcosa di strano sarei scappata di corsa. Non mi importava di lui, ma della mia paura. Così quando ho sentito un frusciare sono scappata via e l'ho lasciato da solo a combattere con i topi. Sono cresciuta, o almeno così pensavo. Ma allo stesso modo in cui ho affrontato quella soffitta, mi sono affidata alle braccia di un ragazzo che ha riempito il mio vuoto, ha reso meno oscuro il mio orizzonte degli eventi. Era come se lui potesse guardarci dentro al posto mio e dirmi com'era, perché non ne avessi paura, come quando da bambini ci bastava la voce del papà per convincerci che nel buio non c'è niente. E così mi sono abbandonata al suo coraggio e al suo amore. E se l'amore non fosse altro che la principale delle vie di fuga che abbiamo escogitato per non affrontare l'essenziale da soli, che poi è l'unico modo di affrontarlo? E se l'amore fosse solo il più efficace diversivo della vita e ci rendesse ciechi proprio nei confronti della verità sulla vita?

Questo ho cercato nel mio ragazzo, qualcuno che mi aiutasse a entrare nella soffitta del mio dolore e delle mie paure, qualcuno da mandare avanti al posto mio, a prendere i colpi. Mi sono abbandonata al suo amore sperando di sparirci dentro o di far sparire ogni paura. Lui invece cercava solo di essere maschio, e così è venuto fuori un bambino. Ero terrorizzata. Il primo a cui ne ho parlato è stato lui, e lui è stato il primo a sparire. E così sono rimasta sola con la mia paura e la mia vergogna. Una vita si faceva strada dentro di me e invece di portare luce ha portato il buio, un buio che ha cominciato a farsi largo, un millimetro alla volta. E ogni ora che passava quel buio mi inghiottiva, si prendeva ogni cosa, ogni speranza e ogni sogno. E io non volevo più sentirmi così e sono andata in ospedale, da sola, con i miei 18 anni di autonomia e amarezza. E così ho abortito, non l'ho detto a nessuno, e nessuna di quelle infermiere mi ha chiesto niente. Ho compilato dei moduli. Una donna ha provato ad avvicinarmi per chiedermi se avessi bisogno di aiuto, ma io le ho detto di no, che ero lì per accom-

73

pagnare un'amica. Per questo poi ho perso l'anno, perché volevo sparire. E così ora mi ritrovo in questa classe che sembra un ghetto della sfiga a ripetere questo maledetto ultimo anno di liceo.

Ecco il mio orizzonte degli eventi. Sono stanca di tenermi questo peso. Lo sto dicendo a voi che adesso siete la mia famiglia sgangherata. Professore, andiamo a caccia di misteri a milioni di anni luce da noi e non sappiamo neanche se dare alla luce un bambino sia una maledizione o una benedizione. Se rimanere incinta è come avere un tumore allora la vita fa schifo, perché nascere è come morire. Ho cominciato troppo presto a essere infelice.

CESARE

Elena ha detto un sacco di verità, perché ha mangiato troppa realtà. Io sono presente, professore, ma non ho capito che cosa è questo orizzonte degli eventi... Quello che ho capito è che sono cose di cui non parli, cose di cui ti penti, cose che ti mettono in ginocchio, cose che ti accecano l'occhio. Come un pugile col sopracciglio rotto che non vede arrivare il colpo, anche se sa che arriva da quel lato, non lo vede e lo incassa per orgoglio, ma è spacciato, e finisce che va al tappeto. Resistono solo in pochi, per farcela devi essere Rocky. Prendiamo colpi dal lato più scoperto, dove l'anima è all'aperto.

E hai fatto bene, Elena. I bambini non si abbandonano. Meglio togliergli la vita se poi devi lasciarli soli, senza ali e senza voli. Non è che io voglio farmi i fatti tuoi, è che ci sono passato e non passa mai, se ti hanno abbandonato. Sei sempre lì che cerchi di riempire un buco, ma non basta niente, né la crew, né una tipa, né un amico. C'hai un buco nero come quello che ha detto il professore, che si mangia tutto quello che di bello ti arriva, come il mare con la riva. Quindi prendi e butti tutto dentro al pozzo nero, ed è meglio perché la felicità quando ce l'hai diventa un veleno, perché sai che la perderai. E allora meglio non sperare, meglio far finta di niente, accontentarsi, rappare. Il mio orizzonte del cuore è che non c'ho né un padre né una madre, ma c'ho un buco al posto dell'amore. E da lì vado sempre KO, perché dal lato dell'amore non ci vedo più.

A me l'unica che mi dà pace è Luce, l'educatrice, perché lei sa che quel vuoto c'è e non ci gira attorno come tutti gli altri, non cerca di riempirlo, ma di tirarci fuori qualcosa, un sorriso o un urlo. Tutti gli altri provano a gettarci dentro oggetti, mentre lei fa quello che non ti aspetti, ci butta dentro un secchio con una corda e aspetta che venga in superficie una sorpresa, una cosa bella, una cosa che non t'aspetti, una stella o solo una padella. E lei si stupisce di tutto quello che esce, semplicemente perché è mio. Ha sentito qualche mia canzone, e mi ha detto *sei bravo, ed è figo anche il tuo soprannome*. Chissà, professore, magari per capire questi buchi neri dobbiamo tirarci fuori qualcosa, magari farci uscire una rosa.

L'altro giorno ero al Binario, con gli altri della gang. Il Binario è vicino alla stazione, dove la ferrovia è abbandonata. Lì spariamo rime a cannone, nelle nostre sfide. È un segreto, professore, è la nostra casa. C'eravamo io e Disagio e abbiamo fatto un dissing sull'amore. Lui ha detto è come l'erba, ti fa star meglio subito, ti toglie dalla riserva, ma finisce in meno di un quarto d'ora e sei più triste e ne vuoi ancora, ma non c'hai mai abbastanza soldi. Io invece gli ho detto te lo scordi e gli ho sputato contro che l'amore io lo conosco, e non ci faccio teorie, si chiama Margherita e non dà dipendenza, anzi ti libera, però devi fare anche fatica, perché non ti dà subito alla testa, ma è una cosa che resta. Naturalmente ho perso e tutti mi hanno preso in giro, ma io so di aver detto la verità. Ruggine dice sempre la verità, perché sa che la verità è una ferita da cui non vedi, e devi colpire per fede, perché ci credi. Presto la canzone su Margherita la metto in rete e allora tutti vedrete chi ha ragione.

Chi dice la verità e chi fa il coglione. La canzone l'ho fatta ascoltare a Luce, l'educatrice, che mi ha detto che è bella, anche se un po' truce. Mi ha detto che ho talento, che come un faro non devo stare spento ma illuminare la rotta. Mi sa che mi prendo una cotta. E stop.

ACHILLE

Anche se dico presente in realtà vorrei essere un altro, non altrove, non basta, proprio un altro. A me la scuola piace, quello che non mi piace è come sono. Non mi sono scelto il mio aspetto, il mio fisico, la mia miopia e la mia asma. Tutte le volte che vado sui social non posso fare a meno di confrontarmi con gli altri e più guardo più mi convinco che non ho speranza. Allora non mi resta altro che immaginarmi quello che vorrei essere, quello che vorrei avere, come vorrei apparire. E questo in rete lo puoi fare. E la cosa che mi consola sapete qual è? Che lo fanno tutti. Sembra che nessuno voglia stare nella sua pelle. Adesso vi dirò una cosa che non vi farà piacere. Se voglio, posso entrare nei vostri profili social senza che ve ne accorgiate, posso leggere la vostra posta elettronica, posso scoprire che cosa pensate veramente degli altri, che foto mandate in privato e a chi, posso dirvi se i vostri genitori si tradiscono. A volte passo interi pomeriggi a scoprire le falsità della gente, è una droga di cui non riesco a fare a meno. Mi fa stare meglio: se tutti fuggono continuamente da quello che sono, allora anche io vado bene. Alla fine sono esausto e dentro ho una tristezza senza fine. E così prendo i dati di qualcuno e li mando a chi deve sapere, per dimostrare che fogna è la felicità.

Credo che questo sia il mio orizzonte degli eventi, è l'unico modo di trasformare la mia debolezza e la mia paura in punti di forza. Sono stufo di subire gli sguardi di chi pensa che io sia uno sfigato e insinua, tra le parole, che mi è andata male e che dovrei essere diverso. Quello è il momento in cui decido di vendicarmi, per dimostrare a chi fa così che lo fa proprio perché neanche lui ha una vita che lo soddisfa. Allora mando un video, un messaggio, una mail in cui svelo qualcosa a qualcuno e poi lascio che la verità faccia quello che sa fare meglio: il suo corso. Mi piacerebbe buttare via tutto, ma non ci riesco. Senza questo non mi rimane niente. Come faccio a essere presente, professore, se non voglio esserlo? Scusate se parlo troppo, ma oggi ho paura e ora non riesco a respirare bene.

STELLA

Il mio orizzonte degli eventi lo conoscete: è il ricordo di mio padre. Ci finisco dentro come in un gorgo, un'attrazione amara e dolce. Da bambina non potevo addormentarmi senza che mi raccontasse una delle sue storie. Le inventava sul momento e le più belle poi me le raccontava ancora. La mia preferita era quella della principessa di un popolo immortale, che mentre danza in un bosco viene scorta da un uomo che se ne innamora e a tutti i costi vuole conquistarla, ma lui è solo un uomo. Il padre di lei, che disprezza quel mortale, per toglierlo di mezzo gli chiede un pegno impossibile. Lui pur di averla rischia la vita e viene gravemente ferito, ma lei per curarlo rinuncia alla propria immortalità in cambio di un farmaco salvifico. Mio padre mi diceva che amare è rischiare la vita per qualcuno. Allora io preferisco non amare nessuno se poi si deve soffrire così tanto. È un gioco crudele la vita. Non voglio perdere ciò che amo. Aveva ragione Leopardi: perché dare alla luce chi poi deve esserne consolato? E se poi chi doveva consolarti non c'è più?

Professore, oggi non è giornata, ieri mi hanno rotto il naso e ho il mal di testa da KO, quello che ti rigira il cervello. Mi si sono piegate le ginocchia, non sono riuscito più ad alzarmi. Non sopporto di perdere, mi sembra di darla vinta a mio padre quando picchiava la mamma e io non potevo fare nulla. Credo che questo sia la cosa buia che lei ha detto. Tutte le volte che abbasso le difese mi torna in mente qualche ricordo di lui che la picchia e io non posso far altro che tapparmi le orecchie per non sentire i suoi colpi e le urla di mamma, e devo tapparmi gli occhi per non vedere lui ubriaco che la spinge e la fa sbattere contro il muro.

Solo quando colpisco mi si calma il morso nel cuore, altrimenti la rabbia mi afferra e può andarci di mezzo chiunque. Non posso dare un altro dispiacere a mamma, anzi devo trovare il modo di renderla una regina, che non ha più bisogno di spaccarsi la schiena facendo le pulizie dai ricchi.

Questo naso oggi mi fa male. Ho tenuto i tamponi per ore, altrimenti non smetteva di sanguinare. Mamma non mi ha visto, sennò poi ci sta male pure lei e mi ripete come un trapano che me lo aveva detto. Ma tanto se ne accorgerà perché mi verrà il blu sotto gli occhi. Ieri ho anche perso dei soldi e noi abbiamo bisogno di soldi, altrimenti mamma deve lavorare di più e questo io non me lo posso perdonare, perché quando lei torna a casa ha la schiena rotta e le mani rovinate. Io questa vita la devo cambiare. Però questo fatto che uno deve morire se ama qualcun altro è vero, Stella. Anche io devo rischiare per mia madre. Tuo padre aveva ragione: se non muori per qualcosa o per qualcuno non vali un cazzo. Con rispetto parlando, professore, ma quando ci vuole ci vuole. Ora sto zitto perché sto naso mi salta nel cervello e c'ho in testa un martello pneumatico e mille pensieri su una cosa che devo fare, perché c'ho bisogno di soldi.

CATERINA

A volte mi chiedo perché la vita dai 10 ai 20 anni sia così complicata, perché i dolori e le gioie siano moltiplicati rispetto a tutti gli altri momenti della vita. Professore, voi adulti quando fate un figlio ci dovete pensare, ci mettete in una cosa che nessuno sa bene come si fa e per questo poi ce la prendiamo con voi.

Il mio orizzonte degli eventi, professore, si chiama Dio. Mi attrae e mi respinge come niente al mondo, presente e assente nello stesso minuto. Lo amo e lo odio: mi crea senza il mio permesso e non può salvarmi senza il mio permesso. Molti mi dicono che è solo la proiezione dei miei desideri, ma Dio è tutto tranne quello che desidero: non mi risolve i problemi, ma li crea, non risponde quando lo invoco anche se so che c'è, proprio perché lo invoco, non mi costringe a credergli e non posso vivere senza credergli. C'ho mille domande da fargli e non gli do tregua, come lui non la dà a me. Ho provato a ignorarlo, a fare finta di niente, ma poi mi sono detta: "tutto qui? Può mai essere la vita solo questa cosa qui?". La vita, se Dio non c'è, è una noia mortale, perché non siamo altro che un pezzo di natura che aspetta solo di tornare nella polvere, e io invece lo so che non sono solamente polvere, perché so amare.

E io un giorno l'ho sentito l'amore di Dio e da quel giorno l'orizzonte degli eventi non mi ha più lasciata tranquilla. Ero all'ospedale e sono entrata nel corridoio dei bambini: malattie di ogni tipo. C'era un bambino deforme, che solo a guardarlo faceva paura, soprattutto perché era un bambino. Dio non può esistere se ci sono queste cose, ho pensato. Mi sono ribellata e dentro di me gli ho urlato: "perché non fai niente?". Non ho ricevuto nessuna risposta, come era prevedibile. Ma a un tratto una donna, una suora di quelle di Madre Teresa, passava nel corridoio e lo ha riconosciuto, si è fermata, lo ha preso in braccio e gli ha ripetuto più volte *che bello che sei! Ma che bello che sei oggi!* Lo riempiva di baci sul volto e lui rideva, perché gli faceva il solletico. Quella era la risata di Dio.

Io non so che cosa ho visto in quel momento, c'erano una donna del tutto ordinaria e un amore del tutto straordinario. So che se Dio esiste assomiglia a questa cosa qui che fa fare l'impossibile, che fa vedere l'impossibile. Allora dentro di me una voce si è fatta strada e ha risposto alla mia domanda: "una cosa ho fatto, ho fatto lei... e ho fatto te". Da quel giorno non posso più stare tranquilla.

Perché voi non ci parlate mai di Dio? Pensate veramente che sia un argomento superato? Se non siete capaci di darci quello che resiste all'urto del tempo, perché ci mettete al mondo? Sperate che siamo noi a reggere a quell'urto semplicemente perché prolunghiamo la vostra vita? E se a scuola ci insegnate ciò che merita di essere conosciuto e ricordato perché non passerà con il trascorrere del tempo, perché non ci raccontate mai di Dio? Perché lasciate che quell'urto del tempo ci arrivi proprio sui denti? E sulle ossa? E sul cuore?

Io non voglio aspettare. Io voglio vivere adesso. Dare un senso adesso alla mia vita, senza aspettare che a darmelo sia ciò con cui abbiamo sostituito Dio: la carriera, i soldi, i successi, le cose... Tutto questo non mi basta per stare qui e lottare. Io voglio sapere per cosa vale la pena di vivere e morire.

ETTORE

Il mio orizzonte degli eventi per ora non è altro che una galleria di metropolitana con le fermate che separano mia madre da mio padre. Quando salgo su quel vagone con la borsa per stare da uno dei due vorrei che il tragitto durasse all'infinito, come in un racconto che abbiamo letto in cui il protagonista viaggia in una galleria che si allunga senza fine, ma al contrario di quel che accade nel racconto io non mi angoscerei, mi godrei il viaggio che mi tiene lontano dai capolinea del dolore. A quale dei due capolinea appartengo? Non so dirlo. So solo che quando arrivo a casa di mamma lei cerca di eliminare tutto ciò che possa ricordare il posto da cui vengo, dall'odore sui vestiti alla malinconia degli occhi che lei naturalmente interpreta come colpa di papà. La prima cosa che mi chiede è se ho vestiti da lavare, come se stessi rientrando da una zona contaminata, come se una lavatrice bastasse a purificare la vita dalle sue scorie radioattive. Poi comincia a farmi una serie di domande per indagare fino a dove deve arrivare la purificazione dell'anima e del corpo. Dal momento che io rispondo a monosillabi, lei ha imparato a porre domande mirate che richiedano solo un sì o un no: *Hai mangiato cose scadute? Hai bevuto superalcolici? Ti ha dato soldi?* Tutte le domande riguardano indirettamente il nemico, mai una volta che mi faccia una domanda che riguarda me e solo me. Quando la metropolitana mi riporta dall'altro lato della frontiera mi aspetta invece una casa immersa in una penombra sporca e sudata. Papà non va a lavorare e mamma non lo sa, la depressione lo sta divorando pezzo dopo pezzo: ho capito che essere a pezzi non è una metafora. Non reggeva più la pressione e si è dovuto licenziare. Non si cambia quasi mai e quando io arrivo a casa devo lavare i piatti incrostati, perché non usa la lavastoviglie per risparmiare e devo incoraggiarlo a farsi una doccia e a uscire. Non so da dove venga tutta questa tristezza che lo paralizza, ma so che esce da lui e si posa, come la polvere, sulle cose intorno. Le inceppa, le rende mute, le rallenta: tutto si raffredda, seguendo l'inesorabile legge di cui ci ha parlato anche lei, professore. Sembra che le cose, se non resisti, debbano congelarsi. In modo diverso sia lei che lui le hanno congelate, lei controllando tutto e volendo cancellare ogni segno di lui, lui lasciandosi andare al flusso delle cose e non opponendo più alcuna resistenza alla vita, anzi facendosene totalmente controllare, in attesa della fine. Mio padre nei fatti vuole la morte, ma la vita non è certo disposta a dargliela e allora lui la crea attorno a sé e tirarlo fuori da quel bunker non è un compito per un figlio. Adesso sapete perché stavo da mio nonno. Cambiare vita due volte a settimana, diventare il genitore dei miei genitori è impossibile... Ho cominciato a lavorare, per aiutare mio padre a venirne fuori. Per questo a volte mi addormento durante le lezioni, anche se lei non se ne accorge, professore, ma fare le consegne di cibo in bicicletta ti spacca dal sonno. È l'unico lavoro che ho trovato, chi se lo piglia un diciottenne senza esperienza in niente? Però ogni tanto tiri su belle mance, se sei gentile.

L'odio di mio padre e mia madre si è mangiato tutto. Nessun serpente si autoavvelenerebbe, noi invece ci riusciamo. Produciamo veleno che ci avvelena. Perché c'è tutto questo desiderio di distruzione negli uomini, professore? E soprattutto tra quelli che si amano? Io le vedo le foto nella scatola dei ricordi: quei sorrisi aperti e luminosi del giorno del matrimonio, quei primi piani con sfondi che fanno pensare che il mondo non sia altro che il fondale della felicità. Perché poi svanisce tutto come un sogno? Perché il veleno esce proprio da dove abbiamo cercato il miele?

Scusate se parlo troppo ma sono stufo, e se non dico queste cose a qualcuno, oggi non torno da nessuno dei due e dormo fuori su una panchina, dopo essermi ubriacato con le birre che dovrei consegnare alla gente che non ha voglia di cucinare. Ho il dolore dappertutto e non mi si toglie di dosso.

ELISA

Per questo io vado sempre via, Ettore. E me ne vado dentro uno dei ricordi che amo di più. Corro su un vecchio sentiero vicino al mare. Il vento accarezza le cime dei cespugli di canne e le fa sibilare. Le lucertole scappano al mio passaggio e l'odore dei pini cotti dal sole, dell'uva ancora acerba, della terra secca si mescola al profumo del mare. Arrivo sulla spiaggia, stanca ma rinfrancata sia dalla fatica sia dalla brezza. Mi immergo e piango, e non so quali sono le lacrime e quali le gocce. Sono stanca di resistere. Voglio annegare in quella bara liquida, mentre perdo il corpo e tutti i pensieri. Voglio liberarmi per sempre. Da che cosa? Se lo dicessi, non servirebbe. Voglio dormire, come Orlando, e svegliarmi in un'altra epoca, in un altro corpo... Solo con i ricordi belli delle vite passate. La vita vera è sempre altrove. Io vengo da lì e devo tornarci, tutte le volte che posso, tutte le volte che voglio.

MATTIA

«Mattia?»
La mia voce rimbalza contro il muro e mi torna indietro.
«Non c'è, professore. Non viene da due giorni.»
«Perché?»
«Non lo sappiamo.»
«E non vi importa saperlo?»
«Sì, ma non sarà nulla.»
«Quindi lo chiamereste solo se fosse in fin di vita? Non fate altro che parlare di amore da dare, da cercare, da ricevere... E poi non siete capaci di fare una telefonata a un vostro compagno, solo per chiedergli come sta... L'unico modo di curare il proprio dolore è occuparsi di quello altrui. L'amore è più semplice di tutti i pensieri che abbiamo imparato a farci sopra, parla una lingua molto banale: un gesto, una parola, uno sguardo, una telefonata... Ma poi queste sono proprio le cose che non facciamo, perché c'è sempre tempo e perché c'è sempre qualcosa di più urgente. Se volete prendere la maturità, cominciate da qui. Cominciamo da qui: chiamatelo adesso.»
«Adesso?»
«Sì, in viva voce. Così sarà presente. È assente in classe, ma da qualche parte sarà presente... Usate il mio.»

Il telefono squilla e rimbalza tra le pareti dell'aula, mentre tutti tratteniamo il fiato per riuscire a sentire.

«Pronto... chi è?»

«Sono il professor Romeo, Mattia. Stiamo facendo l'appello e vorremmo che tu partecipassi in viva voce, perché senza di te l'appello non è completo. Dovresti raccontarci qual è il tuo orizzonte degli eventi, il buco nero che inghiotte anche la luce, insomma qual è la cosa che costantemente ti attrae ma finisce per spegnerti. Lo so che può sembrarti eccessivo, ma noi ormai siamo un'orchestra, scalcagnata, lo so, e con il direttore cieco, ma questo abbiamo...»

«Lei è pazzo, professore. Non ho niente da dire. A scuola non ci vengo, non ha senso.»

«Non ti ho chiesto perché sei assente, ma di raccontarci la tua storia di oggi.»

«La mia storia, professore? La mia storia è che sono strafatto e per riprendermi ci metto tutta la settimana. Addio.»

«Grazie, Mattia. È stato bello sentire la tua voce.»

La classe rimane in silenzio.

«Adesso potete decidere se ignorare ciò che è successo o prendere posizione. Ma per favore smettetela di commiserarvi e di lamentarvi, quando non siete capaci di aprire gli occhi su chi avete accanto. Io sono costretto, perché per aprire gli occhi devo ascoltare. Ma se non cominciate a crescere io questa maturità non ve la faccio passare.»

Nessuno risponde. Amo questi silenzi violenti in cui la verità deve diventare prima sofferenza, e poi, se non la cacciamo via, amore. Sono i silenzi in cui decidere chi vogliamo essere e diventarlo sono la stessa cosa.

AURORA

Io non ho nessun orizzonte degli eventi, professore. Sono fortunata. E anzi le dirò di più, oggi è il mio compleanno e ho preparato una torta, perché quando sono felice voglio che lo siano anche gli altri. Quando sono nata era mattina presto e la prima cosa che mia madre ha visto insieme a me sono state le luci dell'alba e così ha scelto il mio nome. Mi dovevo chiamare Livia, come la nonna, ma è andata come l'istante ha voluto. Ho preparato una torta al cioccolato, perché il cioccolato mette allegria e credo che noi ne abbiamo molto bisogno. Però c'è da festeggiare, perché io oggi ci sono e questo perché i miei genitori si sono amati molto e si amano ancora molto. Scusi se le rubo parte della sua lezione, professore, ma il mio orizzonte degli eventi è pieno di luce.

Quindi adesso potete cantarmi *Tanti auguri a te* e smetterla con quelle facce tristi, perché oggi si festeggia la mia venuta al mondo, che, vi piaccia o no, non si ripeterà mai più. E questa di per sé è già una grandissima notizia.

La risata è corale e liberatoria. Se solo ci prendessimo il tempo di ascoltarle, queste vite, chissà quante se ne salverebbero. Non si tratta di farli venire alla luce ogni giorno? E che altro avremmo mai da fare noi insegnanti? E noi uomini in generale?

La torta di Aurora ha spazzato via il dolore accumulato nell'aula. Se qualcuno ne avesse aggiunto ancora, i muri avrebbero cominciato a creparsi e i vetri delle finestre a infrangersi. Mi sento così impotente di fronte a tutto questo, ma in fondo il mio compito non è quello di dissipare il buio che c'è nelle loro vite, ma di mostrare loro che in quel buio non sono soli, perché quel buio è ciò che ci unisce tutti. Così capita a me tutti i giorni, quando qualcuno, mia moglie, i miei figli, un amico, la signora Patrizia, mi prende per mano per guidarmi ed evitarmi qualche ostacolo, o semplicemente per farmi sentire la sua presenza. Io sono sempre al buio e niente mi tranquillizza come una mano o una voce.

«Qual è il suo orizzonte degli eventi, professore?» mi chiede Elena come se stesse ascoltando i miei pensieri.

Mi sono preparato. Non faccio a loro nessuna domanda a cui io non abbia prima tentato di rispondere. «I miei figli: Pietro e Penelope. Niente come loro mi riempie di energia e mi accende, e niente come loro mi fa precipitare nel buio.»

«Perché, professore?» chiede lei.

«Perché non li vedo crescere e nessuno potrà mai restituirmi quel che sto perdendo. Li sentirò crescere, ma non li vedrò. Di Pietro mi rimarrà l'immagine di quando aveva appena quattro anni, di Penelope non avrò alcuna immagine. Ieri giocavo con lei e a un tratto mi ha detto che aveva bisogno della luce per giocare: eravamo al buio fin dall'inizio e lei non mi aveva detto niente, ma evidentemente quando la penombra serale ha lasciato posto al buio non si vedeva proprio più nulla. Le ho detto di accendere la luce e lei mi ha detto che io sono bravo perché so giocare al buio e che devo insegnarle come si fa.»

Mi fermo perché credo che questo basti. Soprattutto per le lacrime che cominciano a gocciolare lungo il mio volto. Il silenzio si prende l'aula in un istante, e adesso rimane in sospeso un altro dolore che non si può risolvere, come molti di quelli che i ragazzi hanno depositato prima di me durante l'appello. Ci siamo spogliati uno dopo l'altro e ora c'è l'imbarazzo della nudità. La si vorrebbe coprire subito, cambiando argomento, minimizzando, ma è soprattutto per questo che siamo qui: saper stare nudi di fronte alla verità, e starci insieme.

«Quello che è appena successo è la bomba atomica. La scuola di oggi sarebbe da buttare nel cesso in questo momento. Un baraccone in cui l'ultima cosa sono le vite delle persone: tutti fingono che si possano insegnare la *consecutio temporum*, gli integrali e la *Critica della ragion pratica* a gente che nel frattempo ha l'anima a pezzi. Come se in un'anima a pezzi si potessero versare il periodo ipotetico, x tendente a infinito e Kant. Noi dovremmo farla sapere a tutti, questa cosa dell'appello, dovremmo fare un manifesto da pubblicare su tutti i giornali, dovremmo fare qualcosa per smetterla di fingere che vada tutto bene. Questa scuola è una finzione. Dovremmo smetterla di essere conniventi e complici perché tanto alla fine ci torna utile... Mi chiedo chi glielo faccia fare, professore, tutto questo tempo ad ascoltarci come se avessimo qualcosa di nuovo da dire dai tempi dell'*homo sapiens*: amateci, cazzo, amateci! Noi tutti sapevamo qualcosa di Mattia, ma non ci siamo mai alleati per aiutarlo, abbiamo preferito ignorare come se fosse soltanto una cosa da nascondere o di cui parlare nei momenti di noia. In fondo abbiamo sempre pensato di non potere far niente, che non è affar nostro. E siamo rimasti in silenzio o abbiamo parlato d'altro, eppure sapevamo.» A parlare è stata l'inarrestabile energia di Aurora, alla quale risponde inatteso Achille:

«Dovremmo fare qualcosa per Mattia. Magari chiamarlo oggi pomeriggio, mandargli un messaggio, aiutarlo con la spiegazione degli argomenti di scienze e delle altre materie di oggi...»

«Mi sembra una buona idea. Ma voi sapete da quando va avanti questa storia?» chiedo.

Nessuno risponde. Cala un silenzio pieno di sensi di colpa, un silenzio che paralizza e ha due esiti possibili: diventare senso di responsabilità oppure disfattismo prima e poi indifferenza, perché smetta di far male.

«Professore, sa una cosa? Ascoltando le storie di ciascuno è come se si creassero dei ponti tra isole che sembravano staccate l'una dall'altra, separate da un mare di dolore, ma noi siamo un arcipelago, uniti da un mare di dolore.» È Caterina ad aver parlato, con le sue immagini icastiche e vigorose.

«Non sono cazzi miei» sbotta Oscar, «io non riesco a gestire i casini che ho nella mia vita, figuriamoci se posso occuparmi pure dei vostri. Se quello si vuole drogare alla fine se l'è voluta. Se sei debole, debole resti.»

Adesso siamo passati al silenzio elettrico, quello che catalizza la rabbia, i rancori, le frustrazioni e, al di là del merito di quello che è stato detto, prepara ognuno a sfogarsi contro gli altri, vanificando ogni possibilità di rimanere nudi. È un silenzio che serve proprio a scappare da ciò che sta cominciando a pesare troppo sull'anima.

«Sei il solito coglione» sentenzia Elena, come volevasi dimostrare.

«Anche tu sei stata debole, non ci hai pensato molto ad abortire. Era più comodo così. Avete tutti un alibi per giustificare che ve la fate sotto» rincara Oscar, che in questi casi gode ad aumentare il numero di nemici da abbattere.

«Ma che ne sai tu? Che cazzo ne sai? Sei il più debole di tutti, ti nascondi dietro i muscoli... Ma l'anima? L'anima ce l'hai senza muscoli. E si vede. Sei proprio l'uomo medio, anzi sotto la media.»

«Bla, bla, bla, sei arrivata quest'anno e credi di essere qualcuno. Datti una calmata, bella!»

«Stiamo perdendo un'occasione» intervengo con fermezza.

«Le occasioni si perdono quando le hai avute, professore. Qua dentro mi sembra che siamo messi tutti male...», è Ettore. «Io vorrei fare qualcosa di più per gli altri, ma non ho le energie, non ne ho abbastanza nemmeno per me.»

«Proviamo a farci venire un'idea e smettiamola di fare i bambini che vogliono solo avere ragione, ma poi non si ricordano neanche qual era la ragione...»

«Io propongo di dividerci i pomeriggi. Ciascuno passa un po' di tempo, ogni giorno, con Mattia. Per studiare insieme e fare anche qualcos'altro.» Sento l'ottimismo di Caterina in queste parole.

«Sono d'accordo. Così ognuno deve fare solo un pezzetto di quello che si può fare, e diventa più semplice.»

«Io non vado da nessuno» conclude Oscar.

«Io credo che tu sia quello che può aiutare di più Mattia, proprio perché non lo capisci o ti sembra di non capirlo.

Questo ti costringe ad ascoltarlo. Con lui tu sei cieco come me con tutti. Non hai soluzioni, puoi solo ascoltare. Stare lì. E proprio perché sei l'ultimo che lo farebbe, Mattia sentirebbe che per lui vale la pena fare qualsiasi cosa...»

«Mah, a me sembrano tutte chiacchiere. Chi si droga non ne esce più.»

«Chi si droga non ne esce da solo, Oscar.»

«Io intanto oggi gli porto una fetta di torta per farmi festeggiare» sentenzia Aurora.

Una risata abbraccia tutti. Per fortuna in ogni classe c'è una come lei. Sdrammatizzare è l'unico modo di prendere sul serio la vita.

«Allora cominci tu. Poi potete alternarvi seguendo l'appello.»

Tutti sono d'accordo, anche Oscar sembra essersi ammorbidito.

«Ora passiamo alle leggi di Keplero sul moto dei pianeti, che, vi assicuro, sono molto più semplici di quello che abbiamo appena affrontato...»

Provo tenerezza verso i genitori che incontro ai colloqui. Mossi da un misto di orgoglio e senso di colpa, vengono a fare un bilancio della loro vita, ascoltando il giudizio sulla loro discendenza, che purtroppo, o per fortuna, non risponde mai alle aspettative: riprodursi non è riprodurre individui uguali a noi, anzi, è generare chi metterà in crisi proprio quelle aspettative per costringerci a rivedere chi pensavamo di essere o di voler essere. Così i genitori guardano i nuovi professori alternando odio e amore, distacco e attesa: vogliono essere perdonati di aver commesso degli errori senza però volerli ammettere, un'assoluzione completa e totale, senza aver prima confessato.

Ricordo che quando ci vedevo la prima riunione con tutti i genitori, quella per eleggere i loro rappresentanti, era la conferma che la frase "le colpe dei padri ricadono sui figli" non è altro che la definizione prescientifica di genoma ed epigenoma, DNA e ambiente. Avere identificato basi azotate e connessioni neurali ha reso quelle colpe osservabili, ma non meno dolorose: la scienza descrive il dolore, non lo risolve. Mi divertivo a identificare i genitori non solo dalle somiglianze ma soprattutto dai gesti: il modo di tenere bassi gli occhi, di tirare indietro la testa, di torcersi le mani, di piegare il busto, di contrarre la mandibola... per riconoscere, incastrati maldestramente nello stesso banco, due versanti altrettanto scoscesi della vita umana. Al mattino i figli, che lottano per affrancarsi dal cerchio ripetitivo della vita, dalle traiettorie indefettibili dei cromosomi, per aprire una strada nuova, una linea inedita nel tragitto tra radici e frutti. Al pomeriggio i genitori, che in quel cerchio vorrebbero tenerceli, pur di non vederli crescere e quindi soffrire. Ma darli alla luce significa scoprire che la carne della tua carne la luce la toglierà a te per averne un po'.

Adesso le cose sono cambiate, non posso più analizzare i segni e le ferite di una storia familiare. Adesso che non vedo e posso solo domandare, ho scoperto l'essenziale: i ragazzi non assomigliano ai tratti visibili di uno dei due, di quella percentuale più o meno quantificabile non so più che farmene, e in fin dei conti mi confondeva. I figli assomigliano alla relazione tra i due, cioè alla loro storia d'amore: le cose per me esistono solo come storie, e ogni ragazzo è il frutto di quella specifica storia. Mentre gli occhi contemplano corpi e fotografie, le orecchie ascoltano storie e relazioni. E quel livello della realtà resta inaccessibile proprio perché siamo troppo impegnati a impossessarci dei segni visibili. Il digiuno degli occhi costringe a valutare l'invisibile, ma non per questo meno reale negli effetti: la qualità della relazione tra i genitori è la vita interiore di un ragazzo. Non facciamo altro che proiettare sulla realtà l'amore o l'odio che i nostri genitori si sono scambiati, la speranza o il cinismo che il loro amore ha creato, i progetti, le promesse, le cadute e le macerie che la loro relazione ha prodotto negli anni. Noi non vediamo i ragazzi sino a che non vediamo la relazione di chi li ha generati. Persino l'acqua, H₂O, è una relazione tra molecole che diamo per scontata.

Nell'aria erano palpabili la curiosità e l'imbarazzo di fronte al fenomeno "professore cieco", una variabile che non avevano previsto nella già caotica esistenza dei figli.

Ho stretto mani, ho ricevuto incoraggiamenti tipici di chi compatisce le malattie altrui, come se quello fosse l'unico modo di accostarsi alle fragilità. Mentre ripeto mentalmente la classifica dei 10 tennisti più forti nella storia di questo sport: Federer, Agassi, McEnroe... per tenere a bada la mia inquietudine, a un tratto irrompe la voce del genitore sindacalista, quello che manda un messaggio chiaro al consiglio di classe. Non so di chi sia genitore, ma è uno di quei rari padri che vengono a queste riunioni perché finalmente hanno il loro momento di gloria e credono così di aver fatto abbastanza per i propri figli, ma lo fanno per se stessi.

«Vorrei sapere se il nuovo professore di scienze, con tutto il rispetto per la sua situazione, può garantire ai ragazzi una preparazione adeguata all'esame di maturità di quest'anno.»

Cala quel silenzio in cui si mescolano l'imbarazzo di alcuni e il sadico compiacimento di altri, che mentre ti compatiscono allo stesso tempo godono a star lì a vedere come te la caverai. Mentre i primi vorrebbero essere altrove, i secondi vogliono vedere il sangue. È un meccanismo di base: provare piacere per le sventure altrui ci purifica dalle nostre. Ormai so distinguere bene i tipi di silenzio. Per un vedente il silenzio è un momento di passaggio, per un cieco è esattamente il senso della situazione. Nel silenzio si nasconde sempre la risposta a cui si è rinunciato da troppo tempo, quella che ha a che fare con il senso della vita: *se sai rispondere sicuramente imparerò qualcosa.*

«Sono indeciso sulla posizione di Borg.»

«Prego?»

91

Ci metto qualche secondo a realizzare cosa ho detto e, come mi accade in questi casi, vado fino in fondo a carte scoperte. «Scusate, ero sovrappensiero. Cercavo di mettere in ordine i dieci tennisti più forti della storia...» Il silenzio generato dalle mie parole contiene la reazione che volevo: abbassano le difese. Raccolgo la sufficiente dose di ironia che mi serve a difendermi e contrattaccare. «Per rispondere alla sua domanda. Non vedo, scusate il paradosso, come la mia cecità possa inficiare la preparazione dei vostri figli, che dipende dalla loro capacità di ascolto, di rielaborazione e di studio personale.» Ho usato un tono bonario ma tecnico, quello che contemporaneamente non li fa sentire in colpa e li rassicura, ma inesorabile arriva la battuta successiva, come se avessimo appena inaugurato una partita a tennis. Quando la razionalità viene sfidata divento calmo e mi diverto, è l'ignoto che mi spiazza.

«Non lo mettiamo in dubbio, ma magari ci saranno problemi per la disciplina, per le interrogazioni, i compiti scritti...»

Aspetto qualche secondo per essere sicuro che il mio interlocutore abbia concluso, non avendo la possibilità di leggere i segnali del corpo che indicano la fine del turno di parola.

«Comprendo le vostre preoccupazioni, ma la disciplina non è qualcosa che io devo ottenere, piuttosto un'abitudine che i vostri figli hanno appreso a casa in questi 18 e più anni di vita. Dipende molto poco da me: se hanno imparato a non imbrogliare, a non fare i furbi, a rispettare le regole non ci sarà alcun problema.» So di non essere stato diplomatico, ma la mia calma e la mia menomazione mi danno una sorta di superiorità morale, che so sfruttare anche con una certa malizia.

«Speriamo sia come dice lei, professor Romeo. Questi ragazzi hanno avuto mille problemi e non vorremmo se ne aggiungessero altri.»

«Io comprendo perfettamente le vostre preoccupazioni, ma vi chiedo di non farlé diventare loro preoccupazioni.

Tutte le persone hanno problemi ed eliminarli è impossibile, si può affrontarli insieme, l'importante è non trasformare le persone in problemi. So che voi mi darete una mano. Se ci saranno difficoltà o inciampi, ci diremo tutto con franchezza e aggiusteremo il tiro.»

Il silenzio che segue alle mie parole mi conferma che questo primo round è mio, ma una voce femminile interrompe il mio trionfo.

«Vorrei che spiegasse meglio il suo modo di fare l'appello. Questo fatto di toccare il volto dei ragazzi mi sembra esagerato. È proprio necessario farlo tutti i giorni?»

Mi chiedo che paura si nasconda dietro queste parole, come se toccare significasse necessariamente fare una violenza. Forse è solo paura che qualcuno entri nella loro proprietà e scorga, da vicino, le crepe e i buchi, o forse è invidia e delusione perché qualcuno può avere con i loro figli più intimità di quanta ne abbiano loro. Così decido di prenderla alla lontana, raccontando una storia.

«Uno dei primi capolavori della storia è un appello: la Caverna delle Mani nella valle del fiume Pinturas, in una zona deserta della Patagonia. Quando la vidi, da bambino, sulla prima pagina del libro di storia, rimasi folgorato. Databile almeno diecimila anni prima di Cristo, è il più antico appello della più antica classe della storia dell'uomo. Quelle mani, tutte alzate gioiosamente al cielo, le senti gridare in una lingua perduta, di cui restano solo le mani di chi la parlava. Ognuna, con il suo colore, è la firma primordiale dell'esistenza, la mano lanciata verso l'alto, aperta, dice: "sono qui anche io, sono presente". Sono mani di adolescenti dipinte al momento del rito di passaggio dall'infanzia alla maturità, dall'esserci a propria insaputa e per sentito dire all'esserci in prima persona, col proprio nome. Quelle mani urlano che tutte le vite vogliono un segno, un nome. Quelle mani gridano come le foglie in autunno che non è per sopravvivenza che siamo qui, ma per la festa della vita. Quelle mani vogliono l'ultima parola, purché gliela si dia e la si ascolti. La mano è lo strumento che la natura ci ha dato perché può diventare qualsiasi cosa: artiglio, chela, corno, e quindi lancia, spada e ogni altra arma. Ma può anche diventare ciò che nessun animale userà mai: una penna, uno scalpello, un pennello, un microscopio, un telescopio...»

«La ringrazio per questa lezione, ma non capisco che cosa c'entri tutto questo con i nostri figli, che sono qui per essere istruiti.»

«Per me è fondamentale far sentire loro che ciò che quel giorno io prendo in carico non è solo il loro cervello, ma la loro vita intera. Affidare il volto alle mani di qualcuno è un atto di fiducia che rende possibile la relazione. Se potessi lo farei anche con voi, ma so che è chiedere troppo. I ragazzi sono molto più disponibili di quanto lo siamo noi adulti. Io non ci vedo e ho bisogno di ricevere ciò che non è mio, come un dono, come un oggetto prezioso e fragile. Ricevere tra le mani il loro volto mi costringe ad averne cura.»

«La ringrazio. Spero che sia così, ma che nel frattempo imparino anche la materia.»

«Io, comunque, credo che Borg vada al numero 5» dice la voce del collega di scienze motorie per stemperare la situazione.

«Aveva un modo di giocare perfetto, matematico, assoluto, ma piuttosto noioso, il 5 è troppo generoso... Io preferivo di gran lunga McEnroe» gli rispondo.

«Capirai di scienza, collega, ma sul tennis mi sembri un po' perso...»

Una risata fatica a farsi strada nell'aula. Tutti gli elementi di umanità fanno paura alle persone, perché mostrarsi umani significa essere deboli: una delle tante regole del mondo a rovescio in cui abitavo prima di diventare cieco. Se tutti diventassimo ciechi per almeno un anno, saremmo costretti a riconsiderare le nostre priorità, soprattutto in fatto di relazioni. Ma il problema è che vediamo soltanto ciò che vogliamo o che gli altri ci costringono a vedere. Nessuno mi ha chiesto se ho la possibilità di guarire, come mi sono ammalato, se sono sempre stato cieco, per loro sono solo un problema in più da risolvere, un ostacolo sulla via del successo dei figli, cioè delle loro aspettative. Nessuno mi ha chiesto come mi chiamo e quanto dolore ho dovuto attraversare per non soccombere alla disperazione. E uno come Borg non merita di stare prima dell'ottavo posto, non lo merita nessuno che ti faccia addormentare mentre fa quello che sa fare.

Alla ricerca del tempo sprecato
Diario di un professore cieco

Transuranici. Mi ha sempre affascinato questa parola. Nella tavola periodica sono gli elementi più instabili, che decadono molto velocemente. Anche tu sei così, Mattia. La tua anima non vuole cristallizzarsi perché non ti basta resistere, tu vuoi esistere e questo comporta accettare la vita così com'è. Per te non c'è una posizione in aula, né nel mondo. Anche se hai le caratteristiche di un Panorama, *tu sei il* Transuranico, *uno che nella vita ci sta sempre scomodo, la tua esistenza non ha persistenza né resistenza. Tu sei la dimostrazione fisica che la vita non basta, ma deve essere ricreata continuamente. L'ho sentito sul tuo volto nervoso e scavato. C'erano occhiaie con dentro nascoste notti insonni, la pelle macerata dall'inquietudine. I capelli lunghi e trascurati ti ricadono sul collo e sulle orecchie, come una bandiera di libertà. Me li immagino neri e negligenti, vessillo dell'uomo che si assoggetta all'unica regola vitale che conosce: il caos. Il tuo naso è affilato e dalla tua bocca sottile esce un alito trascurato, uno spirito che marcisce se non lo liberi con la forza. La fronte aggrottata è scavata da tensioni irrisolte o irrisolvibili. I tuoi occhi, in orbite grandi, non sono altro che la punta del cuore, obbligato a sentire di più di quanto mediamente si riesca. Sotto la tua pelle ho toccato la minaccia di un teschio. Ci sono volti in cui si sente il teschio sotto la cute: angoli spigolosi, pelle contratta, affamata da qualcosa che non si trova e tesa da una rabbia che finisce con il rivol-*

gersi contro chi la prova. Volevo fermarti, volevo far rallentare la tua inquietudine, per questo ho indugiato più a lungo del dovuto con le mie dita sul tuo volto, per dirti che puoi sostare, che puoi portare il peso della tua solitudine, ma solo se lo trasformi in energia per gridare ciò che vedi e senti, così anche noi possiamo sentirci meno soli, grazie a te. Volevo tu capissi che avere il cuore di un poeta non è una condanna, ma un compito, ed è uno spreco di energia se questa fame di felicità non la usi per rassicurare quelli che la provano senza neanche saperlo. Tu appartieni alle profezie e, come le cose che hanno quella consistenza, sei costretto a svanire troppo spesso, perché ti convinci che sono solo illusioni, quando in realtà sono le urla di un mondo perduto o ancora da fare: da lì scaturiscono i sogni, i progetti, le ribellioni, le creazioni autentiche... marchiate a fuoco dalla verità della notte oscura da cui hanno avuto origine.

Ricordo il momento in cui ho deciso che avrei fatto l'insegnante e l'ho confidato ai miei amici. Ero felice, vedevo un futuro pieno di senso: continuare a studiare ciò che amavo e trasmettere quell'amore ad altri. Che cosa c'è di più grande? Eppure tutti mi dicevano parole che trasformavano il mio sogno in un'illusione: sarai un morto di fame, ai ragazzi non fregherà nulla, ripeterai sempre le stesse cose e ti ritroverai vecchio a 40 anni... Ma a me sembrava molto più reale il mio sogno che i loro discorsi basati sui soldi da accumulare e sul miraggio di certe carriere. Inoltre avevo l'esempio dei miei genitori: felici e realizzati nel fare i maestri di ciò che amavano. Così andai a parlare con loro. Mia madre mi disse che forse avevano ragione a sostenere che sarei stato un morto di fame, ma sbagliavano sulla parola "morto". Sarei stato "vivo" dalla fame. Non capivo. E lei mi spiegò che da quando studiava e insegnava il greco e il latino non si era mai annoiata, si era sempre sentita aperta a una ricerca inesauribile. Quella fame la teneva viva e quella vita si trasmetteva agli altri. E questo è un grande sogno: non sopravvivere, ma essere vivi. Chi ha paura di morire cerca di resistere e si limita ad appropriarsi di energie già esistenti.

Chi invece ha fame di vivere diventa un rivoluzionario, suo malgrado, perché crea nuove energie che prima non c'erano e le introduce nella vicenda umana dando slancio, forza, calore agli altri. «Omero, vivere è cominciare. Chi smette di cominciare precipita nell'abitudine e nell'anonimato, chiunque potrebbe essere al posto suo: e così muore. Invece chi ha un fuoco che gli permette di cominciare ogni volta diventa insostituibile, ecco chi è sempre vivo.» Dopo queste parole, che ricordo a memoria, mia madre aveva preso la sua Odissea, piena di annotazioni e commenti, e mi aveva letto il passo in cui Ulisse dialoga con Calipso che vorrebbe trattenerlo sulla sua isola paradisiaca e gli dice che lei, che è molto più bella di Penelope, lo renderà immortale. Ulisse le risponde con queste parole: «O dea, non adirarti per questo con me. So bene anch'io che la saggia Penelope è a te inferiore nell'aspetto, nella figura: lei è mortale, tu immortale e giovane sempre. E tuttavia io desidero e voglio tornare a casa e vedere il giorno del mio ritorno. E se anche un dio vorrà perseguitarmi sul mare colore del vino, sopporterò: ho nel petto un cuore paziente. Molto ho già patito e sofferto in guerra e sul mare: sopporterò anche questo».

Questo per mia madre significava essere vivi: scegliere la vita con i suoi limiti e amare a tal punto da rendere infinite le cose mortali. E non il contrario.

Mio padre, propenso a far parlare le cose più che i testi, non disse una parola, ma quella sera mi portò all'osservatorio della città. Guardavamo le stelle senza telescopio e mi chiese che cosa vedessi. Io gli descrissi alcune stelle, uno o due pianeti. Era una notte senza Luna. Poi guardammo quello stesso cielo attraverso il telescopio. E mio padre mi ripeté la domanda. E io non sapevo cosa scegliere, tante erano le galassie, le nebulose, le stelle che erano apparse.

«Figlio mio, per fare una rivoluzione bisogna credere nella realtà. Ci sono persone che si illudono di fare le rivoluzioni solo con le loro idee, con l'immaginazione. Si convincono di una idea e poi cercano di applicarla alla realtà, fino a farle violenza, purché i loro conti tornino. Ma la realtà non si piega. E così quelle persone rimangono deluse della vita e si deprimono, perché non è andata *come si erano immaginate. Invece chi vede veramente la realtà non può non amarla, perché è lei che a poco a poco ti si svela. E l'unico modo di lasciarsi sorprendere dalla realtà è seguire il proprio sogno, perché i sogni sono come questo telescopio. Le cose erano già lì, eri tu che non le vedevi ancora, ma quella lente, la lente dell'amore, te le ha rese visibili. Il telescopio è nel cuore, non nel cervello. Il cuore fa le rivoluzioni, non la mente, perché il primo si apre alla vita, la seconda la vuole dominare.»*

Ricordo questi due dialoghi come fosse oggi. E vorrei che anche tu, Mattia, non avessi paura di portare nel mondo quel cuore che ti condanna a vedere le cose in un modo che a quasi nessuno sembra interessare, perché tutti costruiscono la realtà con le loro illusioni. Tu invece hai quel telescopio sempre aperto e quando racconti ciò che vedi nessuno ti crede – è il destino dei profeti. Ma è proprio questa solitudine il prezzo da pagare. Questa è la rivoluzione che devi fare, quella silenziosa e paziente di chi racconta ciò che vede e che ama, e lo difende al prezzo del proprio dolore, perché non esistono un nuovo conoscere, un nuovo amare, che non passino dal soffrire per ciò che si vuole conoscere e amare: le vere rivoluzioni sono creative, non distruttive. Troppi si propongono di fare la rivoluzione non per cambiare il mondo, ma perché hanno bisogno della frenesia del movimento pur di non affrontare se stessi. Preferiscono abbattere i nemici che loro stessi creano piuttosto che difendere ciò che amano, perché non amano nulla, neanche se stessi. Sguazzano negli eterni preparativi, nell'inquietudine delle novità, nella cieca fede nel progresso. L'uomo nasce per vivere, non per prepararsi alla vita. Queste rivoluzioni non hanno mai rivoluzionato nulla, perché il cuore dell'uomo è rimasto lo stesso: non si è mosso di un millimetro. Le vere rivoluzioni sono lunghe e silenziose, come il lievito fanno crescere la pasta del mondo.

Da quando sono cieco ho sognato spesso di camminare in un tunnel infinito, la luce non era davanti a me ma dietro, e io potevo solo avanzare perché alle mie spalle si apriva passo dopo passo un baratro. A un tratto il corridoio faceva una curva brusca, girare significava precipitare nel buio definitivo. Non mi risolvevo a svoltare, perché avrei perso del tutto la luce. Da quel buio proveniva un suono attraente e spaventoso insieme, garanzia che qualcosa doveva pur esservi in quel fondo di tenebra, magari un tesoro, ma tutti i tesori hanno un drago a custodirli e probabilmente quelli erano i rantoli nel sonno di quella creatura. Dovevo andare avanti e abbandonare la luce. Quel sogno era la promessa che dietro la curva della cecità non c'è il buio totale, ma qualcosa a cui potersi ancora aggrappare. E infatti a quel sogno mi sono aggrappato come lo scienziato alla certezza oscura della sua ricerca, come il poeta alla luminosa tenebra della sua intuizione. Ecco cosa abbiamo in comune, Mattia, per questo non ti lascerò solo, ora che sei a quella svolta. Perché quelli come te mi ricordano che la mancanza di una vita normale si può trasformare in un dono. Da quando sono cieco sono costretto a vedere di più. Lo stesso vale per le anime senza pace come la tua, Mattia. La pace viene loro tolta per cambiare il mondo così com'è, perché così com'è non basta. Sono anime che hanno sete di un mondo ancora da fare, e che va fatto. I loro sogni chiedono alla realtà di mostrarsi, e il loro dolore è nostalgia di casa, come per Ulisse: amore infinito per la vita finita. Ma a loro è chiesta la sofferenza dell'attesa, del dubbio, della nostalgia. Loro versano le lacrime degli eroi. La loro sofferenza è la credenziale con cui ricordano agli altri che tutta la vita è un ritorno a casa.

NOVEMBRE

Novembre è un mese sorprendente. Prima lo odiavo perché era inzuppato di pioggia e battuto dal vento che la rende ancora più fastidiosa, ora per lo stesso motivo lo amo. Ogni giorno di pioggia mi regala una percezione totale della realtà, una vista stereofonica. La pioggia trasforma lo spazio in una cassa di risonanza: tutto si anima e spiffera la sua anima, perché le gocce toccano le superfici in modo diverso. La finestra dello stanzino di Patrizia è aperta su una piovosa mattina di novembre, il caffè caldo mescola il suo profumo a quello della città fradicia che la pioggia trasforma in un immenso organo con canne di tutte le dimensioni, e Patrizia legge qualche frase del suo – nostro – romanzo ad alta voce:

Ora tutto era diverso. Durante i dodici anni di scuola, media e superiore, Jura si era interessato all'antichità, alla storia sacra, alle leggende e ai poeti, alle scienze del passato e a quelle della natura, come si fosse trattato della cronaca familiare di casa sua o della propria genealogia. Ora non temeva nulla, né la vita, né la morte, ma tutto, tutte le cose del mondo erano parole del suo vocabolario.

È ormai un rito consolidato quello del caffè accompagnato dalle righe del romanzo di Pasternàk, tra le 7.15 e le 7.45. La scuola è ancora sprofondata nel silenzio e nell'odo-

101

re di alcol. In quella mezz'ora sembra di essere nell'Eden, che poi forse non è altro che bere un buon caffè con un'amica e ascoltare parole che, nonostante lo scorrere del tempo, non invecchiano, anzi riempiono di giovinezza gli istanti di tutte le epoche.

«Secondo lei perché qui dice questa cosa?» chiedo a Patrizia.

«Quale?»

«Che tutte le cose del mondo erano parole del suo vocabolario.»

«Perché quando sai guardare il mondo con gli occhi giusti ti senti sempre a casa. E la scuola dovrebbe servire a questo: far diventare tutta la storia e tutta la natura un album di foto di famiglia.»

«E invece è diventato il luogo in cui le cose diventano ancora più estranee.»

«Perché estranei siamo diventati noi.»

«Patrizia, lei dovrebbe tenere qualche lezione in classe.»

«A me basta questo stanzino, professore. Qui c'è tutto. Le mie lezioni funzionano solo individualmente. Sono personalizzate. E poi non si spiega niente qua dentro, si lascia solo che accadano delle cose belle.»

«Lei è la grande evidenza della fisica dei quanti.»

«Cioè?»

«Non si danno stati di materia e di energia stabili, ma solo occasioni di relazioni tra le cose e quelle occasioni rendono le cose come sono. E lei ne fa accadere moltissime.»

«Come?»

«Come ha detto: creando le condizioni per l'incontro. Dio ricrea continuamente il mondo attraverso di noi: si fida della nostra dedizione alla bellezza per farla accadere. I quanti non sono altro che la fisica più coerente con la libertà...»

«Non credo di aver capito, lei deve sempre far passare tutto da una spiegazione, professore. L'importante è che sia una cosa buona...»

La campanella del personale non docente segna la fine del nostro Eden. Gli addetti ai piani devono prepararsi ad accogliere i ragazzi. Il portone della scuola da un momento all'altro verrà aperto dal responsabile del piano terra. Un esercito organizzato e sincronizzato darà il benvenuto a un'orda barbarica.

Metto la mia mano sotto il braccio di Patrizia che mi porta a spasso per i corridoi ancora silenziosi. Nel tragitto mi racconta le vicende personali di insegnanti e alunni che la preoccupano o la fanno gioire. Mi chiede consiglio o commenta con garbo ciò che vede e sa. Nessuno prende quelle confidenze per pettegolezzi o intromissioni nella sfera privata, perché nessuno si sente giudicato da Patrizia. Di ognuno lei conosce pregi e difetti, esalta i primi e sdrammatizza i secondi. Patrizia è il cuore che a volte manca a noi professori, bisognerebbe distribuirlo in giro. Per questo nessuno con lei nasconde la propria stanchezza, la propria frustrazione, la propria fatica o le proprie crisi. Se poi si ha una gioia da condividere, Patrizia sa subito trasformarla in un evento di rilievo nazionale, ma le si perdona volentieri questa esuberanza.

«Come sta sua moglie, professor Romeo?»

«È preoccupata...»

«E perché?»

«Perché pensa che io abbia l'amante...»

«E lei ce l'ha davvero?»

«No, no. È gelosa di lei.»

«Di me?»

«Sì, dice che parlo sempre di Patrizia.»

Patrizia ride di gusto.

«Sua moglie non deve temere niente. Anche se sono nel pieno del mio splendore e sono un partito molto ambito, so stare al mio posto. E poi sua moglie, professore, è una meraviglia. Con quei capelli lunghi e biondi, e quel fisico... sembra uscita dalle pubblicità dello shampoo!»

«Mi manca...»

«Che cosa?»

«... non poterla vedere. La ricordo com'era cinque anni fa, e purtroppo alcuni tratti cominciano a sparire. È una delle cose più dolorose della mia condizione. Certo, lei rimarrà sempre giovane per me, ma mi manca terribilmente non poterla guardare negli occhi, non potermi riposare nei suoi occhi, non poterla amare con gli occhi...»

«Professore, non faccia così, sennò mi viene da piangere pure a me. Lo sa che io sono di lacrima facile quasi quanto lei...»

«Senza Maddalena mi sarei suicidato.»

«Che dice, professore, non mi faccia spaventare.»

«Il suo amore non si è spostato di un centimetro, anzi si è approfondito. Fa uno sforzo continuo per capire cosa io pensi, come io senta e comprenda le cose. E soprattutto si è fatta carico dei bambini in modo straordinario: quando è nata Penelope ha lasciato il lavoro per due anni per occuparsi di loro e di me, che sono diventato un altro figlio. Nonostante le crisi, la stanchezza, le incomprensioni, i momenti bui... non ha mai messo nulla in discussione. Quando io le chiedo scusa per tutto, lei mi ripete sempre *nella buona e nella cattiva sorte.*»

«Nella buona e nella cattiva sorte. È fortunato, professore.»

«Lo so.»

«E anche lei.»

«Dice?»

«Sì, conosco centinaia di uomini che ci vedono e che non vedono le donne che hanno a fianco. Lei è cieco, ma io non ho mai sentito parlare di una moglie come lei parla di Maddalena.»

«Ah sì? E come ne parlo?»

«Lei è innamorato di sua moglie, professore. Non la dà per scontata come succede a molti. L'ha dovuta conoscere da capo.»

«Credo che questo sia uno dei doni della cecità: non si può

104

dare per scontato ciò che non si vede. Tutto diventa un mistero da approfondire passo dopo passo. Mia moglie è diventata inesauribile, non so come dirlo: lei mi accade sempre.»

«Beata lei.»

«E lei perché non si è sposata, Patrizia?»

«Chi glielo ha detto...»

«Non ho sentito la fede sulle dita...»

«È ora di andare in classe, professore, se non vuole essere investito dai selvaggi. E io devo occupare la mia postazione, all'erta come una sentinella.»

Mi poggia la mano sulla cattedra e mi saluta con un gesto che ormai è diventato per noi consueto: un colpetto sul dorso della mano.

Mi siedo in attesa dei ragazzi e penso a mia moglie, a come sono felice di fare l'amore con lei, a come le mie dita si sono trasformate nei miei occhi e posso sentire ogni centimetro del suo corpo quasi fosse il tasto di un immenso pianoforte, fatto di toni e semitoni. Da quando sono cieco ho imparato a far l'amore con una delicatezza sconosciuta e ci metto tutto il tempo che ci vuole, il suo. L'istante si dilata e i corpi si prendono cura l'uno dell'altro, senza fretta, senza possesso, senza aspettative, in un dialogo perfetto, e attraverso di noi accadono tutte le cose belle del mondo.

Suona la campana e mi scuote dai ricordi del corpo di Maddalena. Io che non ho finestre sul mondo esterno, grazie a lei mi apro totalmente, e mi salvo dai muri della cecità, grazie al gioco delle anime e dei corpi.

«Buongiorno, professore, come sta?», è la voce squillante di Caterina.

«Una meraviglia. E tu?»

«Uno schifo.»

«Come mai?»

«Ho 18 anni. Come vuole che stia?»

«Hai ragione. Scusami. Ogni tanto dimentico che adolescenza e schifo sono sinonimi.»

«E poi questi maschi continuano a spezzarmi il cuore.»

«Be', almeno tu un cuore ce l'hai...»

«Bella consolazione...»

Ci facciamo una risata. A poco a poco l'aula si riempie, le caselle della tavola periodica si completano, possiamo dare inizio alle reazioni chimiche della vita.

«Credete che la poesia non c'entri con la scienza, invece sono strettamente connesse. Qualcuno mi ha detto che ha il cuore spezzato. E questa è un'immagine poetica, una metafora. Ne siamo sicuri? Oppure è possibile spezzare il cuore? In effetti lo è, perché quando siamo sottoposti a una forte angoscia il nostro sistema nervoso ci obbliga a rilasciare una grande quantità di cortisolo, che danneggia il cuore. Da quando sono cieco, dovendo catalogare le cose in base alle loro frequenze, ai loro rumori, ai loro suoni, mi sono reso conto che il battito del cuore ci accompagna più di qualsiasi altro rumore. Il sottofondo della vita è un ritmo. 4800 battiti all'ora, 40 milioni in un anno per un muscolo cavo di circa 13 per 9 centimetri. Un impulso elettrico involontario e regolare. E la regolarità è minacciata dal mondo là fuori: paura, entusiasmo, coraggio, tristezza... Il cuore pompa sangue in una rete di canali e vasi sanguigni che, se li stendessimo tutti su un'unica linea, avvolgerebbero la Terra due volte. E questo suono a cui prestiamo ascolto solo in situazioni di crisi è in realtà la cosa che sentiamo di più, ogni giorno, un ticchettio che ci accompagna sempre.

Einstein passò la vita intera a cercare la soluzione a quella che definiamo teoria unificata di campo, capace di descrivere in modo unitario tutte le forze della natura, una teoria del tutto che potesse spiegare le galassie e le formiche, l'elettromagnetismo e la gravità, il fulmine e la mela, i buchi neri e l'atomo. E questa sua battaglia non veniva dal desiderio di risolvere un problema difficile, mettendo insieme fatti e dati. Ciò che egli voleva vedere era la semplicità e la bellezza delle leggi su cui è fondata tutta la realtà. Einstein non riuscì nell'impresa, ha mosso qualche passo e ha rilanciato il compito a noi. C'è chi pensa che la soluzione sia in quella che oggi viene definita teoria delle stringhe, dall'inglese *string*, "corda", qualcosa che ha a che fare molto più con la musica che con i lacci delle scarpe. Tutta la vita ha a che fare con la musica, perché è la cosa più vicina all'incontro ultimo con la vita. L'atomo è composto di elettroni e quark che formano protoni e neutroni. Le stringhe starebbero sotto tutto questo: una specie di anello o di corda che oscilla e vibra al di sotto delle componenti dell'atomo. Sotto tutte le cose c'è un legame sottilissimo, che concilia fisica quantistica e relatività generale, l'infinitesimo e l'infinito. Le componenti ultime delle cose non sono punti indivisibili e isolati come noi immaginiamo le componenti dell'atomo, ma corde sottilissime, legami continuamente in vibrazione. A seconda di come queste corde vibrano, le particelle si dispongono e si rendono a noi visibili. Così come le corde di un pianoforte vibrando diventano note musicali, le stringhe, vibrando, si manifestano come particelle: la materia e l'energia non sarebbero altro che le note musicali delle stringhe, l'elettrone vibra in un modo, il quark in un altro... ma tutti sono tra loro collegati, perché entrano in risonanza l'uno con l'altro. La realtà non è fatta di atomi ma di storie.

Non può essere un caso infatti che la "sincronizzazione" sia una forza onnipresente nell'universo, quasi che le cose tentino, per un loro istinto, di controbilanciare l'entropia. Solo così si spiegano i movimenti sincronici degli stormi degli uccelli, dei banchi di pesci, il ritmo delle onde e delle maree. In fisica, quando due corpi vicini oscillano, a poco a poco accordano il loro movimento. Se ne accorse nel 1655 Christiaan Huygens, un fisico olandese affascinato dal fatto che i pendoli di due orologi vicini a poco a poco uniformavano la loro oscillazione anche se all'inizio ne avevano una opposta.

Così avviene anche tra gli uomini: è dimostrato che due persone che devono svolgere uno stesso compito che richieda fiducia reciproca, anche se non si conoscono, a poco a poco allineano i loro battiti cardiaci. Lo stesso avviene in un coro, in un'orchestra, e nelle coppie che si amano: il loro battito è concorde anche se sono distanti. Tutto questo accade perché quando le persone o le cose hanno compiti comuni sono spinte ad accordarsi, che poi è la parola che contiene le corde, le stringhe: avere la stessa frequenza. Dal frastuono caotico delle cose emerge un'armonia più profonda che cerca di contrastare la dispersione e l'opposizione delle forze. Per questo la teoria delle stringhe per quanto ipotetica sembra al momento quella più fedele al mistero della vita. È tanto ipotetica quanto poetica.»

«Che cosa c'entra questo con il cuore spezzato?» chiede Caterina, facendo finta di nulla.

«Vorrei che durante l'appello di oggi voi raccontaste a cosa è accordato il vostro cuore in mezzo al caos e al frastuono della vita. La classe è uno di quei luoghi in cui siamo chiamati, che ci piaccia o no, ad accordarci. A ogni appello i nostri cuori si accordano un po' di più, e alla fine dell'anno batteranno all'unisono, ma solo a patto che ci siano compiti comuni da realizzare insieme. Le nostre vite sono legate, e non perché siamo sentimentali, ma perché in fisica funziona così: tutti contrastiamo il caos provocato dall'entropia, la disgregazione delle fibre delle cose a causa del dolore, della morte, delle cadute, del male; e questo accade sempre, che lo vogliamo o no. Ma se rendiamo questa lotta comune e consapevole, allora succedono cose inaspettate... Io credevo che la mia vita, senza vista, fosse finita, ma non era la fine del mondo, era solo la fine di *quel* mondo. Ero chiamato a entrare in un altro livello della realtà, come nei meravigliosi videogiochi degli anni Ottanta, un nuovo ponte con le cose e le persone, un nuovo accordo con la vita. Per questo vorrei che oggi mi raccontaste i vostri momenti di "sincronia".»

ELENA

Presente! Quando ho abortito ero sola. È stato semplice, come prendere un antibiotico. Ma io sentivo il suo battito, non con le orecchie, da dentro. Il suo cuore era già formato alla quinta settimana, alla sesta lo si può ascoltare. Io lo sentivo, e in quel momento il mio battito si è sincronizzato col suo, ma io ho deciso di spezzarglielo, il cuore. I miei non sapevano nulla, sono andata da sola, avevo compiuto 18 anni da pochi giorni. E quel battito era lì. La mattina ero a scuola ad ascoltare le lezioni e al pomeriggio ascoltavo il battito di mio figlio. Quando il padre è sparito non ho avuto il coraggio di dire nulla ai miei: mia madre non avrebbe retto all'ennesima tristezza, mio padre aveva già mia madre a cui pensare, non c'era spazio per un'altra madre. E così il sangue ha cominciato a uscire, e poi i resti di quello che doveva essere il mio bambino. Per una decina di giorni ho assistito nel silenzio al supplizio di cui io ero l'artefice, sul mio stesso corpo e su quello di mio figlio. Sono diventata maggiorenne e tutte le promesse di autonomia e libertà per me si sono risolte in una vita sulla coscienza. Il primo accordo del mio cuore è una corda spezzata. Diventare maggiorenni è una merda.

CESARE

Sarà una merda ma crescere è necessario. Io se avrò un figlio gli regalo un diario, in cui c'è scritto cosa bisogna fare. E poi gli racconto le storie, e gli dico come non farsi male. Ci andrò insieme al parco a giocare, gli insegno come si cammina, gli asciugo una lacrima, gli insegno una rima, che cosa nella vita viene dopo e cosa viene prima. Ma la vita fa schifo, non c'è nessuno che faccia il tifo per te. La vita prende e ti spezza il cuore, lo fa in modo preciso, quasi senza rumore, senza preavviso. Ci sono giorni in cui tutto il male mi schiaccia e allora prendo la vita e gli urlo in faccia fino a che non sono sfinito, altrimenti sono esaurito. È come un mostro che mi insegue, che divora ogni speranza, per questo compongo canzoni, per trasformare i mostri in occasioni, ma troppo spesso il cuore mi si è spezzato e di cicatrici ce l'ho tatuato. Il mio cuore non è in accordo con nessuno, è un cuore che batte da solo, una fogna, un canale di scolo, c'ha la rogna, a vederlo provi vergogna. Luce mi ha visto in faccia e mi ha detto *facci una canzone, sennò il dolore marcisce, diventa un tumore*. Dovreste vedere come è bella, ha gli occhi grandi, sembra una modella. Quando le parlo lei mi sa guardare. E così ho pensato a voi, a tirarci fuori qualcosa, ciascuno con i suoi urli inghiottiti, con le sue spine senza rosa, con le sue cicatrici, allora ho composto un ritornello e l'ho intitolato: *L'appello*. E oggi vorrei che sentiste sta canzone, però mi dovete fare il beat di base, se lei permette, professore, con le giuste pause e la giusta intonazione. 1... 2... 3... 4... 4... 3... 2... 1 facile facile come un rigore, come un Do minore. Pronti... 1... 2... 3... 4... 4... 3... 2... 1.

Jo jo jo jo
facciamo brutto, bro
siamo una classe
siamo una famiglia
navighiamo in acque basse
rischiando ogni giorno la chiglia.

Jo jo jo jo
facciamo il nostro meglio, bro
abbiamo un capitano
che non vede con gli occhi
ma con le orecchie e con la mano
colpisce meglio di Rocky.

Jo jo jo jo
facciamo l'appello, bro
un nome alla volta

ciascuno racconta la sua storia
e ciascuno poi ti ascolta
e c'hai il tuo momento di gloria.

Jo jo jo jo
ascoltami in silenzio, bro
che anche Dio ha fatto l'appello
quando non c'era ancora nulla
ha detto: luce, mare... e tutto era bello
come un bambino ride nella culla.

Jo jo jo jo
fai anche tu l'appello, bro
dimmi il tuo nome
dammi il tuo volto
a noi non importa come
sei, ma se sei vivo o sei morto.

Jo jo jo jo
dimmi il tuo nome, bro
raccontami come ti è andata
e se la tua storia fa schifo
a noi va bene così, malandata
siamo la tua curva, il tuo tifo.

Jo jo jo jo
questo è il nostro appello, bro
jo jo jo jo
questo sono i nostri nomi, bro
jo jo jo jo
questo è il nostro appello, bro
jo jo jo jo
questo sono i nostri nomi, bro.

Bussano alla porta.

«Si può sapere che state combinando qua dentro? Possibile che non sappiate stare da soli neanche cinque minuti?», è una voce stizzita che ho imparato a conoscere, quella della mia collega di italiano. Una professoressa all'antica, che ama citare gli autori e i critici letterari facendo precedere i cognomi dagli articoli: il Verga, il Pascoli, il Tasso, il Contini, il Russo, il De Sanctis... Come se io dicessi l'Einstein, il Newton e il Keplero. Misteri della assurda lotta tra le due culture.

«Scusaci, Annamaria, se ti abbiamo disturbato, stavamo facendo l'appello.»

«Ah, ci sei tu? Scusami... Non credevo... Pensavo che... A me più che un appello sembrava un'orgia.»

«Ruggine ci ha preso alla sprovvista.»

«La ruggine che c'entra?»

La classe si mette a ridere.

«No, non la ruggine, ma il Ruggine: è lo pseudonimo di Cesare. Sai come sono questi nomi d'arte, pensa se Farrokh Bulsara non si fosse ribattezzato Freddie Mercury e Stefani Germanotta Lady Gaga...»

«Collega Romeo, mi prendi in giro?»

«No, no, assolutamente... era per sdrammatizzare.»

«C'è poco da sdrammatizzare. Io sto cercando di spiegare il Dolce Stilnovo a quelli di terza e qui vi mettete a urlare come dei primitivi...»

«Hai ragione. Scusaci.»

«Professoressa, mi scusi», a parlare è Oscar e so che questo è il preludio al disastro.

«Che c'è?»

Devo intervenire prima che sia troppo tardi.

«Nien...»

«Quand'è l'ultima volta che s'è fatta una risata?»

«Che cosa hai detto?»

«Mica è vietato» rincara Oscar.

«Romeo, faresti bene a prendere provvedimenti. Mi sembra che con te questi ragazzi si prendano libertà che non stanno né in cielo né in terra. E tu ringrazia che non è la mia ora.»

La porta si richiude con violenza.

La classe piomba nel silenzio.

«Quella mangia almeno cinque limoni a colazione... Li lecca proprio.»

Cerco di trovare le parole per rispondere, ma scoppio a ridere. Non riesco a fingere quando qualcuno dice la verità.

«Oscar! Adesso basta!» dico cercando di riprendermi.

«Professore, mica che siccome siete adulti e professori non potete avere un carattere di merda. Qualcuno ve lo deve pur dire che state messi male.»

«Tu cerca di non dire sempre quello che pensi, pensalo ma non dirlo.»

«E che gusto c'è?»

La classe ride.

«Dopo quest'ora tu cerchi la professoressa e le chiedi scusa.»

«Perché?»

«Perché le hai mancato di rispetto.»

«Ma ho solo detto la verità.»

«Tu non puoi sapere perché le persone si comportano in un certo modo... Pensa se la professoressa partecipasse al nostro appello, quante cose scopriremmo della sua vita.»

«Pensi che orrore.»

«Oscar!»

«Va bene, va bene, ho capito. Ma sappia che quella lì non sa neanche come mi chiamo, non mi chiama mai per nome, ci ho fatto caso.»

«Dalle una ragione positiva per ricordarselo. Adesso riprendiamo. A chi tocca?»

«A me.»

ACHILLE

Non avevo mai cantato in classe, non avevo mai battuto i piedi per terra e le mani sul banco. Me lo ricorderò finché campo. Certo che tu, Cesare, sei proprio bravo con le rime, eravamo tutti accordati. E anche se sono stonato non mi importava. Dovremmo registrarla questa canzone e metterla in rete, magari diventa il manifesto per una scuola diversa. La registriamo bene, apriamo un profilo e poi la lanciamo. Da quando facciamo l'appello mi sembra che ognuno si tiri fuori dal suo buco e scopra che c'è un mondo in cui non devi per forza correre per diventare qualcuno, ma in cui puoi anche essere già qualcuno, così come sei.

Io però, professore, non ho il cuore allineato con nessuno, non sono interessante e non so come si fa a parlare con una ragazza senza arrossire, senza balbettare, senza vergognarsi di come sei fatto. E poi se ti piacciono le cose che piacciono a me sei subito spacciato. La verità è che se hai il corpo in un certo modo, la faccia in un certo modo, hai l'asma... sei già escluso dal mondo in cui ci si innamora. Chi dovrebbe mai avvicinarsi? E perché? Che cosa ho io da far vedere? Solo cose di cui vergognarmi e da tenere ben nascoste. Per questo almeno in rete respiro, lì non mi vede nessuno e con i miei profili "d'arte", un po' come Ruggine, riesco a parlare con chiunque. Scusate se sono patetico, ma la mia vita è patetica. Scusate, mi vergogno, dimenticate quello che ho detto. Però da quando facciamo l'appello almeno ho qualche minuto al giorno in cui respiro bene.

STELLA

A me mancherà sempre il modo in cui mio padre diceva *Stella*, e cerco dappertutto qualcuno capace di pronunciare così il mio nome, ma è impossibile. Quando me ne rendo conto vorrei sparire. Ma poi penso che ci sono delle cose da fare, il libro di mio padre da portare a termine, ci sono mia madre e i miei fratelli, ci siete voi, e allora resisto e provo ad affrontare il buio. Vorrei tirarci fuori qualcosa: andarci a fondo, come un esploratore in una grotta. Il racconto di mio padre parla di un bambino che perde il suo giocattolo preferito, un robot con cui condivideva tutte le sue avventure. Senza il suo robot è inconsolabile, finché il padre del bambino comincia a scrivere delle lettere fingendosi il robot. Le lettere arrivano regolarmente da Urano, affrancate con il francobollo locale, nella cassetta della posta della famiglia. Il robot racconta al bambino che ha deciso di partire per ritrovare la sua famiglia di robot che abita su quel pianeta. Gli narra le peripezie del suo viaggio e come è la vita su Urano. Così il bambino smette di dolersi per quell'assenza, perché adesso ha capito che il robot non lo ha abbandonato, ma è andato alla ricerca dei suoi genitori. E a poco a poco il bambino impara che amare è lasciare liberi, lasciar andare... e non controllare e possedere, a ogni costo.

C'è una lettera del robot che ho copiato per averla sempre con me e dice così: "So che ti ho fatto soffrire partendo senza una parola, ma ti voglio così bene che non avrei avuto il coraggio di dirti le mie intenzioni e poi andarmene. Non ce l'avrei fatta, non sono bravo con le partenze. Ho pianto anche io lacrime d'olio dai miei ingranaggi... Il dolore che provo però non è una cosa brutta, misura quanto ti voglio bene, e se non lo sentissi significherebbe che di te non me ne importa poi molto. Ricordati, amico mio, che il dolore è come un termometro: misura l'amore. È inevitabile spezzarsi il cuore se abbiamo deciso di amare. Grazie a te sono stato un robot felice, un robot con un cuore al posto delle rotelle. E voglio che altri robot scoprano questa strana felicità che avete sulla Terra, che mescola amore e dolore, proprio perché vi affezionate anche a un pezzo di latta e lo fate diventare di carne. I nostri ingranaggi di questo non ne san-

115

no nulla. E se riuscirò nella mia impresa sarà tutto merito tuo. Non ti dimenticare di me e scrivimi presto".

Il libro di mio padre si interrompe qui e io vorrei scrivere la risposta del bambino a questa lettera, ma non ci riesco. Inondo la tastiera o i fogli di lacrime. Se solo potessi trasformare tutte quelle lacrime in parole, avrei già scritto un'enciclopedia... Ecco, questa è una storia in cui un robot e un bambino sincronizzano i loro cuori, anzi il robot scopre di averne uno proprio grazie a quello del bambino. Non è bellissimo?

OSCAR

Io questa cosa del cuore che batte uguale non so se è vera. So che vale per la faccia, perché quando mio padre colpiva mia madre io sentivo dolore sulla mia faccia. Quando sta male qualcuno che conosci ti dispiace, ma il dolore resta fuori di te, invece quando prova dolore chi ami quel dolore lo senti anche tu. Per questo sul ring puoi colpire duro e non farti problemi, perché quella non è la tua carne, è la carne del nemico. Invece la carne di chi ami può essere distante, ma la senti come una continuazione della tua. L'ho imparato da bambino, a ogni colpo mi si apriva una ferita nel punto in cui mia madre sanguinava o aveva un livido. Ma adesso non la può più toccare, se prova a farlo se lo ricorda finché campa, se sopravvive.

Ieri sono tornato di notte, dopo l'allenamento, con le mani che mi facevano male e il cuore pure. Il quartiere era KO come un pugile al tappeto. C'erano le finestre accese nei palazzi e la luce che faceva a pugni con il freddo e il buio, ma quella luce vinceva, anche se era più piccola. Un giorno io voglio una casa così, con la mia famiglia e la luce che esce da una stanza dove un padre guarda una partita di calcio con suo figlio e gli spiega le regole difficili, tipo il fuorigioco e i gol che fuori casa valgono doppio. Perché fare questa luce nelle vite è così difficile? Incontri qualcuno che ti guarda male, ti viene voglia di sputargli in faccia e capisci che anche tu sei una bestia in gabbia fra le altre. Ci deve essere un modo, professore. Deve pur servire a qualcosa conoscere tutte queste cose che ci dite a scuola. A che serve imparare se poi non riusciamo a cambiare niente, neanche noi stessi? A che serve, se poi siamo tristi e rompiamo il naso a qualcuno che incontriamo per caso, pur di essere meno tristi?

CATERINA

Se mai avrò un figlio, per lui vorrei la scuola dell'Appello, una scuola in cui ogni giorno il tuo nome viene detto da persone che lo tengono al sicuro e lo sfidano fino a che comincia a brillare. Il nome è come il carbonio, solo in certe condizioni diventa diamante, altrimenti diventa carbone. La scuola è il posto in cui i nomi dovrebbero diventare diamanti, perché ogni nome non solo è raro, ma è unico. Gli dirò: "La scuola in cui andrai l'hanno sognata tua madre e i suoi amici nell'anno della fottuta maturità, con un professore cieco. È un posto in cui si fatica tanto, ma in cui ogni fatica ha una gioia come contrappeso, perché diventare grandi è bello, non è una fregatura, altrimenti t'avrei fregato a metterti in questo casino". Lo so, sono idealista, ma come abbiamo letto nel *Principe* di Machiavelli gli arcieri bravi sono quelli che puntano sempre più in alto del bersaglio per poter fare centro, altrimenti il fallimento è garantito. Noi per primi la dobbiamo smettere di mirare in basso.

Qualche giorno fa parlavo con Dio. Non prendetemi per pazza, è una cosa normale, anzi è la cosa più normale. Se non parli con uno che se ne sta lì nascosto dentro di te, qualunque cosa tu faccia, dovunque tu sia, comunque tu ti senta, con chi parli? E gli ho detto che non mi fido di lui: ha fatto un mondo pieno di buchi, c'è chi nasce per essere felice e chi invece è condannato a sopravvivere. E poi ho sentito che diceva *non avere paura, Caterina, fai come ho fatto io*. E ho capito che invece di fare i conti in tasca a Dio, devo fare il possibile io, che c'è una parte che spetta a me e solo a me, che il mondo è pieno di buchi perché tocca a noi ripararli, a uno a uno. Ecco, in quel momento io ho sentito che il mio cuore batteva allo stesso ritmo del cuore di Dio. E io voglio un cuore che batta sempre così. Se ti capita una cosa del genere non ne puoi più fare a meno. So che non si capisce, e io non riesco a spiegarlo, però è andata così.

ETTORE

La fai troppo facile. Quando hai una madre che non sa dire il tuo nome e attaccarci un *come stai?* quando ti vede, e invece la prima cosa che ti chiede è se *tuo padre* ti ha fatto mangiare solo schifezze preconfezionate, c'è poco da pregare. Quando hai un padre che in alcuni giorni non alza neanche la tapparella perché la luce lo renderebbe ancora più triste, c'è poco da pregare. Ci sono buchi che nessuno può riparare. Allora meglio che non ci sia Dio, perché uno che fa le cose così male merita solo insulti.

L'altro giorno sono entrato a casa di mio padre e ho sentito un odore di chiuso strano, diverso dal solito. Stava nel letto con il vomito dappertutto e il respiro strascicato. Per terra c'era un barattolo di pillole, quelle che usa per dormire la notte. Quell'odore è l'odore che fa la morte.

Ho provato a scuoterlo ma non rispondeva e allora ho cominciato a schiaffeggiarlo. Non auguro a nessuno di dover prendere a schiaffi il proprio padre. D'un tratto ha aperto gli occhi, terrorizzato come un cavallo che sta per essere abbattuto, e mi ha vomitato addosso. Non sapevo cosa fare e mi sono venute le lacrime agli occhi e allora lui mi ha abbracciato, a peso morto. E gli ho detto all'orecchio *papà, che cosa hai fatto?*

Non ha risposto. Ha detto solo *Ettore*, come se fosse l'ultima parola del vocabolario che gli era rimasta per indicare l'unica cosa per cui non si sentiva colpevole o fallito. In quel momento ho sentito che il mio cuore s'accordava con il suo, e che gli dovevo prestare il mio. Siamo rimasti così, tra vomito e misericordia. Poi l'ho svestito, ho riempito la vasca e ce l'ho messo dentro, come un bambino. E gli ho strofinato la schiena. E l'ho lavato. E lui taceva e piangeva. Che cosa vengo a fare qui, professore? Non è ora di smetterla con questa pagliacciata? Ieri notte, mentre Oscar rientrava e guardava le luci nelle case degli altri, io correvo in bici per portare panini e birre in quelle case e mi sarei voluto fermare in una qualunque e mangiare con uno sconosciuto, pur di non rimanere solo e poter dire a qualcuno che non riesco a salvare mio padre, a parlare con mia madre.

ELISA

Quando tutto è bianco, la mente finalmente riposa. Basta eliminare ogni punto di riferimento, ogni limite e quindi ogni dolore per ciò che ci manca o per ciò che desideriamo. Così è vagare nelle distese bianche dell'Antartide, una pianura bianca e uniforme a perdita d'occhio. Quando ci sono stata non volevo più tornare indietro, volevo dormire in quel silenzio accarezzato dal vento gelido e da una luce bruciante. Niente può ferirti, perché nulla puoi volere se non perderti, abbandonarti, sparire nel silenzio puro del ghiaccio. Bisogna fuggire da questa prigione, prolungare gli istanti in cui non si sente più la propria vita fino a renderla sempre più lontana, un'eco, lontanissima e indolore, fino al silenzio. E si è leggeri, distaccati, senza peso... Il cuore non batte più, non cerca più nessuno con cui accordarsi, ma annega in un bianco nulla in cui si potrebbe sparire del tutto e bisogna costringersi a far tornare il sangue nei polsi. E farlo uscire. E tremare di dolore. E riavere la vita. La vita di merda di prima. Ma la vita.

MATTIA

Professore, a me il cuore batte all'unisono con i poeti. Con Arthur Rimbaud in particolare. Quando scoprì che la poesia non era sufficiente a salvarsi, smise di scrivere e partì per trafficare armi in posti sperduti del mondo. La sua disperazione era pari alla speranza che aveva nutrito nella parola. Non c'è niente che possa salvarci. O cadi dal lato di chi ha speranza o dal lato di chi dispera, oppure passi continuamente il confine tra questi territori, fino a che ti fermi in uno dei due, perché la vita si incarica di chiudere la frontiera. Per questo bisogna fuggire, liberarsi, essere clandestini, irregolari, non farsi mettere addosso vite che non ci appartengono e cercare solo la bellezza più pura come Gauguin, Rimbaud... fino a morirne. Per questo noi dovremmo fare un manifesto dell'Appello, costruire una scuola nel territorio della speranza, lo stesso nel quale abita la poesia, il territorio che confina con la Bellezza. Cambiare le parole e così le cose. È l'unico appiglio. E forse l'ultimo per dimostrare a noi stessi che siamo qui per un motivo. Voglio fare qualcosa di cui i miei genitori vadano fieri, qualcosa per cui mia madre possa parlare con orgoglio di suo figlio, come desiderano tutte le madri, per cui mio padre possa tornare a parlarmi dopo che è stato costretto a nascondere ogni banconota presente in casa, altrimenti l'avrei usata per farmi.

AURORA

Io propongo di scrivere il manifesto e di smetterla con tutte queste dichiarazioni di intenti. Facciamo in modo che subito dopo le vacanze di Natale gli studenti obblighino i professori di tutte le scuole a fare l'appello come lo facciamo noi. Ogni professore verrà bendato e dovrà ascoltare ciò che ogni alunno ha da raccontare, per poi poggiare le mani sul suo volto per un minuto. Il resto verrà a cascata. Non si tornerà più indietro. Dobbiamo organizzarci, però. Ognuno si deve occupare di un aspetto: Achille potrebbe preparare i profili social dell'Appello, Elisa, che sa disegnare bene, potrebbe inventare un simbolo, Mattia potrebbe scrivere le parole che ci servono come dichiarazione di guerra... La canzone di Cesare già ce l'abbiamo. Dobbiamo essere pronti a far partire tutto all'inizio del nuovo anno: cominciamo dalla nostra scuola, e poi se funziona lo espandiamo ad altre scuole e altre città! Questo è il mio momento di sincronia, non lo sentite questo battito, adesso, nell'aula, che spacca i muri e coinvolge centinaia di altri cuori? Professore, lei ci dà una mano? Forse non cambieremo nulla, ma dobbiamo fare quello che possiamo. E di una cosa sono sicura: noi stiamo già cambiando.

«Ragazzi, voi siete la dimostrazione che l'evoluzione è un misterioso equilibrio di caos e razionalità. I salti evolutivi sono cambiamenti inspiegabili e non c'entrano nulla con l'ambiente: sono momenti creativi, novità impreviste. Certo che vi do una mano, e vediamo se ciò che sta accadendo fra queste mura può dare uno spintone alla vita, far compiere un salto evolutivo a una specie in estinzione: la scuola.»

Da Einstein ho imparato che un uomo di scienza ama il mistero. Se da un lato egli sa che il metodo scientifico indaga fatti e dati per trovare l'ordine nel caos, dall'altro è consapevole che la realtà non si esaurisce né in quei fatti e dati, né in quell'ordine che vi ha scovato. Rimane sempre un di più attorno alle cose: è il mistero. Ad ascoltarli singolarmente, questi ragazzi, ci sarebbe da disperarsi: i fatti e i dati presi singolarmente non offrirebbero alcuna speranza e dovrei dare ragione al preside, è difficile trovare un assortimento di vite sgangherate come queste, infilate tutte insieme in un'aula. Ma ciò che è appena successo è una delle manifestazioni del mistero: il risultato di questi dati e di questi fatti supera di gran lunga la loro semplice somma. Ma perché questo accada serve fiducia nella materia prima: se in un ristorante mi portassero una bistecca e mi dicessero che la carne che hanno usato fa schifo, di certo non la mangerei. Non esiste un lavoro in cui non si ha fiducia nella materia prima da trasformare. Mi ricordo ancora quando la mia professoressa di matematica entrò in classe il primo giorno di scuola delle superiori e guardandoci uno per uno ci disse *siete troppi, vi ridurremo*. A pensarci bene quel giorno ho deciso che sarei diventato insegnante. Per fare il contrario: non ridurre, ma ampliare. Nei campi di lavoro si riducono le vite, a scuola le vite si ampliano: *siete tanti, ma voi e io, insieme, faremo il possibile per arrivare finò in fondo, costi quel che costi.*

Annamaria mi ha detto che sopravvaluto l'adolescenza, che è solo un periodo passeggero da cui guarire il prima possibile. Ma credo che sopravvalutarla sia l'unico modo di amarla. Io non so se ciò che faremo servirà veramente a cambiare le cose, ma so che servirà a loro: solo le persone che hanno un "perché" possono affrontare tutti i "come" della vita. Ho le lacrime agli occhi. Comincio a pensare che la facilità della mia lacrimazione, più che una debolezza della malattia, sia un ottimo modo per segnalare la verità di qualcosa agli altri. Quando vedevo qualcuno in lacrime mi affrettavo a consolarlo, cercando così di rimuovere la verità di quelle lacrime. Adesso che a piangere sono io, poiché le persone sanno che è parte della mia cecità, non si pongono il problema di consolarmi e si concentrano su che cosa quelle lacrime stanno affermando.

«A che vuole che serve una cosa come questa, prof?» esclama Oscar.

«Serva, Oscar: ci vuole il congiuntivo. Non serve.»

«Congiuntivo o no, diciamoci la verità, prof. A nessun insegnante frega un cazzo della vita dei suoi studenti. Lui c'ha già i suoi problemi da risolvere, perché deve accollarsene altri? È naturale. A nessuno di noi frega un cazzo della vita degli altri, se già fatichiamo con la nostra...»

«La tua osservazione è vera, Oscar. Puoi dire le stesse cose senza usare la parola cazzo, e si capisce lo stesso.»

La classe scoppia a ridere.

«Ha ragione, prof. Va bene. Però c'ho ragione io, cazzo! Che cosa vuole che gliene freghi alla professoressa di italiano dei miei casini a casa e del fatto che non uso il congiuntivo perché sto tra gente che non lo parla neanche l'italiano, che c'ho una storia alle spalle per cui l'ultima cosa di cui me ne frega sono le poesie di Guido Gozzano, che era sfigato forte?»

«Tutti abbiamo una storia più o meno complicata, Oscar, ma non può diventare un alibi.»

«Che è un alibi?»

«Una scusa.»

«Io sono d'accordo col professore, però neanche Oscar ha torto, se c'hai dentro il malumore a volte è più facile fingersi morto» interviene l'inconfondibile rima naturale di Cesare.

«Cominciamo con la professoressa di italiano!», a parlare è Caterina. «Facciamolo come esperimento. Facciamo l'Appello con lei, che è un osso durissimo, e vediamo che succede. Se funziona con lei, funzionerà dappertutto.»

Rimango in silenzio. L'energia che si sta liberando potrebbe diventare incontrollabile. Ma fino a che non la usano, a proprio rischio e pericolo, non sapranno mai che cosa significa essere liberi. Nessuno ha mai detto loro che creare e crescere sono la stessa cosa. Devo rischiare anche io.

«Mi sembra un'ottima idea, è venuto il momento di crescere. È ora che cominciate a sentire sulla vostra pelle che cosa significa maturare, altrimenti sono tutte chiacchiere.»

«Mi piace!» dice Oscar. «È venuto il momento di crescere anche per voi, branco di piscialetto.»

«Comincia tu, paparino» gli risponde Elena, «che di vita ne sai un decimo di quello che credi di sapere. Non è che basta stare in periferia per conoscere la vita.»

«Tu stai zitta e pensa a non farti mettere incinta di nuovo.»

«Figlio di puttana!»

«Puttana senza figlio!»

«Basta!» urlo. «E voi sareste quelli che devono cambiare la scuola e fare un manifesto che porti le persone ad ascoltarsi? Lasciate perdere. Siete solo bambini che vogliono avere ragione per esistere almeno per due minuti. Invece di costruire, passate il tempo a distruggere e a distruggervi, e credete che questo sia fare esperienza della vita. Siete ridicoli. Cominciate a crescere...»

«E lei ci aiuterà?» si impone Caterina per smorzare la mia predica.

«Sarò in prima linea... tanto non vedo niente.»

«Che cosa è fare esperienza della vita, secondo lei?» mi ferma Elena.

«Mettersi in pericolo per fare una vita più grande.»

«E lei come lo fa?»

«Ascoltando tutti i giorni le vostre storie come fossero la mia, anzi come la mia.»

«E che cambia?»

«Che finalmente in classe stiamo facendo questa conversazione, dopo anni di silenzio complice in cui ognuno pensava a farsi i cavoli suoi e a leccarsi le ferite. Se la vita si ingrandisce con la nostra presenza, non stiamo sprecando il tempo.»

«E chi ce lo fa fare?»

«Nessuno. E questo vi spaventa: nessuno. Siete liberi. È la vostra vita, e quando finalmente la sentite in mano allora sì che cominciate a maturare, perché non avrete alibi per il fallimento, ma vi godrete i frutti delle vostre scelte come non vi è mai successo. Purché quelle scelte siano buone...»

«E come si fa a capirlo, se sono buone?» chiede Stella.

«Quelle buone moltiplicano la vita, la liberano, la fecondano...»

«L'ho sempre detto che scopare è la scelta migliore...»

L'immancabile Oscar chiude la pratica con una risata fragorosa a cui si sovrappone la campana.

«Fermi tutti! Nessuno esce da questa classe sino a che voi due non vi chiedete scusa come dico io. O oggi si esce da qui sincronizzati o i nostri progetti sono solo teorie per consolarsi e non dureranno neanche una settimana, come tutte le teorie senza vita.»

«E cosa dovremmo fare?» chiede Oscar.

«Venite qua.»

Elena e Oscar si avvicinano. Li posiziono uno di fronte all'altra. Prendo le mani di Elena e le poggio sul volto di Oscar. Poi faccio lo stesso con Oscar. Lei si ritrae.

«Non uscite di qua, ve l'ho detto.»

La classe rimane in silenzio.

«Va bene. Lo faccio solo per voi» sospira Elena.

Poggio le mani di Oscar sul viso di lei. Poi li lascio così per un lunghissimo minuto.

Che cosa sia successo durante quel minuto non lo so. Sicuramente un miracolo.

Da come una mano si posa sulla pelle delle cose dipende che nel mondo ci sia tenerezza o violenza, misericordia o abbandono, amore o controllo, gioia o solitudine. La mano permette alle cose di fermarsi, non devono più cercare vita altrove. Il contatto ci fa sapere chi siamo e chi non siamo, dove cominciamo e dove finiamo e la carne che abbiamo in comune. La vita è tutta questione di tatto.

Siamo riuniti per uno di quei collegi docenti totalmente inutili, durante i quali il dirigente scolastico comunica proposte su cui tutti i professori sono chiamati a votare, e quest'esercizio di democrazia su questioni marginali ci illude che la democrazia ancora funzioni, e in effetti funziona perfettamente, perché ridotta a puro meccanismo, svuotato di qualsiasi contenuto. Così votiamo per approvare il nuovo programma formativo che la scuola offre, stilato in un documento di quasi cento pagine che nessuno leggerà mai. Sono state modificate alcune righe relative ai nomi con i quali riferirsi a certi ruoli e aree. Poi è la volta del voto per stabilire se aggiungere i corsi di cucina tra i criteri per avere il credito esterno in vista della maturità, dal momento che alcuni ragazzi che stanno praticando questo hobby vogliono vedersi riconosciuto il merito di averlo fatto. La discussione che ne segue è interminabile, e abbraccia tutto l'arco delle interpretazioni, dalle più arcaiche alle più innovative: che senso ha ritenere valida per il processo formativo una moda televisiva che rende gli chef i maestri di pensiero contemporanei? La scuola può avallare simili sconcezze? Ma è pur vero che il mondo è cambiato e sempre di più servono saperi pratici e manuali, soprattutto ai ragazzi dello scientifico! Si potrebbe inoltre organizzare qualche corso interno a scuola dedicato alla cucina, a come mangiavano gli antichi o a come si mangia nelle altre culture! E poi si potrebbe invitare qualche chef durante l'autogestione... Fioccano le proposte e l'argomento, opinabile tanto quanto superfluo, fa emergere fazioni e livori, frustrazioni ed energie degne di miglior causa. Io posso solo ascoltare la bagarre che si scatena sulle minuzie su cui veniamo interpellati e siamo capaci di accapigliarci, e questo mi rattrista profondamente, per l'inutilità del rituale e perché dei maestri si sono ridotti a confrontarsi sul nulla, sulle procedure, sui punti-maturità come fossero bollini della spesa, e infine per il fatto che nessuno ha più il coraggio o la lucidità di sollevare il velo di Maya che ci copre. Stufo di tutto questo e forte della promessa che ho fatto ai miei ragazzi decido di prendere la parola, dopo avere cercato di ripetere nell'ordine giusto i dieci elementi che sulla tavola periodica sono indicati con la lettera C: Carbonio, Cloro, Calcio, Cromo, Cobalto... Vengo accompagnato al microfono e comincio il discorso che ho preparato. Stringo in mano il mio dado a 10 facce e cerco di respirare lentamente in modo da non precipitare nel panico.

«Sono Omero Romeo, nuovo professore di scienze della quinta D, come Disperati.»

I professori accolgono la battuta con una risatina, quella che non si nega a nessuno che provi a essere simpatico.

«Sono qui per proporre un progetto nel quale, con i miei ragazzi, vogliamo coinvolgere tutta la scuola. Come sapete, noi conosciamo soltanto il 10 per cento della natura fisica delle cose, del restante 90 non sappiamo nulla, perché i nostri sensi non sono capaci di percepirlo. Quel 90 per cento è fatto di materia e di energia che la scienza definisce "oscure", e non solo perché non sappiamo cosa siano, ma perché non emanano luce o altre forme di radiazione. Sono rilevabili solo per le conseguenze dell'azione che esercitano su ciò che dell'universo vediamo. Così accade anche con le persone, la gran parte di loro ci è invisibile e possiamo conoscerla solo per intuizioni indirette. Con che coraggio giudichiamo le persone dal poco che sappiamo di loro? Eppure pretendiamo di sapere tutto grazie a quel 10 per cento che ci è dato vedere. Dovremmo invece provare a conoscere quel 90 per cento a partire dalle conseguenze che ha su quel 10 per cento, ma per farlo bisogna prestare attenzione e accordare tempo. Troppi ragazzi si sentono invisibili allo sguardo di noi insegnanti, che abbiamo il compito di farli crescere anche negli aspetti non ancora emersi della loro personalità, soprattutto se, come vi ho detto, quegli aspetti determinano quelli su cui crediamo di avere il controllo.»

Mi fermo per una pausa. L'aula magna conosce un raro momento di silenzio. Nessuno si aspettava un discorso del genere alle 16.37 di un qualsiasi pomeriggio piovoso di novembre, che si vorrebbe finisse quanto prima per ritrovarsi tra le più calde mura di casa.

«Abbiamo inaugurato quindi un modo nuovo di svolgere l'appello mattutino. E ci piacerebbe farlo sperimentare a tutti gli insegnanti, almeno una volta a settimana, nel mese di dicembre.»

Spiego nei dettagli l'esperimento e sento sollevarsi un chiacchiericcio in cui si mescolano stupore, paura, derisione... e tutte le emozioni che la vita vera sa catalizzare.

«Potremmo lanciarlo in una giornata dimostrativa in cui lo proveranno tutti, per poi decidere se proseguire con cadenza settimanale. Il progetto è a adesione libera. Bisognerà avere pazienza, perché richiede tempo per dare frutti: i ragazzi hanno bisogno di tempo per raccontarsi, e noi abbiamo bisogno di tempo per ascoltarli e lasciare che le loro storie raggiungano i nostri cuori e i nostri cervelli, soprattutto se li conosciamo da parecchio e ne abbiamo un giudizio ormai consolidato. Anche Einstein fino a 9 anni fu costretto a pronunciare sottovoce le frasi che voleva dire, perché aveva grosse difficoltà espressive. Gli insegnanti lo classificarono come strano, ed era solo un genio. Io vorrei che cominciassimo a occuparci di quel 90 per cento di materia ed energia oscure che, magari senza accorgercene, trascuriamo. E tutto dipende da noi...»

«Quali evidenze scientifiche ci sono dell'utilità pedagogica di un progetto simile?» si leva una voce mentre sto ancora parlando.

«Basta sapere come funziona l'intelligenza umana: per troppo tempo abbiamo pensato che la scuola fosse la somma di istruzione e prestazione. Io ti dico una cosa e tu la metti nella testa. Poi io te la chiedo e tu dalla testa la metti in una verifica. E il gioco è fatto. Ma l'intelligenza ha invece un dinamismo molto più complesso, in cui la parte che non curiamo è la più importante: come può una cosa che è dentro di me, insegnante, essere trasformata da te, studente, in qualcosa di tuo, di vitale per te, di necessario per te. Questo processo si chiama relazione: se non c'è, tutto il resto è puro addestramento che dura poco e annoia. Io sono costretto a farlo, perché sono cieco e questa è l'unica maniera che ho per conoscerli rapidamente e in profondità. Ma posso dire di aver scoperto, in meno di due mesi, che uno dei miei ragazzi fa assenze frequenti perché ha un problema grave di dipendenza dalle droghe, che una ragazza usa le felpe anche d'estate perché si vergogna del suo corpo, che un'altra ha dei giramenti di testa perché nasconde un problema alimentare, che un altro si addormenta durante la lezione perché deve lavorare per mantenere suo padre... e potrei andare avanti... Ecco, tutto questo mi porta a ritenere che il metodo funzioni.»

«È tutto commovente, ma perché dovremmo farlo? Non è nostro compito...»

«Invece lo è. Non si può insegnare nulla a nessuno se non si conosce la persona nella sua interezza. Non esiste argomento che possa raggiungere il cervello, se non entra dal corpo.»

«Io capisco la sua situazione e mi sembra molto bello quello che ci ha raccontato, ma credo che non sia utile in condizioni normali.»

«Normali? Qui non stiamo parlando di me, ma di loro. Lo avete chiesto ai ragazzi?»

Ora il silenzio è quello della paura sottile che si insinua nella mente quando una verità potrebbe diventare evidente se le lasciassimo la possibilità di mandarci in crisi, ma chi di noi vuole andare in crisi?

«Mi vedo costretto a intervenire», è la voce del dirigente, con il tipico lessico che anni di burocrazia hanno forgiato al distacco. «Una proposta di questo genere può essere presa in considerazione solo dopo averne verificata la fattibilità, senza ostacolare l'andamento ordinario delle lezioni in orario curricolare. È opportuno quindi sospenderla perché venga studiata in modo più approfondito. Bisogna prima compilare il foglio progetti, professor Romeo.»

«Credevo che nella voce "varie ed eventuali" rientrasse ancora qualche contenuto reale dopo aver parlato di corsi di cucina, invece è un modo per dire che la riunione è chiusa e si continua a fare come prima.»

«Lei infatti ha esercitato il suo diritto di parola e lo apprezziamo, ma la sua proposta è prematura.»

«Potremmo fare una votazione orientativa, solo per vedere se il progetto interessa. Non costa nulla. Poi approfondiremo, ma almeno così ci rendiamo conto se vale la pena andare avanti.»

Il chiacchiericcio esplode nell'aula. La democrazia sembra volersi riprendere per un attimo i privilegi perduti. E il dirigente tace, in imbarazzo, poi interviene per placare il rumore.

«Si proceda alla votazione puramente orientativa sull'interesse ad approfondire il progetto Appello proposto dal professor Romeo. Chi è d'accordo alzi la mano.»

Avverto qualche sparuto movimento di corpi il cui riverbero mi raggiunge prima che avvenga il rapido conteggio dei voti.

«Il numero di voti è ampiamente insufficiente rispetto alla maggioranza. Il progetto è rimandato a tempi migliori e alle dovute sedi. Per oggi i lavori sono chiusi. Grazie a tutti.»

«Posso aggiungere una parola?»

L'aula ripiomba nel silenzio.

«Mica cercavo la maggioranza, io. Non ci credo più da tempo al fatto che la verità sia pari alla quantità, come hanno dimostrato gli esperimenti sul conformismo. Mi piacerebbe solo che coloro che hanno votato a favore, una sparuta minoranza, si fermassero qui per qualche minuto, così da conoscerci e scambiare qualche idea.»

«Lei non si rassegna mai, Romeo, e comunque non è necessario fare la lezione a tutti ogni volta che apre bocca. Umiltà ci vuole...» mi dice il dirigente all'orecchio.

«Rassegnazione è una parola che ho cancellato dal mio vocabolario e umiltà non credo che ci sia mai stata.»

«Peggio per lei, perché qui comando io.»

«Oggi devo darvi due notizie, una brutta e una bella. Comincio da quella bella.»

La classe ferve in un silenzio incuriosito.

«La paura non è mai stata utile all'apprendimento, almeno non sul lungo periodo. Può aver costretto qualcuno a studiare, ma non ad amare ciò che studiava. Per questo motivo, come sapete, le interrogazioni con me sono programmate. Le farete due alla volta, si soffre meno. Oltre alle domande che vi proporrò, ciascuno di voi dovrà prendere in esame un argomento a scelta e che lo riguarda.»

«In che senso ci riguarda?» chiede Achille allarmato.

«In senso stretto: vi riguarda significa che vi guarda fisso. Quello che vi attira, vi interessa, vi incuriosisce lo fa perché vi riguarda: le cose non sono mai del tutto fuori di noi, ma aspettano che noi mettiamo a disposizione lo spazio già predisposto per loro. La notte, la Luna, le maree, la neve, il vento... sono tutte realtà che ci portiamo dentro e che non smetteranno mai di affascinarci o di tormentarci, se non diamo loro ascolto. Solo le cose che hanno una storia possono fare corpo con noi, come accade con le persone. E solo così potremo veramente scoprirle e prendercene cura. Niels Bohr, il fisico che ha scoperto la struttura dell'atomo e accoglieva nella sua casa di Copenaghen tutti i giovani scienziati più audaci, dialogando con il suo amico Heisenberg, il fisico del principio di indeterminazione, diceva che la divisione del mondo in un lato oggettivo e in uno soggettivo è troppo arbitraria. Le immagini, le parabole e i paradossi di cui si servono altri linguaggi, come quello della poesia e della religione, per indicare le cose non stanno a significare che quelle cose non esistono, ma che quello è l'unico modo di afferrarle o avvicinarle. La fisica ha mostrato che concetti come oggettivo e soggettivo sono problematici, così ha liberato il pensiero da una prigione metafisica. Per incontrare la realtà dobbiamo avere uno sguardo che metta in relazione oggettivo e soggettivo, senza confonderli. Ciascuno di voi è portatore di uno sguardo unico, che se non viene allenato si disperde. La cerniera tra soggettivo e oggettivo è differente per ciascuno e per questo racconterete qualcosa del mondo là fuori che noi non riusciamo a vedere, semplicemente perché ancora non l'abbiamo fatto nostro. E solo voi potete trovare la storia per riuscirci, così tutta la realtà diventa qualcosa da scoprire e poi donare agli altri. Cercate quell'aspetto che vi appassiona in modo particolare e che magari agli altri risulta indifferente, proprio perché non ne colgono ancora la luce. La conoscenza che non serve a prendersi cura di sé e del mondo non è conoscenza, ma violenza. Portatemi dove non sono mai stato. Come diceva Einstein: la maggior parte degli insegnanti perde tempo a fare domande che mirano a scoprire ciò che l'alunno non sa, mentre la vera arte del fare domande mira a scoprire ciò che l'alunno sa o è capace di sapere. Vediamo di cosa siete capaci.»

«E questa sarebbe la bella notizia?» chiede Aurora.

«Sì, dove lo trovate un professore che vi dice il giorno in cui sarete interrogati?»

«Dove lo troviamo uno che ti tortura il cervello chiedendoti perché la notte il cielo diventa scuro e perché il mare è salato...» ribatte Caterina.

«Se non sapete fare ipotesi su quello che avete sotto gli occhi, di scienze non capirete mai niente.»

«Perché?»

«Perché significa che avete smesso di stupirvi... E chi non si meraviglia di nulla, non solo non si chiede mai il perché delle cose, ma non riesce più a uscire da sé, si accontenta di quattro convinzioni che ha preso chissà dove e si fa bastare sempre tutto ciò che gli dicono. Una noia mortale. Solo se la realtà ci chiama fuori di noi possiamo amarla, ma per farlo la realtà usa sempre il nostro nome proprio, sfruttando lo spazio che le spetta dentro di noi per farsi amare. Se non vi liberate dai luoghi comuni resterete prigionieri.»

«Cioè?»

«Per esempio: perché ci sono le stagioni?»

«La so! Perché la Terra a volte è più vicina a volte è più lontana dal Sole» si precipita Stella.

«Come volevasi dimostrare. No, le stagioni ci sono perché

l'asse terrestre è inclinato... Se non vi chiedete il perché delle cose, se non vi stupite, se non ricercate diventerete amebe.»

«Che cosa è un'ameba?» chiede Oscar.

«Cercalo! Cominciamo da qui: non date mai nulla per scontato, perché questo vogliono là fuori per usarvi...»

«E quale sarebbe la brutta notizia?» chiede Caterina.

«Che il collegio docenti ha bocciato la proposta di estendere l'Appello agli altri professori e alle altre classi.»

«E quindi?»

«E quindi non si può fare.»

«Ci sta dicendo che finisce così?»

«Vi sto dicendo che il dirigente non lo permette e che i professori sono quasi tutti contrari.»

«Questo significa che è una cosa seria» ribatte Achille.

«Credo anche io. Vorrà dire che quando ci sarete voi al posto loro le cose potrebbero essere diverse» gli rispondo.

«E quindi che facciamo? Aspettiamo di essere al posto loro?» chiede Elena.

«Non possiamo fare nulla, altrimenti finisce male...»

«E chi se ne frega! Io sono stufa di andare avanti in questo modo. Se una cosa è giusta va fatta, e chi se ne frega dei malumori dei professori.»

«Sono d'accordo. È venuto il momento di combattere» dice Mattia.

«Qualche professore ha votato a favore ed è disposto a fare una prova. Potreste cominciare con loro.»

«E chi sono?»

«Di questa classe solo il professore di scienze motorie.»

«L'ho sempre detto che è un figo» sentenzia Stella.

«Non basta. A me non va che tutto si risolva in un esperimento senza conseguenze, come quelle inutili autogestioni in cui ci date l'impressione di poter organizzare una scuola diversa per tre giorni l'anno» ribatte Elena.

«E che cosa volete fare?»

«Un casino» risponde Cesare.

133

«E come?»

«Costringendo i professori.»

«Sapete che cosa significa?»

«Rischiare l'anno. Ma se siamo d'accordo tutti e siamo compatti, al massimo ci abbassano il voto di comportamento. Sai che ce ne fotte... peggio di così...», a parlare è stato Oscar.

«Che ne pensa, professore?» mi chiede Ettore.

«Che è una follia. Dobbiamo tenerci l'esperimento per noi e cercare di portare a termine quest'anno. Avete la maturità!»

«Appunto! Non era lei che diceva che bisogna maturare, affrontare la vita, rischiare, pensare fuori dagli schemi?» Elena torna alla carica con il solito piglio battagliero.

«Ha ragione Elena: se rinunciamo subito, a che cosa ci sono serviti questi anni di scuola? Non siamo capaci di rischiare per una causa giusta? Una volta che ne abbiamo trovata una in cinque anni...»

Rimango in silenzio, consapevole di volerli proteggere dal massacro a cui andrebbero incontro. Fino a che sono io a rischiare non mi cambia nulla, ma loro rischiano di farsi male.

«Non è il caso...»

«Lei è tornato a insegnare per continuare a fare la scuola di sempre?»

«Se lei non sperasse di guarire non affronterebbe l'intervento di cui ci ha parlato. Se non tentasse sarebbe un codardo...»

Continuo a tacere, stupito dalla precisione con cui sanno assestare i colpi esattamente al centro delle mie paure.

«Avete ragione.»

«Abbiamo sempre ragione, professore. Se solo ci ascoltaste un po' di più...»

«E quindi quali sarebbero le vostre intenzioni?»

«Li costringiamo a fare l'Appello. E cominciamo da quelli della nostra classe, poi vediamo che succede.»

«Siete sicuri?»

«Mi sembra che quello insicuro sia lei, adesso.»

«Però niente violenza.»

«Da anni ci rompe l'anima e le palle, e adesso noi dovremmo essere delicati?» domanda Oscar con ironia.

«Sapete cosa intendo.»

«Si prenda le sue responsabilità, professore. È tutta colpa sua.»

Si scambiano idee e strategie. Un giorno convenuto di dicembre tutti i professori del consiglio di classe saranno invitati all'Appello: verranno bendati e ascolteranno le loro storie, e poi dovranno toccare i volti dei ragazzi, uno per uno. Niente di più semplice.

«E se si rifiutano?» chiedo.

«Noi ci rifiutiamo di fare lezione. Facciamo resistenza passiva.»

«Niente violenza...»

«Solo se necessaria...» suggerisce Oscar serioso.

Tutti si mettono a ridere e dentro di me si fa strada il terrore.

Che cosa ho combinato?

Alla ricerca del tempo sprecato
Diario di un professore cieco

Aurora, sembri così forte e così sicura, ma io li conosco bene quelli che nascondono l'ombra dietro ai colori. Ho sentito il tuo viso scavarsi giorno dopo giorno in preda al desiderio di controllo che si impossessa di voi proprio quando non riuscite a controllare nulla e l'ultimo vostro appiglio è il corpo. I tuoi lineamenti dolci si affilano, lo sento sulle guance e sugli zigomi. Perché vomiti? Hai capelli lunghi e orecchie leggermente appuntite come quelle degli elfi di Tolkien. Le tue labbra sono screpolate e hai gli occhi grandi di una bambina piena di stupore. Non so di che colore siano, so solo che conoscono molte lacrime. Vorrei che tu potessi trovare riparo dentro queste mie mani, vorrei poterti tenere lontana da te stessa. Non voglio che sul tuo corpo trionfi il terrore di non essere mai abbastanza, perché essere umani è non essere abbastanza.

Quando mi sono innamorato della mia futura moglie, è entrato nella mia vita qualcosa di inatteso: il giorno prima era tutto sotto controllo. Poi, il giorno dopo, mancava tutto. E mi mancava proprio perché avevo perso il controllo e lo rivolevo indietro. Il mio centro di gravità si era spostato fuori di me, come accade tra due corpi che si influenzano. Io la volevo vedere, toccare, sentire, sempre, per essere sicuro di esistere. Volevo avere la certezza di essermi procurato l'amore, volevo dominare la

*vita. Ma amare è perdere il controllo, non perché ci si abbando-
na all'altro e si trascura la propria identità, ma perché si sceglie
di farlo esistere di più, rinunciando a controllarlo, anzi gioendo
della sua sola presenza. È un paradosso: più si ama l'altro, più
lo si lascia libero. Poi cinque anni fa ho perso completamente il
controllo. Smettendo di vedere del tutto sono precipitato nella
disperazione: l'unica cosa di cui ero certo era il mio corpo, e mi
sarebbe bastato un nulla per farlo sparire e non soffrire più. Ho
cominciato a dormire. Quando mi sentivo inadeguato di fronte a situazioni che prima dominavo, il mio cervello si spegneva.
Mi chiudevo in camera e mi nascondevo sotto la coperta, aspettando che il dolore si attutisse grazie a un sonno nero. Poi sono
cominciate le crisi di panico, quando mi trovavo in situazioni
nuove o impreviste. Il respiro si bloccava, e dovevo concentrarmi su un oggetto o chiedere aiuto per uscire dalla paralisi. La
mia condizione peggiorava, e di giorno in giorno la paura con-
quistava nuove zone del corpo, come avevano fatto le macchie
sulla mia retina.*

*Poi il giorno del nostro anniversario, tre anni fa, mia moglie mi
ha chiesto di sposarla di nuovo. Si è presentata a colazione con il
vestito da sposa, mi ha dato in mano l'anello, e mi ha chiesto di
ripetere ciò che le avevo detto quando glielo avevo infilato al dito
la prima volta. E ho sentito la mia bocca pronunciare parole che
credevo di aver dimenticato: «Io, Omero, accolgo te, Maddalena,
come mia sposa. Con la grazia di Cristo, prometto di esserti fedele sempre, nella gioia e nel dolore, nella salute e nella malattia, e
di amarti e di onorarti tutti i giorni della mia vita». Quel salto di
coraggio, quella grazia imprevista mi hanno spiazzato. E ho scoperto che per guarire dalla disperazione l'unica maniera è amare
di più, riperdere il controllo. Ho risposato mia moglie, in un giorno qualunque, dopo colazione.*

*Il giorno prima mi ero addormentato sperando di non risvegliar-
mi. Io so che cosa significa desiderare la morte, Aurora.*

E voglio che anche tu sappia che è soltanto un inganno.

E c'è un solo modo di saperlo: amare qualcuno più di quanto tu creda di poter fare e scoprire che così amerai te stessa più di quanto tu credessi di poter fare, perché è amando che amiamo noi stessi.

Lo so che sembra un paradosso, ma la vita è fondata su paradossi che la ragione non accetta, perché la ragione cerca il controllo e non basta ad abbracciare la vita. Solo il cuore ci riesce.

DICEMBRE

Il cielo in una stanza, Emozioni, Caro amico ti scrivo, Volare, Almeno tu nell'universo, Azzurro, La donna cannone, I giardini di marzo, Marinella... Cerco le 10 canzoni più belle della musica italiana ma non so mai in che ordine sistemarle, così la mia mente resta impegnata per non precipitare nel panico. Sono seduto nello stanzino di Patrizia, in un'ora buca, in crisi per l'avvicinarsi del Natale. L'ho sempre ritenuto il periodo più bello dell'anno per la sua capacità di fermare il tempo saldandolo alla sua fonte: l'eterno. Dicembre è infatti il mese della luce che si riprende il suo primato e delle luci che la annunciano, ma io non posso vederne neanche una. Nel freddo che riempie le strade di un crepuscolo nebbioso si insinuano i colori delle vetrine come camini che promettono quiete, quella che tutti provano invano a comprare entrando nei negozi. Mi manca il calore di questo periodo e ne avverto solo l'aria che odora di ghiaccio, compatta e trafitta dalle melodie che sfuggono dai negozi. La malinconia mi avvolge il cervello, vorrei dormire e risvegliarmi a cose fatte: più i ricordi sono intensi più il dolore mi tormenta. E il Natale, con i suoi preparativi, è uno dei baluardi della memoria più difesi dal mio io vedente, una delle ultime zone che non riesco a perdere, per rimpadronirmene in un altro modo. Non faccio altro che averne nostalgia. C'è una cosa sola che mi distrae da questa malinconia, il timore di quello che accadrà a scuola.

Patrizia versa il caffè. Non so come faccia ad averne sempre una caffettiera appena zampillata.

«La pagheranno cara» le dico provando a schiodarmi dalla tristezza.

«È probabile. Ma la loro è una ribellione giusta. Almeno sarà un segno.»

«Non credevo fossero così determinati.»

«Finalmente qualcuno gli ha dato qualcosa in cui credere.»

«E cioè?»

«Se stessi, professore. Nessuno li stima. E i ragazzi sono come le piante.»

«Cioè?»

«Se non li metti alla luce non possono crescere. Come dice il proverbio russo: il demonio non ti convince che la merda puzza, ma che la rosa non profuma.»

«Dice così?»

«Letteralmente» risponde Patrizia ridendo.

«Io temo per loro, temo che poi ne paghino le conseguenze.»

«Sono diventati un po' i suoi figli. E adesso vuole proteggerli.»

«Credo di sì.»

«Li protegge veramente solo se li lascia fare.»

«Dice?»

«Gli risparmiamo tutte le fatiche e le sofferenze perché abbiamo paura di soffrire noi, ma per consentire loro di crescere bisogna perderli.»

Patrizia tace e poi comincia a singhiozzare.

«Che succede?»

«Niente, niente. Sono la solita sentimentale...»

Prendo il suo volto tra le mani e le asciugo le lacrime, mentre lei si abbandona a un pianto dirotto.

«Patrizia, che cosa c'è?»

«Dispenso consigli... ma poi io sono la prima che non ha

avuto il coraggio di vivere per paura di soffrire. Ho sprecato la giovinezza rinunciando al grande amore, perché avevo troppa paura di legarmi a qualcuno che poi avrei perso. E così, per paura e poi per vergogna di avere paura, ho rinunciato a tutte le chiamate della vita. Mi sono ritagliata un posto sicuro dove preparare il caffè, leggere libri, ascoltare musica e voler bene senza legarmi troppo, così da soffrire soltanto fino a un certo punto, fino a dove dico io...»

«E si vergogna molto di tutto questo, Patrizia?»

«Ho fallito in tutto...»

«Ma se lei è l'unica qua dentro capace di prendersi cura delle persone! Chissà quante vite ha salvato, proprio con i suoi silenziosi gesti di attenzione...»

«Lo dice solo per consolarmi, professore.»

«Lo dico perché lo ha fatto con me, il primo giorno che sono arrivato qui. Mentre parlavo con il dirigente avevo deciso dentro di me di rifiutare l'incarico. Stavo morendo di paura. Volevo scappare. Era sparito il coraggio che mi aveva spinto a riprendere l'insegnamento. In un attimo tutto mi è stato chiaro: io ero cieco e non avrei mai più potuto insegnare. Mi ero illuso.»

«E poi?»

«E poi è entrata lei, come una finestra che si apre all'improvviso su una stanza dimenticata e la spazza con gli odori della campagna. E mi ha offerto un caffè senza sapere chi fossi, ignorando la mia cecità, come se non esistesse.»

«Niente di che...»

«Tutto quello che mi serviva per ritrovare il coraggio. Basta una persona capace di fare una cosa buona, anche invisibile, per ridare coraggio a qualcuno che muore di paura. In quel momento ho capito che non sarei stato del tutto solo. E che ce l'avrei potuta fare.»

La signora Patrizia tira su col naso come una bambina e mi abbraccia. E così ci trova Oscar.

«Che cosa sono queste sconcezze, zia Patri! Mi tradisci così?»

«Cretino!» si divincola Patrizia, e si arma di qualcosa, forse una scopa, con la quale comincia a inseguire Oscar per il corridoio, urlandogli che è una capra.

Finisco con calma il mio caffè senza zucchero: somiglia alla vita in modo sorprendente.

ELENA

Nel mio approfondimento ho provato a rispondere a questa domanda: come avviene la respirazione di un bambino in gestazione?

Vivere è respirare, ma è proprio quello che non facciamo nei primi nove mesi, durante i quali ci nutriamo di ossigeno, non lo respiriamo, perché respirare è la prima lezione della vita che dobbiamo imparare da soli. Il primo respiro è il primo dolore. Prima il bambino si nutre di ossigeno attraverso il sangue materno. Una vena del cordone ombelicale trasporta il sangue ossigenato dalla placenta e due arterie riportano alla placenta il sangue da pulire: la placenta funziona da barriera e da filtro, facendo entrare e uscire solo quello che serve. Insomma respiriamo mangiando.

Ma quando il bambino esce dalla sua tana l'aria, in un istante, gli spalanca i polmoni che, intatti come un sacchetto sigillato, si lacerano. Il bambino piange e scopre che per venire alla luce bisogna soffrire. Nutrirsi e respirare non sono più un'unica cosa, ma qualcosa che deve fare: la prima piangendo, e la seconda pure. L'aria e il cibo sono pianto e sudore. Nessuna placenta può più proteggerlo, e la vita è una mancanza continua: nutrimento e aria non bastano mai. Sarà solo e dovrà arrangiarsi. Quando a un bambino si lacerano i polmoni a una madre si lacera il cuore, perché capisce che ha dato alla luce altro dolore, invece di moltiplicare la vita ha aumentato le lacrime. Eppure avrei preferito ascoltare quel pianto e non questo enorme silenzio senza nome.

CESARE

Di che cosa siamo fatti? Inizio e origine non sono la stessa cosa come si crede: l'inizio lo scopri, l'origine non si vede. In tutte le cose c'è l'inizio, che è l'avvio di un processo, e indizio dopo indizio si arriva a dire come tutto è successo. Ma l'origine? Non è prima né dopo, è presente in ogni istante, è il sangue di una storia, non ti sbagli, perché esce fuori uguale ovunque tagli. Succede anche con una canzone, senti l'inizio e la riconosci, ma un'altra cosa è l'ispirazione, quella è l'origine, e se ti piace, lì sta la vera ragione. Per questo non riesci a metterla tutta nelle parole e nei suoni, perché l'ispirazione è sempre di più di quello che componi. Per questo vi voglio parlare dell'inizio della storia che ci ha resi come siamo, è una storia triste ma pure bella, è la storia della morte di una stella. Tanti anni fa è morta una stella ed è diventata polvere che è rotolata nello spazio e, per ragioni di cui non sappiamo un cazzo, si è appallottolata nel nostro pianeta perché era unica la situazione concreta. All'interno di una stella giovane c'è un botto di idrogeno, che il calore trasforma in elio, poi in carbonio, poi in azoto, poi in ossigeno e in tutti gli altri elementi che conosciamo. Di quella polvere fu fatto Adamo, con i resti di una stella morta, infatti poi la storia è andata storta. Da lì tutto ha avuto inizio e tutto va nella stessa direzione, perché ogni cosa se ne torna da dove è uscita, questa è la spiegazione: nella polvere della vita. Tutto crolla come un castello sulla spiaggia, tutto tende all'entropia, scoppia come una bolla: alla vita non gli basta la sua energia per tenere unite le cose, tutto si rompe, la roccia e le rose. Però nel tempo che abbiamo noi diventiamo quello che decidiamo, perché dentro di noi sono entrati tutti gli elementi del mondo, dall'ossigeno al piombo. Decidi tu se con gli atomi ci fai una roccia dura ai colpi della vita, o se saranno petali di rosa che si stropicciano tra le dita, o se assomiglierai a neve fredda che il sole poi la scioglie, o ad acqua di ruscello che dove trova si raccoglie, o ad aria leggera come quando è primavera. Noi siamo tutte le cose che decidiamo, di questo siamo fatti, di materia e di ciò che scegliamo. Ma l'origine, quella resta un mistero. I miei atomi me li ha dati chi m'ha messo al mondo, è vero, ma se mi chiedo il perché poi affondo. È come l'ispirazione, ti arriva, non l'hai chiesta e ci fai una canzone. Noi sappiamo qual è il nostro inizio, ma dell'origine neanche un fottuto indizio. La vita è resistere a più non posso, prima che tutto finisca nel grande cesso. Non lo so perché mi hanno messo al mondo, perché ci sono cose che ci puoi solo fare un girotondo. Tanto poi casca la Terra, e tutti giù, sotto terra. Ecco la merda di questa situazione, ma anche la sua ispirazione. E se la vita può sembrare truce, bisogna cercare la luce, perché era una stella che, prima di morire, era una cosa bella.

«Prima credevo fossi semplicemente strano» mi dice Virgilio, il collega di scienze motorie. Ha il nome, la voce e la stazza di un eroe antico, unite alla simpatia di chi, esperto della vita, non si prende mai troppo sul serio, anche perché insegna una materia che non viene mai presa troppo sul serio.

«E poi?»

«Poi quando ti ho sentito parlare al collegio docenti ho pensato fossi pazzo.»

«E perché?»

«Perché ti sei messo contro tutti, ed è la peggiore idea che ti possa venire in una scuola.»

«E che mi importa, ho una supplenza di un anno. E mi gioco il tutto per tutto.»

«Perché?»

«Perché voglio capire se posso insegnare ancora.»

«Forse dovresti essere un po' più diplomatico.»

«Non ci vedo, Virgilio. Mi posso permettere di non guardare più in faccia nessuno, proprio così, alla lettera. Sono stufo di finzioni e di perdite di tempo. Non possiamo chiedere ai ragazzi qualcosa che noi per primi non viviamo.»

«Dopo quel collegio docenti non si è parlato d'altro. Te ne hanno dette di tutti i colori.»

«Tanto non li vedo i colori. E non ho bisogno del loro consenso.»

«E che cosa cerchi?»

«La verità.»

«E sarebbe?»

«Fare la cosa giusta.»

«E se invece cercassi il consenso dei ragazzi?»

Virgilio mi piace perché non gira attorno alle cose, ma va dritto ai punti dolenti. Sa che lì si nascondono le soluzioni, come i sintomi per il corpo umano.

«Potrebbe sembrare così, ma in realtà gli complico la vita e per questo prima o poi mi odieranno. Per la prima volta quei dieci si sono dati una sveglia, invece di star lì a leccarsi le ferite e a cercare alibi e colpevoli.»

«Hai ragione, sono un po' cambiati. Anche con me si impegnano di più. È come se la loro energia si fosse liberata. Non sono più piegati su se stessi.»

«Tu li sai guardare.»

«Sono costretto. Il corpo di un adolescente parla più di qualsiasi altra cosa. Dalla postura posso dirti se un ragazzo è felice e ha un progetto di vita, o se è triste e senza prospettive. Però con l'Appello ti sei messo contro i colleghi. E se vogliamo fare qualcosa dobbiamo conquistarceli.»

«È stata una idea dei ragazzi. Non potevo scoraggiarli.»

«Potevi essere più furbo e coinvolgere prima i colleghi.»

«E come?»

«Avvertendoli di quello che i ragazzi volevano fare e chiedendo loro di assecondarli. Insomma, secondo me il trucco è non far sentire i professori peggio di come già si sentono.»

«Che vuoi dire?»

«Che devi trasformare il senso di colpa in senso di responsabilità. La maggior parte di noi ha cominciato piena di entusiasmo, poi questo mondo fatto di burocrazia e programmi senza anima ci ha svuotato. Siamo i primi a soffrirne, ma non riusciamo a trovare le energie per cambiare un sistema così incancrenito. E chiunque ce lo sbatta in faccia ci diventa nemico.»

Rimango in silenzio. Le parole di Virgilio hanno la lucidità e la schiettezza di cui ho bisogno.

«Sembra che tu voglia dare loro una lezione. E così diventi il nemico.»

«E che cosa dovrei fare?»

«Quello che fai con i ragazzi.»

«Cioè?»

«L'Appello. Loro hanno ancora più bisogno di essere ascoltati.»

«Ma sono adulti!»

«Proprio per questo. Hanno più ferite. E riaprirle fa più male che essersele appena fatte, come accade ai ragazzi. Sulle cicatrici ci devi passare le dita e accarezzarle. Non puoi fare altro. I ragazzi invece hanno le ferite aperte e, per quanto bruci, ti sono grati, come si è grati a un medico: ti fa soffrire ma ti cura.»

«Hai ragione, ma di tennis non capisci niente.»

«Omero, portami rispetto, hai un fisico da lanciatore di coriandoli e se voglio ti accartoccio e ti butto nel cestino.»

«E tu perché non te la sei presa?»

«Perché finalmente ho trovato qualcuno con le palle. Da solo non saprei da dove cominciare, non c'ho le parole giuste, io. E poi la mia materia nessuno se la fila. Qui esistono solo cervelli senza corpo.»

«E secondo te che dovrei fare?»

«Vai a parlare a ciascuno di loro. E ascoltali, come fai con i ragazzi.»

«Pure questo devo fare?»

«L'hai voluta la rivoluzione, mo' pedala...».

«E se cado?»

«Ci sono io.»

ACHILLE

Che cosa può vedere il nostro occhio?

Il nostro occhio è fatto per la luce, così come il nostro pianeta, la cui vita dipende dall'energia che il Sole riversa ogni giorno in onde elettromagnetiche. L'occhio può percepire lunghezze d'onda comprese tra 380 e 760 miliardesimi di metro, e la luce che percepiamo è la risposta della nostra retina a quella radiazione elettromagnetica. Però una gran parte di questa energia sfugge alla nostra vista. Con la materia siamo messi pure peggio: ne percepiamo solo il 5 per cento. A conti fatti i nostri occhi possono vedere solo un decimo della realtà, tutto il resto della materia e dell'energia viaggia su frequenze fuori dalla nostra portata, come dimostra la scoperta delle onde gravitazionali, l'eco dell'espansione iniziale, un'espansione che non solo continua ancora, ma accelera spinta da qualche forza oscura.

Tutto questo significa che quello che si vede è sopravvalutato. Vediamo solo una minima parte di quella che definiamo realtà e il buio non è il nulla, ma qualcosa che sfugge ai nostri occhi. Eppure lasciamo che la nostra vita sia determinata da quel decimo di realtà che vediamo, puntiamo tutto su quel decimo per esistere, perché è ciò che la gente può e vuole vedere, ma in verità la gran parte di noi è invisibile. Chi lo vede il nostro buio? E di che cosa è fatto?

Da quando sono nato sono sempre stato ridotto a quel decimo che tutti vedono: grasso, sudato, imbranato, asmatico... Ma io non sono un decimo di me stesso, vorrei essere tutto intero, ma ci vogliono occhi capaci di cogliere le altre frequenze. C'è chi non è fatto per venire alla luce di questo mondo...

STELLA

Da che cosa dipendono le maree?

Il nostro sistema solare è pieno di lune. Solo Giove ne ha una settantina. Ma nessuna ha le caratteristiche della nostra cara Luna, e anche per questo la indichiamo con la maiuscola, come fosse il nome proprio di un'amica o come fa il pastore errante di Leopardi.

Una delle caratteristiche uniche della nostra Luna è il suo movimento sincronico: ruota su se stessa, moto di rotazione, alla stessa velocità con cui gira attorno alla Terra, moto di rivoluzione. Una danza di coppia senza errori. Ed è per questo che vediamo sempre la stessa faccia della Luna. La sua presenza costante è stata necessaria nel corso della storia del nostro pianeta per stabilizzare l'incantevole fenomeno delle maree: il movimento del mare che di sera mangia una spiaggia o copre gli scogli a pelo d'acqua, e al mattino li restituisce. Ricordo ancora quando andai a Mont Saint-Michel con i miei genitori: al mattino camminavo sulla sabbia e la sera sul ponte sospeso sul mare che aveva inghiottito la terra. Mio padre ci fece togliere le scarpe e camminare su quella terra gommosa come un materasso, che a poco a poco spariva. Mi affascina che sia tutta colpa, o tutto merito, della Luna, che se ne sta lontana 385.000 chilometri, mostrandosi indifferente.

L'aspetto delle nostre coste, le spiagge di sabbia fina e quelle di sassi più o meno levigati, le scogliere vertiginose o quelle a pelo d'acqua, il susseguirsi delle dune... tutto dipende dalla relazione tra il paesaggio e la forza di gravità esercitata dalla Luna sulla Terra, che provoca l'incessante sali e scendi. Gran parte della bellezza che conosciamo nel contatto tra mare e terra non esisterebbe senza la danza della Terra e della Luna, il cui centro di gravitazione comune non è al centro del nostro pianeta (se così fosse il mare se ne resterebbe buono, sempre allo stesso livello se non quando il vento lo sconvolge), ma un po' più vicino alla crosta terrestre. E questo rende inquieto il mare, attratto e respinto dalla Luna, ogni giorno.

Ci sono cose che ci rivolgono sempre la stessa faccia, ci accompagnano in ogni istante della vita, agiscono su di noi, sincronicamente, anche se non sembra. E turbano il nostro centro di gravità, che non si trova più al centro di noi stessi. Così fanno i legami, così fa l'amore: sposta la gravità. E influisce su di noi, sulle nostre maree quotidiane e sul nostro aspetto: siamo ora irte scogliere a strapiombo, ora dune inquiete, ora spiagge pacificate.

Benché la Luna si stia gradualmente allontanando dalla Terra, i milioni di anni condivisi ne hanno ormai sincronizzato i movimenti a tal punto che l'allontanamento non modifica la sincronia della danza, che si aggiusta di conseguenza. Così accade anche a noi, continueremo a danzare con chi ci ha amato profondamente, anche quando si allontana. Non smetterà mai di rivolgerci la stessa faccia. Ci guarda sempre e comunque. Non smette di accompagnarci. Come un padre con una figlia.

«Che cosa le è venuto in mente, Romeo?»
«A me niente.»
«Avevamo deciso che questa storia doveva finire e limitarsi alle sue lezioni. E invece lei se n'è infischiato e io mi ritrovo con gli insegnanti della classe infuriati. Sono stati costretti a provare il suo stupido esperimento, altrimenti gli studenti non avrebbero fatto lezione.»
«È una iniziativa dei ragazzi. Io ho cercato di dissuaderli.»

«Romeo, non faccia il furbo con me. Dirigo questa scuola da quindici anni e tutto è sempre filato liscio.»

«Che intende per liscio?»

«Che si è sempre fatto quello che si fa in una scuola.»

«E che cosa si fa in una scuola?»

«Romeo, la smetta con le sue domande. Non portano da nessuna parte.»

«E invece lei dove vuole portarmi?»

«A rendersi conto che ha a che fare con ragazzi che si lasciano suggestionare facilmente.»

«E come li avrei suggestionati?»

«Mettendogli in testa di sperimentare l'Appello con gli altri insegnanti.»

«Hanno fatto loro violenza?»

«No.»

«E allora qual è il punto?»

«Che i professori, e in particolare la professoressa di italiano, si sono sentiti umiliati e ne è nata una discussione.»

«Incredibile, hanno discusso! Cose mai viste... Roba da matti...»

«Non faccia lo spiritoso, perché non sono in vena.»

«E che cosa hanno detto i ragazzi alla professoressa?»

«Che lei non si cura di loro, se ne frega delle loro vite e non conosce neanche i loro nomi. E pretende di insegnare una materia in cui si cerca di capire in profondità l'uomo.»

«E tutto questo è vero?»

«Non è questo il punto!»

«Ah, credevo che a scuola il punto fosse la verità.»

«La verità... Che cosa è la verità? A scuola? A scuola istruiamo i ragazzi. La verità non c'entra...»

«Li istruiamo a cosa?»

«Ricomincia con le domande?»

«Mi scusi, è una deformazione professionale...»

«Fare domande?»

«Cercare di capire come stanno le cose.»

«Le cose stanno come devono stare: ci sono equilibri e ruoli da rispettare. La professoressa insegna in questa scuola da vent'anni e ne ha altrettanti di insegnamento alle spalle. Saprà fare il suo mestiere, no?»

«Non lo darei per scontato in base al semplice scorrere del tempo. I ragazzi sostengono di no.»

«E da quando ascoltiamo quello che dicono i ragazzi? Sono parte in causa. Le sembrano affidabili?»

«Quindi li dobbiamo trattare da stupidi e bugiardi?»

«Non ho detto questo. Ho detto che c'è un equilibrio.»

«E di che cosa è fatto questo equilibrio, preside?»

«Lasciare le cose come stanno.»

«Credo che questo si chiami stasi, non equilibrio. In natura l'equilibrio è sempre tensione verso la vita, è sempre un farsi avanti. Stasi invece è la parola che si usa per indicare la morte.»

«La chiami come vuole. A volte la stasi è meglio di tutto. Le grane poi le devo risolvere io e non lei. In questa scuola la professoressa è una specie di nume tutelare: conosce tutto e tutti. Averla nemica significa avere contro il collegio docenti...»

«Ho capito.»

«Che cosa?»

«Quello che devo fare: dire ai ragazzi di smetterla con certe idee, di non pretendere che a scuola sia importante la loro vita oltre che il programma e di non dire mai ciò che pensano.»

«Esatto! Cioè, in un certo senso. Possono dire quello che pensano, ma come ipotesi e non a tutti. Sappiamo bene che c'è chi è disposto ad ascoltare e chi no. In fondo quello che pensano a questa età non è molto rilevante...»

«Perfetto. Adesso mi è tutto chiaro.»

«Bene. Sapevo che avrebbe capito, Romeo. Manteniamo questi esperimenti didattici nei limiti delle sue ore.»

«Quali esperimenti?»

«Questo Appello che fa lei, le storie dei ragazzi, le mani sul volto... E poi è bene concentrarsi sulla materia. Quest'anno c'è la maturità e non mi pare che questa classe brilli per impegno...»

«Sapranno più scienza quest'anno di quanta ne abbiano mai saputa in passato.»

«E come? Se perdete... impiegate tutto questo tempo per questioni marginali?»

«Vede, preside, il punto è proprio questo: da quando la vita delle persone è diventata marginale, abbiamo smesso di insegnare chimica, latino, storia e tutto il resto.»

«Ai miei tempi non c'era spazio per queste cose. Non c'era alcun rapporto con gli insegnanti. Ci si dava del lei e non si fiatava. Si studiava e basta.»

«E adesso è rimasta quella freddezza. Con l'aggiunta che i ragazzi non studiano, perché l'autorità non è più riconosciuta sulla base del ruolo.»

«E quindi? Se ci manteniamo fermi almeno qualcosa otteniamo.»

«Illusioni. L'unica autorità che i ragazzi riconoscono è quella di chi sa volere bene, oltre a conoscere la materia.»

«Ma non tutti sono così, Romeo.»

«E allora che facciano un altro mestiere!»

«Un altro mestiere lo farà lei, se non la finisce. Le ricordo che è qui per una supplenza.»

«E quindi me ne devo stare buono perché altrimenti perdo il posto?»

«A lei la scelta.»

«Io non ci vedo, ma di una cosa sono sicuro.»

«Che cosa?»

«Che lei è una gran testa di cazzo.»

Lo lascio impietrito e me ne esco sbattendo la porta.

Perché gli acidi corrodono?

La posizione di ogni elemento nella tavola periodica è il suo destino: tutto dipende da cosa passa per la testa agli elettroni. Ci sono gli elementi "nobili", perché se ne stanno tutto il tempo a pensare ai cavoli loro: sono nati così ricchi che degli altri non gliene sbatte niente. Altri elementi sono invece per natura inquieti e instabili perché sono poveri, per loro la vita si guadagna ogni giorno, altrimenti muoiono. L'atomo è una cipolla, ha diversi strati, uno dentro l'altro. Al centro c'è il nucleo di protoni e neutroni. Il numero di protoni determina il numero atomico e quindi l'identità dell'elemento: un po' come avere le palle o non averle. Se ingrandisci l'atomo quanto un campo di calcio, il nucleo è grande come una palla da tennis a centrocampo, e gli elettroni sono pidocchi che gli girano attorno a cerchi concentrici, così veloci che fanno dei muri impenetrabili. Ma alcuni elettroni fanno sempre un casino perché vogliono mescolarsi con gli elettroni di altri atomi. I livelli vicini al nucleo sono più stabili, quelli più lontani vanno a cercare altri elettroni, c'hanno fame. L'elio, per esempio, ha un solo strato fatto di due elettroni e si fa i cazzi suoi sempre, non va in giro a far danni. In altri elementi invece gli elettroni più esterni sono talmente arrabbiati che vanno sempre a caccia di altri atomi per fottergli gli elettroni, con le buone o con le cattive. Le sostanze acide sono quelle che rubano più elettroni agli altri, per questo l'acido "scioglie" ciò che tocca: si frega tutti gli elettroni che può. E così si calma: rubando ai più deboli. È il suo destino. Non è cattivo, è fatto così. Ne ha bisogno per sopravvivere. E se alcuni sono forti e altri sono deboli non è colpa di nessuno. Il mondo è nato così: ci sono i ricchi e ci sono i poveri, c'è chi le dà e c'è chi le prende, chi vince e chi perde. Non l'ho inventato io, è una legge.

CATERINA

Perché Marte è la frontiera delle esplorazioni spaziali? Uno scienziato ha distinto l'invecchiamento inevitabile delle cose da quello pianificato. Il primo è quello per il quale, a motivo del progresso tecnologico, un oggetto invecchia perché viene superato da un altro, come l'aratro dal trattore; il secondo è quello per cui il nostro desiderio viene indirizzato su un oggetto semplicemente perché bisogna venderlo e non perché sia migliore del precedente. Il consumismo va avanti così: non si possono sempre inventare cose nuove ma si può spingere a desiderare delle cose facendole sembrare nuove. E più sono quelli che le desiderano, più il miraggio diventa reale. Tutti conoscete quell'esperimento per cui cinque persone vengono messe di fronte a due segmenti, uno nettamente più lungo dell'altro, e devono dire quale sia il più corto fra i due. Ma quattro di loro sono d'accordo con gli sperimentatori e affermano il contrario dell'evidenza, e così anche il quinto, ignaro, andrà contro ciò che vede pur di non sentirsi escluso. Il desiderio vale un sacco di soldi perché è la cosa più vitale che abbiamo, e quando qualcuno riesce a manipolarlo si prende prima il nostro cervello e poi i nostri soldi, perché sa che siamo disposti a tutto pur di avere una vita intensa, pur di sentirci parte di qualcosa di più grande. Ma sono solo illusioni, perché il desiderio, in quanto tale, non può mai essere riempito, è infinito. Marte, in questo senso, è la nuova Luna. Non c'è niente su Marte che non abbiamo sulla Terra, anzi c'è di meno, ma su quel pianeta noi proiettiamo tutta la felicità che ci manca. Per questo è da lì che sono usciti gli alieni: i "marziani" sono messaggeri, amici o nemici, del nostro desiderio. Marte, con la sua distanza colmabile, sembra poterci dare qualcosa, o almeno ci hanno fatto credere che sia così.

Però in effetti laggiù c'è una cosa che mi manca: 37 minuti. Un giorno su Marte dura 37 minuti in più di quello terrestre. Di sera, quando finalmente tutto tace, mi immagino di ricevere questo bonus di 37 minuti. Come lo userei? Che cosa vorrei recuperare? Cercherei il mio desiderio più autentico, cioè di qualcosa che renda la vita veramente viva e non dia solo l'impressione di farlo. Il desiderio è una montagna dalla cui cima si ammira il panorama, ma troppo spesso ce lo vendiamo a valle, per un panino e una bibita. Dedicherei quei 37 minuti a pregare, ad accogliere tutta la mia povertà, perché diventi ricchezza. Farei urlare il mio desiderio come un bambino che ha fame. Soltanto così sarò viva a ogni età: se non lascerò in pace Dio. Questo è il regalo che Marte può farmi, 37 minuti di bonus ogni giorno per prendersi cura dello spirito, dove la vita diventa viva, a patto di non riempire anche quei minuti di altra fretta e di altro vuoto... Per questo Marte, come il desiderio, deve rimanere dov'è. Inarrivabile calamita per ciò che ci manca. Lo tiene vivo, lo rilancia. E così siamo vivi, proprio quando la nostra ferita rimane aperta. E Dio solo sa quanto questo sia ciò di cui abbiamo bisogno oggi, invece di correre continuamente a riempire di cianfrusaglie l'abisso che abbiamo al centro del cuore. Se solo la smettessimo di parlare di felicità e di cercarla, e ci dedicassimo di più a vivere...

Io un marziano lo conosco, anzi ce l'ho in casa. A volte mi salva, a volte diventa il mio peggior nemico. Ha appena compiuto dieci anni. Mi capita di guardarlo mentre gioca: viene proprio da un altro pianeta. Non si preoccupa di niente se non dell'istante, lo vive fino a sfinirti, sia che si tratti del pulsante dell'ascensore, sia che si tratti delle bollicine di un bicchiere d'acqua frizzante. Per lui il passato e il futuro non esistono, esiste solo il presente: un vero marziano. A volte vorrei farlo sparire, perché quando c'è lui tutto il resto deve mettersi sull'attenti ed esistere solo per rispondere a lui. Non so come si possa amare e odiare così tanto allo stesso tempo. Vorrei che mio fratello fosse un terrestre e non un marziano.

«37 minuti in più. Non so se risolveremmo nulla, Caterina, se prima non cambiamo il rapporto che abbiamo con il tempo. Chi vede privilegia lo spazio. Diventare ciechi significa dare la priorità al tempo. Facciamo un gioco. Se contiamo gli anni trascorsi dalla prima espansione dell'universo, 14 miliardi di anni fa, e dividiamo questo numero per un miliardo in modo da renderlo a noi più comprensibile, l'uomo è apparso soltanto 100 minuti fa, la durata di una partita di calcio, in cui siamo stati a lungo impegnati a difenderci. Andavamo lenti. Poi abbiamo cominciato ad accelerare per trovare i confini della vita, e così uno dopo l'altro abbiamo inventato gli strumenti per raggiungere il posto in cui confina con la morte. Se calcoliamo che le prime tracce di agricoltura sono di 5 minuti fa, le prime città hanno solo 2 minuti e mezzo di vita e l'impero romano è nato 1 minuto fa... L'istinto ci spingeva ad andare sempre più veloce, e la tecnica è il solo modo che abbiamo per domare la natura che ci costringe a morire, e così dalle carrozze ci siamo ritrovati sulla Luna: lo sbarco è avvenuto 1 secondo e mezzo fa, quando 2 centesimi di secondo prima ci spostavamo ancora a cavallo. E dove saremo tra 1 secondo e mezzo? Su Marte? Su un altro sistema solare? Continueremo ad accelerare come tutte le prede braccate, a correre sempre più veloce, col fiato della morte sul collo? È questa velocità a produrre il rumore assordante che io sento, il rumore assordante della fine. Non lo sentite il frastuono? Chiudete gli occhi, ascoltate. A poco a poco distinguerete tra i suoni delle cose una sottile vibrazione, prima solo un'intermittenza poi un sottofondo continuo, il frastuono che solo i ciechi conoscono. È esattamente da questo frastuono che stiamo scappando. Noi non stiamo andando verso qualcosa, noi stiamo solo scappando. Forse dovremmo fermarci e aspettare, in silenzio, che la vita tutta intera ci sorprenda.»

Taccio e dal silenzio che percepisco attorno a me immagino volti sgomenti.

«Questo è il compito che avete» dico con il volto bagnato di lacrime.

«Per casa?»

«Per tutta la vita, Achille.»

«E quale sarebbe esattamente?»

«Trovare la formula per fermare il tempo e smettere di scappare.»

«Non ci sto capendo niente» ammette Ettore.

«Tempo e temporalità sono due cose diverse. La temporalità è una qualità che hanno tutte le cose: prima o poi si consumano, si esauriscono, finiscono. Il tempo è invece la loro fibra, la loro carne. Noi non possiamo togliere il tempo dalle cose, e invece ci proviamo continuamente sforzandoci di controllarle, e il controllo ci dà l'illusione di fermare il tempo. Ma per quanto ci sforziamo, è tutto inutile: facciamo solo violenza alla vita. Un'altra strada è provare a uscire fuori dal tempo noi. Ma anche questo è impossibile, ed è quello che ha tentato di fare Einstein, strappando a Dio il suo sguardo sulle cose, perché solo lui vede fuori dal tempo tutto ciò che ne è parte.»

«E che cosa vede?» chiede Mattia.

«Non lo so. Forse dei bambini che imparano a camminare. Comunque sia, questo è quello che dovete sapere adesso e ciò per cui dovete lottare, costi quel che costi.»

«Che cosa?»

«Il metodo di rimanere nel tempo superandolo: fermarlo proprio lasciandolo scorrere, come una clessidra talmente lenta da sembrare ferma.»

«E come si fa?»

«Scoprendo ciò che avete in comune con ogni cosa.»

«Che significa? Oggi sembra una lezione di filosofia, non di scienze.»

«Filosofia e scienze sono nate dalla stessa domanda.»

«Quale?»

«Come vincere la morte. Noi ci ostiniamo a farlo prenden-

157

do le cose e aprendole come un bambino che vuole capire come funziona un giocattolo che si muove, e così, cercando di strappare ogni loro segreto, le cose smettono di funzionare, di muoversi, di parlarci, di risponderci.»

«E allora?»

«E allora dovremmo cambiare strada. Non è importante imparare a morire, quello ce lo impone la natura. Potremmo invece imparare a vivere...»

«E come?»

«Dipende dalla libertà: da quanto amiamo e decidiamo di amare. Cogliere che cosa abbiamo in comune con una stella, con una farfalla, con un minerale, con un altro uomo e ampliare quel legame... Solo così la vita svela il suo mistero: non è vivisezionando che si scoprono le cose, ma vivendo insieme a loro. Ecco perché voglio che le vostre ricerche personali mostrino in che modo la conoscenza di un aspetto della realtà è conoscenza di voi stessi e viceversa, perché per ricreare la vita bisogna prima accoglierla dentro di sé.»

Bussano alla porta e qualcuno entra prima ancora che io abbia potuto rispondere «Avanti».

«Buongiorno», è la voce secca e inespressiva del preside.

Mi alzo in piedi e sento che i ragazzi mi imitano. Rimaniamo in silenzio in attesa.

«Sono venuto a comunicarvi che quello che avete fatto con i professori infrange il regolamento della scuola, quindi la classe riceverà una nota di comportamento. Ho deciso di evitarvi la sospensione perché quest'anno avete la maturità.»

«Esattamente contro quale regola siamo andati?» chiede Caterina.

«Vedo che in questa classe le buone maniere sono diventate obsolete. Sto ancora parlando e non mi sembra di averle dato la parola. Come stavo dicendo prima che lei mi interrompesse, per questa volta chiuderò un occhio, ma non voglio più sentire parlare di questa classe fino alla fine dell'anno: concentratevi sulla maturità e fate il vostro dovere.»

«E quale sarebbe il nostro dovere?» sbotta Ettore.

«Ho detto che dovete tenervi le vostre domande per voi e ascoltare ciò che ho da dire fino alla fine.»

Il silenzio cala e, dopo alcuni secondi in cui immagino gli sguardi dei ragazzi fissi sul preside, che ha più paura di loro di quanta loro ne abbiano di lui, gli sento pronunciare la frase che, nel timbro incerto, tradisce proprio quella paura: «Ho finito».

«Che cosa abbiamo fatto di male?»

«Vi siete rifiutati di fare lezione.»

«Veramente noi abbiamo chiesto di farla meglio» ribatte Aurora.

«Meglio? Facendo perdere tempo agli insegnanti con esperimenti senza senso?»

«Chiedendo loro di prendersi cura di noi prima che del programma. Che c'è di male in questo?»

«Loro si prendono cura di voi facendo lezione e il vostro compito è ascoltare e imparare.»

«Il loro compito è crescere, preside, con il nostro aiuto» intervengo a bruciapelo.

«Non ho chiesto il suo parere, professore.»

«Quindi il nostro compito è essere passivi e ripetere quello che ci dite. Così diventeremo migliori. Secondo voi questo è il senso della scuola? Questo è addestrarci, non farci crescere. Voi dovreste spiegarci il perché delle cose che ci imponete e non siete capaci. Perché non dovremmo preferire fare tutt'altro se l'unica cosa che sapete dirci è che il fine di tutto è obbedire e annoiarsi?», è la voce inattesa di Elisa.

«Il senso della scuola non è divertirsi» ribatte il preside.

«Il senso della scuola non è neanche annoiarsi.»

«Invece sì, perché le cose difficili comportano anche la noia.»

«Più che la noia, direi la fatica... Conoscere, per quanto impegnativo, dà gioia. Voi invece non siete capaci di mostrare nulla che non siano passività e conformismo, e se qualcuno prova a dirvelo in modo chiaro, lo punite. Come adulti fate pena», questa volta è Elena a rincarare la dose.

«Signorina, impari a moderare i termini e non peggiori la sua situazione. Mi sembra che lei abbia già perso un anno... La discussione finisce qui. Spero di non dover rientrare più in questa classe per motivi disciplinari.»
La porta si riapre e il preside sta per uscire.
«Preside!», è Cesare.
«Che cosa c'è?»
«1... 2... 3... 4... 4... 3... 2... 1.»
Accade la cosa peggiore possibile: intona il beat della sua canzone e tutti in coro si mettono a cantare l'Appello. Il preside cerca di zittirli con urla e strepiti, ma loro lo sommergono, mentre Cesare lascia che le rime escano dalla classe e invadano il corridoio.
«Non finisce qui, non finisce qui!» È l'ultima cosa che sento dire al preside.
Poi cala il silenzio, seguito da una risata corale.
«Vi siete messi nei guai» dico con voce ferma.
«Era ora. Sono cinque anni che ci annoiamo...» risponde Mattia.
«E poi è per una buona causa. Non stiamo facendo niente di male. E se ne dobbiamo pagare le conseguenze ben venga, se paghiamo tutti è perché abbiamo mentito per troppo tempo. L'importante è che questo abbia un senso...»
«E che senso ha?» chiedo.
«È la verità.»
«Se lo è non vi renderà la vita più semplice... Più intensa di certo, ma anche più faticosa.»
«Mi sembrava tutto troppo bello...» mi interrompe Oscar.
«Lo è. Ed è solo l'inizio. Vi siete appena svegliati.»

ETTORE

Che cosa è il principio di indeterminazione?
Ve lo ricordate quel gioco che facevamo da bambini? *Un, due, tre, stella!* Vi chiederete che c'entra con Werner

Heisenberg, che nel 1927 formulò il principio che sta al cuore della meccanica quantistica: il principio di indeterminazione. Non si può stabilire la posizione e la velocità esatta di un elettrone, perché per farlo si influisce inevitabilmente sul suo moto. Se io chiudo un elettrone in una scatola e ne rimpicciolisco le pareti per determinarne la posizione, quello comincerà a sbattere sempre più rapidamente: è claustrofobico, più lo ingabbi più diventa pazzo.

La vita è governata da questo principio di indeterminazione, che ci impedisce di riconoscere il posto che occupiamo nel mondo e il movimento dei nostri desideri, e più cerchiamo di capire una delle due cose, più perdiamo l'altra: identità e desiderio, essere e cercare sembrano farsi la guerra e non incontrarsi mai nello stesso corpo, chi sono e che cosa voglio sembrano incompatibili. Forse perché anche noi, come la materia, siamo fatti di onde e particelle, materia ed energia, e determinarci in una delle due è impossibile: più ci proviamo più ci facciamo violenza. Quella che chiamiamo realtà è un accomodamento provvisorio, il frutto di una certa probabilità, che a livello macroscopico si verifica quasi sempre, dandoci l'impressione che le cose e le persone siano come sono... ma è tutto frutto della nostra percezione, che mentre cerca di afferrare le cose determina proprio quella probabilità di cui ci accontentiamo per potercene stare tranquilli. Ma sotto sotto, in segreto, le cose stanno in tutt'altro modo. Tutto assomiglia a quel gioco che facevamo da bambini: *un, due, tre, stella!* Tutto si muove alle nostre spalle e si immobilizza solo quando lo guardiamo, quasi per compiacerci e non mandarci nel panico. Infatti quella *stella* è la distorsione di: *un, due, tre, stai là!* Non avevo mai capito che cosa c'entrasse una stella in quel gioco... Vogliamo che le cose si fermino per un attimo, per poterci abitare in pace. Questo è quello che vorrei anche io, nella mia vita: se sto da mia madre vorrei essere da mio padre, se sto da mio padre vorrei stare fuori, se sto fuori vorrei tornare a casa... Non ho mai pace, perché nessuno si volta a guardarmi, come in quello stupido gioco che rappresenta tutta la vita. E io devo sempre correre e muovermi, come se nel gioco del mondo Dio stesso si fosse dimenticato che ci sono anche io: *un, due, tre, stai là! Ettore, stai là, che vai bene. Riposati un po'*...

ELISA

Quali sono le caratteristiche dell'*homo sapiens*?
Vi racconterò la storia di un viaggio, come quelli che piacciono a me. Il primo viaggio, quello di andata. Centomila anni fa sulla Terra abitavano varie specie di uomini, poco più di diecimila anni fa ne rimase solo una: l'*homo sapiens*. Viveva nell'Africa Orientale e si mise in viaggio, arrivando sino in Australia, ed entrando così in contatto con tutte le altre specie di Homo: Neanderthal, Erectus, Soloensis, Floresiensis, Denisova, Rudolfensis, Ergaster... Che cosa differenziava il Sapiens da tutti gli altri? La sua capacità di fingere. Sì, proprio così. La capacità di creare le cose con l'immaginazione. Per questo ha vinto su tutti gli altri: era inquieto, non si accontentava e aveva bisogno di dare un senso a tutto. Per questo era disposto a rinunciare alla sua comoda vita sedentaria per esplorare il mistero e dare corpo ai suoi sogni o alle sue paure: sostanzialmente era uno spericolato. E così il Sapiens, sempre inquieto, spiazzando tutti inventò la scrittura, le storie, le città, il denaro, gli aerei e i viaggi su Marte... Noi tutti discendiamo da uomini che 70.000 anni fa abitavano una zona dell'Africa e hanno conquistato terra, cielo e mare, prima con l'immaginazione e poi con le mani e i piedi. Il Sapiens ha vinto la partita grazie al fatto che le cose non gli andavano bene così com'erano. Era un insoddisfatto e un temerario, e paradossalmente proprio questo lo ha reso più forte dei sedentari. La sua capacità di inventare è la sua forza ma anche la sua follia. Continua a

immaginare un senso diverso da dare alla vita quando gli sembra che non ne abbia ancora o non ne abbia abbastanza.

Ma questa sua forza è anche la sua condanna: egli sa mentire, a se stesso e agli altri, fino a convincersi delle sue stesse menzogne, illusioni, invenzioni. Sa giocare con la verità, e per questo è così grande e altrettanto pericoloso. Immagina per capire, ma anche per distruggere. E troppo spesso non riesce a distinguere... Perché non sopporta la vita così com'è. Per questo il suo viaggio è di andata. Raramente si ferma a chiedersi se tutta la strada che ha percorso, se tutto ciò che ha inventato gli hanno costruito una casa o un cimitero. Solo quando inciampa e cade. Il dolore lo riporta a casa, e invece di fargli male è ciò che gli fa bene. Vorrei anche io tornare a casa, nella mia casa, senza dovermi inventare che sia bellissima, ma accettando che sia un buco pieno di dolore. Ma da sola non ce la faccio.

«Posso parlarti?» chiedo ad Annamaria.

«Se è una cosa rapida...» mi risponde con un tono di voce infastidito.

«Volevo parlare con te di cosa possiamo fare per aiutare i ragazzi della nostra classe.»

«Aiutarli?»

«Hanno ricevuto questa nota di comportamento, ma forse quello che hanno fatto aveva un senso.»

«Hanno avuto quello che si meritano, collega. E tu dovresti smetterla di riempire loro la testa di illusioni. Ogni scusa è buona per non far niente e loro se ne approfittano. Ci manca solo che un professore incoraggi le loro follie.»

«Quali?»

«Ma ti pare che alla mia età io mi faccio bendare da quei selvaggi per ascoltare le loro storie adolescenziali?»

«Che cosa ti fa paura?»

«Paura? Che c'entra la paura! Io sono l'insegnante e decido io come si fanno le cose.»

«Io credo che la paura non si mostri mai nuda, ma si travesta sempre da altre cose: ambizione, rigidezza, fedeltà, freddezza...»

«Che cosa vuoi insinuare?»

«Niente. Parlavo per esperienza. Ma non potresti provare ad ascoltarli, solo una volta?»

«Romeo, io ci vedo benissimo e non ho bisogno di esperimenti del genere per capire chi ho davanti.»

«Se solo potessi toccare il loro volto...»

«Questa poi! È il colmo. La distanza è la base dell'autorità.»

«Io credo che la base dell'autorità sia la fiducia.»

«Sei cresciuto male, come tutti quelli nati dopo il Sessantotto. Non è colpa vostra. Lasciami fare il mio mestiere e cerca di tenere le rivoluzioni sentimentali confinate alla tua classe. Ora devo andare.»

Rimango in silenzio.

«Posso chiederti un favore?»

«Quale?»

«Posso toccarti il volto?»

«Non se ne parla. E poi sono in ritardo...» e scappa via.

Rimango da solo a considerare il fatto che non è vero che a Natale sono tutti più buoni. A Natale hanno semplicemente tutti più fretta. Ma la fretta è proporzionale alla difficoltà di amare, perché per amare bisogna prendersi tutto il tempo che ci vuole.

MATTIA

Perché tutti i fiocchi di neve sono diversi?

Era una notte luminosa, una fitta nevicata rendeva l'aria trasparente, come se la luce del giorno già consumato fosse rimasta incastrata e rimbalzasse tra i fiocchi di neve. Tutto era coperto da un sudario di luce e io mi ci avventurai, ipnotizzato. Non riuscivo a dormire e mi sembrava che tra quei fiocchi di neve si nascondesse il segreto ultimo della bellezza, e così mi ci immersi, nonostante il freddo e la mancanza di punti di riferimento. I fiocchi cadevano sulle mie mani in tutte le fogge e le forme, come sillabe di un alfabeto perduto. I fiocchi di neve sono una perfetta sintesi di simmetria e caso, razionalità e caos: temperatura, altezza di formazione, correnti d'aria si mescolano insieme fino a creare miliardi di opere d'arte, l'una diversa dall'altra. Quando le molecole d'acqua cominciano a congelarsi formano punte e guglie perfette e imprevedibili al tempo stesso. Ogni punta di ghiaccio va alla ricerca di altro vapore acqueo con cui ampliare le guglie di una cattedrale in miniatura. Li tenevo in mano e le punte erano sempre sei, una struttura regolare e uguale in qualsiasi posto del mondo, ma il modo in cui i fiocchi si strutturano è frutto dell'irripetibile storia di ciascuno, dipende dalle condizioni a cui è sottoposto, dal capriccio calcolato della bellezza. La loro instabilità obbedisce alle leggi del caos e lo stesso, che ci piaccia o no, accade agli esseri viventi: anche il caso ha una direzione, anche l'imprevedibile ha un senso, anzi, proprio nel caos cova la bellezza. La bellezza non sta solo nella simmetria, nelle costanti, nell'armonia tra le parti. La bellezza è la sintesi imprevedibile di armonia e caos. Cadiamo nella vita come fiocchi di neve, uno diverso dall'altro, irripetibili, dotati di una immortalità le cui regole ci sfuggono. Andiamo a caccia di vita, prolungando i nostri desideri. Immersi nella corrente e nella vertigine ci sembra che il caos sia l'unica regola e rischiamo di abbandonarci e perderci, ma proprio quelle intemperie danno origine a una forma mai vista prima. Ci vuole troppo coraggio per farsi carico del caos e aver fede che diventi imprevedibile bellezza. Ma non credo esista altra bellezza che quella che trasforma il dolore quotidiano in speranza. Il nulla non è l'ultima parola, l'ultima parola ce l'hanno i fiocchi di neve, le code dei pavoni, i vortici delle galassie, le iridi delle donne. Solo questo può guarire il mondo, può salvarlo. Può guarire me, e salvarmi.

AURORA

Qual è il momento più freddo del giorno?

La luce a volte può ingannare, perfino nasconderci la realtà. E adesso ve lo dimostro. Sapete qual è il momento più freddo del giorno? Voi direte: la notte! E invece no. È l'alba. C'è più freddo quando il Sole sorge che durante la notte. La Terra è un termosifone che disperde continuamente calore e durante il giorno l'energia con cui il Sole la riscalda contiene questa dispersione, con effetti diversi in base al modo in cui i raggi colpiscono la superficie. La dispersione di calore della Terra è quindi massima fino a quando il Sole non riesce a intiepidirla: i primi raggi imbiancano l'orizzonte prima di riscaldare la superficie e placare il raffreddamento a cui è sottoposta la Terra dal tramonto del giorno prima. Che l'alba sia il momento più freddo è quanto di più logico ci sia dal punto di vista fisico. Sono gli occhi a ingannarci: la luce arriva prima del calore e ci fa credere che le cose siano già cambiate. Persino un nome pieno di luce può nascondere molto più freddo di quanto sembri. Se proprio in mezzo a quella luce si stesse morendo di freddo? Bisognerebbe toccarlo quel corpo per rendersene conto, non basta vederlo inondato di luce, anche perché è proprio con quella luce che vuole tenerci a distanza, per non farsi scoprire da vicino. C'è così tanto freddo in quel corpo, ma nessuno se ne accorge, perché tutti guardano proprio ciò che non vedono.

Le interrogazioni sono finite. Il trimestre volge ormai al termine, e con esso l'anno solare. Ho avuto la conferma che per conoscere le cose bisogna riconoscerle dentro di sé, la conoscenza oggettiva è una pretesa delle enciclopedie che ritengono di esaurire il mondo semplicemente perché lo organizzano secondo un ordine alfabetico. Ho ascoltato dieci misteri dell'universo e altrettanti del cuore umano. Non sono forse la stessa cosa? Basta ascoltare dieci persone per comprendere l'intero universo... Solo quando le loro vite si connettono alla Vita i ragazzi vanno bene a scuola, perché andar bene non è questione di voti ma di vita.

«Ascoltando le vostre ricerche ho imparato molto. E con le domande vi siete difesi bene. State acquistando un vero metodo scientifico, che non consiste nell'imparare a memoria delle pagine, ma nel saper spiegare i fatti che accadono sotto i nostri occhi attraverso esperimenti e leggi. Sono fiero del lavoro che avete fatto in soli tre mesi.»

«È che con lei ci viene voglia di scoprire, prof» interviene Ettore.

«Sì, ci sembra che ci sia poco tempo e che quel poco non dobbiamo perderlo, ma impegnarlo» aggiunge Achille.

«Non è merito mio, ragazzi. È l'universo che è una fonte continua di meraviglia, si tratta solo di accendere la luce per esplorare...» Faccio una pausa studiata, come chi vuole che venga completata una frase lasciata in sospeso.

«Il mistero della vita?» interviene Stella dopo qualche secondo.

«Proprio così. E non c'è niente di più interessante. Solo così lo studio appassiona, anche se è faticoso.»

«Ma perché la vita si nasconde, professore?» chiede Elisa.

«Già, perché tutto questo mistero?» rincara Aurora.

«Voi che dite?» rispondo come faccio quando non ho la soluzione alla domanda e voglio cercarla insieme a loro.

L'aula piomba nel silenzio, il silenzio pensoso di chi cerca il posto giusto della tessera del puzzle che tiene sospesa tra le dita.

«Perché così restiamo liberi» sussurra Elena.

«Spiega.»

«Se fosse tutto chiaro non saremmo veramente capaci di fare scelte, di cercare soluzioni, di amare, di sbagliare, di ricominciare, di crescere... Il mistero è un po' lo spazio che ci è dato per crescere.»

«Credo tu abbia ragione, Elena. Senza mistero non ci sarebbe libertà.»

«Però che fatica, professore» aggiunge Stella.

«Sì, a volte si vorrebbe risparmiarsene un po'.»

«Ci sono più cose in cielo e in terra, Orazio, di quante tu ne possa pensare con la tua filosofia» sentenzia Caterina.

«E chi è questo Orazio?» chiede Oscar.

«È Amleto, Neanderthal.»

La classe scoppia a ridere.

«Che avete da ridere?» ribatte Oscar, che non ha capito la battuta.

«Niente, niente, lascia perdere» gli risponde Caterina.

«E allora come va con l'Appello?» domando.

«Dopo la batosta che abbiamo preso ci siamo dovuti fermare, altrimenti qui non ci fanno fare la maturità» risponde Achille preoccupato.

«Tutti i professori ci hanno voltato le spalle, tranne uno.»

«E che vi ha detto?»

«Che abbiamo fatto una bella cosa. Che non vedeva un'iniziativa così sensata a scuola da anni.»

«E voi?»

«È stato un bell'esperimento... Lo racconteremo durante l'ultima assemblea di istituto prima delle vacanze di Natale, perché alcuni ragazzi delle altre sezioni si sono incuriositi e vogliono sapere di che si tratta. Almeno ci togliamo questa soddisfazione.»

«E faremo cantare la canzone a tutti, vedranno come spacca» aggiunge Cesare.

«E poi ce ne torniamo ad annoiarci» lamenta Caterina.

«È normale trovare resistenza quando qualcosa mette in crisi un sistema: in fisica occorre vincere l'attrito prima di riuscire a mettere in moto qualcosa, figuratevi se quel qualcosa è la scuola come la si fa da più di un secolo a questa parte...»

Suona la campana, l'ultima con i ragazzi prima della pausa natalizia.

«Professore, le abbiamo portato una cosa.»

Sento che Caterina si alza e poggia un oggetto sulla cattedra. Lo percorro con le dita. È una scatola cubica, poco più grande di un pugno.

«Un regalo di Natale? È il primo che ricevo!»

Comincio a scartarlo e ficco le mani dentro il pacchetto. È un parallelepipedo di legno dalla superficie intagliata, a forma di scrigno. Lo apro e ne esce una melodia sottile, metallica, ma dolce. Un carillon che suona tintinnando *Tu scendi dalle stelle*.

«Con l'augurio che l'anno prossimo lei possa recuperare la vista» sussurra Elena.

Mentre la musica, per quanto sottile, riempie l'aula silenziosa come fosse una sala da concerti, le lacrime mi solcano le guance. E loro a uno a uno si avvicinano ad abbracciarmi. E ho meno paura del buio e del futuro. Quelle note mi ricordano che persino Dio ha deciso di scendere nella notte degli uomini, perché non disperassero di avere un Padre che li ama. E ho come l'impressione che un po' di quella paternità sia passata attraverso di me a questi ragazzi a cui persino il cielo è diventato un po' più leggero.

Nel pomeriggio auguri e voti si mescolano. È infatti il momento del consiglio di classe per gli scrutini del trimestre: la pagella è il nostro regalo di Natale ai ragazzi. Tutta la rabbia che si è accumulata in questi tre mesi, sommata a quella per i regali non ancora comprati, sta per scatenarsi: anche le valutazioni più oggettive non sono altro che il racconto della relazione che abbiamo con ogni ragazzo, per questo ci nascondiamo spesso dietro la certezza apparente della media matematica dei voti... Le mura della scuola sono più fredde del solito: al pomeriggio i riscaldamenti sono spenti per ragioni economiche. I miei colleghi intervallano la descrizione del menù di Natale con tutte le lamentele che riescono a raccattare dalle loro frustrazioni.

«Quest'anno sarà un bagno di sangue. Non so come questa mandria di bufali arriverà alla maturità» sentenzia Annamaria.

Sarà un pomeriggio di dolore.

«Pensate che l'altro giorno quell'ignorante pluribocciato mi ha detto che Leopardi non vedeva oltre la siepe dell'*Infinito* perché era gobbo: non ci arrivava...»

Una risata compiaciuta coinvolge tutti.

«A me Cesare ha detto che Nietzsche è il nome di un rapper, scritto Nicce, con due C» ha rincarato Storia e Filosofia.

«Io ho un problema con Ettore. Si addormenta sempre durante le lezioni» interviene Arte.

«Anche durante le mie! È un disastro» incalza Matematica.

«Deve fare le consegne la sera. E poi studia la notte» interrompo il fuoco amico.

Il silenzio cala nella stanza, intensificando il freddo percepito.

«Ettore viveva con il nonno, che è morto a settembre. Ha i genitori separati e in guerra. Passa metà settimana con il padre che ha una depressione che lo ha costretto a smettere di lavorare e lo ha portato a un passo dal suicidio. Il figlio lo ha ritrovato in fin di vita. La madre non sa nulla. Ettore cerca di guadagnare qualcosa per aiutare il padre, altrimenti finisce male. Insomma non è un momento facile per lui.»

«Non sapevo nulla. Quanto mi dispiace...» mi interrompe Arte.

«Neanche io. È terribile» aggiunge Storia e Filosofia.

«Ma tu come le sai queste cose, Omero?» mi chiede Matematica.

«Me le ha raccontate lui.»

«Lui? Ma se non parla mai...»

«Basta chiedere, o ascoltare, ma mi sembra che non abbiamo voluto, anzi li abbiamo ripagati con una nota disciplinare» approfitto dell'abbassamento delle difese dovuto al senso di colpa, che evaporerà presto.

Virgilio, che teme mi stia scavando la fossa, mi interrompe e dice: «C'è un'altra situazione che mi preoccupa. E che credo richieda l'intervento dei genitori».

«Quale?»

«Elisa.»

«Effettivamente è sempre distratta, per non dire persa. Sembra scollegata dalla realtà. Nella mia materia non ha speranza. Non so come potrà affrontare il compito di maturità» interviene Matematica.

«E poi quel trucco scuro sugli occhi...» interviene per la prima volta Religione.

«Ma perché si fa chiamare Virginia?»

«La sua autrice preferita è Virginia Woolf. Va pazza per *Orlando* e mi ha raccontato che la scrittrice sosteneva che nella vita bisogna cercare i momenti di essere: sono rarissimi, ma ci salvano...» rispondo con una certa stizza.

«Le piace Virginia Woolf?» chiede Inglese. «Non lo sapevo.»

«Tante cose non sappiamo di lei, troppe...» aggiungo.

«A me preoccupa che non si tolga mai le sue felpe gigantesche, anche quando facciamo sport, è come se nascondesse qualcosa...» mi interrompe Virgilio prima che io rincari la dose di stizza.

«Nasconde il suo bisogno di aiuto.»

«In tantissime si vergognano del loro corpo. È un regalo di questi nostri tempi ossessionati dalla magrezza» commenta Arte.

«Io credo ci sia di più. Temo che abbia dei problemi di autolesionismo...»

«Sei il solito esagerato... Ma poi come fai a dirlo?» interviene Annamaria.

«Mi è capitato di sfiorarle le braccia, durante uno dei miei appelli.»

«Proverò a prestare più attenzione, magari scopro qualcosa» suggerisce Virgilio.

«Io non credo siano problemi di nostra competenza. Non siamo psicologi né investigatori» dice Annamaria.

«Non si tratta di essere Freud o Maigret, ma di essere un po' meno indifferenti del resto del mondo: a un adolescente non basta volergli bene, c'è bisogno che lo senta...» le rispondo con calma.

«Io vi volevo parlare del progetto Olocausto per il pentamestre» interviene Storia e Filosofia spazzando via le mie parole. «Volevo coinvolgere i ragazzi nella visione di un film sulla Shoah che proiettano per le scuole, per poi partecipare a un concorso sul tema.»

«Mi sembra un'ottima idea. Possiamo avviare dei lavori interdisciplinari che magari serviranno per la tesina di maturità. Io leggerò loro qualche pagina di Primo Levi. Quella meravigliosa di *Se questo è un uomo* in cui parla del canto di Ulisse paragonandolo alla sua situazione credo sarebbe perfetta» le risponde Annamaria.

«Sì, poi in questi tempi di fascismo dilagante è importante trasmettere messaggi chiari ai ragazzi. Dove andremo a finire se le cose continuano così?»

Ascolto questi discorsi come se si trattasse di una realtà parallela: da un lato Mattia dipendente dalla droga, Ettore devastato dalla situazione familiare, Achille praticamente prigioniero di uno schermo, Virginia-Elisa che forse si taglia le braccia, Stella ingabbiata nel suo lutto che l'ha fatta tornare una bambina, e chissà cos'altro... e dall'altro un mondo in cui si lotta contro nemici fittizi con parole e pensieri bellissimi. Da un lato corpi che sanguinano e dall'altro una cultura che quei corpi li ignora e si compiace della propria freddezza, anche se la maschera con una calda partecipazione alla vita dell'uomo e al senso della realtà. Non so che farmene di questo umanesimo cerebrale assolutorio e raffinato, gli preferisco un umanesimo carnale sporco e faticoso. Come si può arrivare a sterilizzare la vita al punto di non sentirla, non vederla, non esserne toccati? E quei corpi di giorno in giorno precipitano nell'indifferenza e si convincono che la cultura non serva a essere più umani, ma a prendere le distanze dalla realtà, e che essere adulti significa indossare una corazza e non sentire più nulla. Per cambiare la realtà non basta formulare pensieri raffinati... tanto prima o poi la realtà presenta il conto.

«Perché non ve ne frega niente dei ragazzi?»

Il chiacchiericcio su progetti, idee e uscite scolastiche si congela all'istante.

«Omero, non fare il sentimentale. Noi non siamo i loro genitori. Noi dobbiamo istruirli e basta» risponde secca Annamaria.

«E come possiamo riuscirci senza amarli?»

«Amarli?»

Mi alzo con ostentata lentezza.

«Vi auguro buon Natale, anche se non ne avete bisogno, perché siete già tutti buoni.»

E me ne vado.

Alla ricerca del tempo sprecato
Diario di un professore cieco

*Sul tuo volto, Elisa o Virginia, ho toccato i sentieri, tuoi e miei,
del dolore negato, il tuo volto aggraziato, come dicono le sue proporzioni, simmetrie, aperture, rilievi, la cui delicatezza inganna
e sa nascondere il dolore. Ciglia lunghe, orbite ampie, fronte che
sfuma dolcemente sulle tempie che proteggono i sogni in cui abi-
ti, perché i sogni manipolano il tempo a loro piacimento. Ho cercato le tue mani e poi le tue braccia, e tu non hai avuto il coraggio di nasconderle, perché ti sei fidata della mia tenerezza. E ho
sentito ciò che temevo: il tradimento della vita, ferite segrete come
serrature per aprire il corpo e restituirgli il dolore esiliato, ultimo
appiglio alla vita. Tutto il dolore rimosso. Ho sentito i geroglifici
della pena e della solitudine in forma di cicatrici. Le ho tradotte,
perché conosco quella lingua silenziosa che sa sempre trovare una
nuova parola per definire il dolore, che si può esprimere in troppi
modi, quanti sono gli uomini e le donne...*

*Quella lingua me l'ha insegnata mia madre, che ha sempre avu-
to talento per le lingue che hanno a che fare con la morte... Era
uno di quei giorni in cui mi ero considerato finito, perché mi sentivo escluso dal mondo. Pietro mi aveva chiesto aiuto per i compiti, ma si trattava di esercizi di grammatica in cui identificare
la forma corretta di una parola tra varie possibili, e io mi confon-
devo nel visualizzarle a mente. Non riuscivo ad aiutarlo e, tentativo dopo tentativo, mi sono sentito inutile.*

«Lo chiedo poi alla mamma» mi ha detto.

Mi sono allontanato per piangere da solo e mi sono rifugiato sotto il piumone del letto, come facevo tutte le volte che volevo dimenticare nel sonno chi ero diventato. Era l'unico modo di contrastare la paura del futuro e il senso di inutilità della mia vita. E così mi sono addormentato, tenendo lontano il dolore che poi, al risveglio, avrei trovato moltiplicato, proprio a causa della fuga.

E invece, quando mi sono risvegliato, ho sentito qualcuno sotto quella stessa coperta. Il suo profumo era inconfondibile: mia madre. Era passata da casa nostra per portare una scatola di biscotti alle mandorle, i miei preferiti, che lei preparava con una ricetta che si tramandava di madre in figlia da secoli e che non svelava mai a nessuno. Quel segreto doveva sancire un passaggio di testimone generazionale, era una specie di testamento che riguardava solo i componenti della famiglia. Avrebbe deciso lei il giorno per svelare la ricetta tutta intera. Mi poggiò la mano sul volto.

«Hai pianto, figlio mio...»

Sono rimasto in silenzio. Le parole erano perdute da qualche parte in una terra di nessuno, incastrata tra il dolore e la vergogna.

«E hai fatto bene. A volte è l'ultima risorsa che ci resta per non soccombere. Preoccupati il giorno in cui smetterai di farlo, perché avrai smesso di essere vivo. Ora però devi alzarti.»

«Come?»

«Mettendo un piede dietro l'altro e lasciando entrare il dolore nella stanza più interna del cuore, da dove stai cercando di tenerlo fuori. Non mi importa nulla di quello che riesci o non riesci a fare, non ti ho mai amato per questo.»

«E per cosa?»

«Perché sei una meraviglia. Non so quante volte bisogna ripetere il suo nome a un bambino perché impari che è suo, ma ogni volta che l'ho pronunciato sono stata felice, anche quando ti nascondevi sotto il letto per non farti fare le punture... E così sarà sempre, anche quando non ci sarò più.»

«Che vuoi dire?»

«Che non sto bene e non so quanto tempo mi resta ancora.»

175

«Perché dici così?»

«Perché è così, figlio mio, ma non ho paura.»

«E come fai?»

«Ho fiducia. Ho sempre amato quel passo dell'Apocalisse che dice che quando moriremo ci verrà dato un sassolino bianco, che indica simbolicamente la verità, sul quale ci sarà scritto il nostro vero nome, quello con cui siamo da sempre conosciuti e amati... perché al Padre non importa quanto siamo stati bravi, ma quanto siamo stati figli, con quel nome che lui ha scelto per noi, e solo per noi. Solo così si è sempre vivi, Omero, qualsiasi cosa succeda: se c'è qualcuno che non smette di dire il tuo nome con amore.»

Mi ha accarezzato il viso e poi i capelli, come faceva quando ero bambino e poggiavo la testa sulle sue gambe mentre leggeva.

«Omero... Omero... Omero...» lo ha ripetuto per minuti a intervalli dettati dal bisogno delle mie ferite, della mia solitudine, come se ne sentisse la lingua misteriosa. Poi mi ha sussurrato all'orecchio l'ingrediente segreto dei suoi biscotti alle mandorle.

«Adesso tocca a te, Omero.»

Ciò per cui siamo amati si trova al di sotto della paura, della vergogna, dei fallimenti, ed è intoccabile, perché è la terra in cui Dio passeggia con l'uomo sul far della sera, alla brezza leggera del mare. Solo questo può dare pace: sapersi figli in ogni circostanza, essere perfetti agli occhi di chi ci ama. Ognuno di noi ha bisogno di questa pace, il mondo ha bisogno di questa pace. Anche tu, ne hai bisogno, Elisa.

Durante la cena di Capodanno mia moglie ha chiesto che ognuno di noi esprimesse un desiderio per l'anno nuovo. Pietro ha detto che vuole un telescopio per vedere le stelle di cui papà parla sempre. E io mi sono domandato se non fosse giunto il momento di recuperare quello che mi regalò mio padre e che da troppo tempo è in cantina... Ma come avrei potuto far vedere le stelle a mio figlio? Mentre mi tormentavo con questo pensiero, lui ha aggiunto che ne vuole uno tutto suo perché: «Voglio raccontare a papà che cosa vedo». Ancora una volta si trattava di cambiare prospettiva:

pretendo di essere sempre io al centro dell'azione e invece era venuto il momento di farmi raccontare le stelle da mio figlio e non il contrario, come avevo progettato. E poi chissà, magari recupererò la vista grazie all'operazione che sembra possa essere programmata in estate, per approfittare dei mesi di pausa per stare a riposo. Penelope non ha ancora chiaro che cosa sia un desiderio, e allora le ho chiesto che cosa le piace di più. E lei ha detto la mamma, e poi, dopo una pausa: «Però anche papà». Mia moglie ha detto che vorrebbe fare un viaggio in un Paese in cui non è mai stata. E io? Io che cosa vorrei? Che tutti i miei studenti passassero la maturità, li ho elencati uno per uno, affibbiando a ciascuno un epiteto omerico, cioè da me inventato: Forte Braccio, Cuor Contento, Ruggine, Vagabonda, Bastian Contraria, Matrix, Giovanna D'Arco, Duro Sonno, Cuore Notturno e Lacrima Facile. E ho raccontato loro il perché di ogni soprannome.

«Che ognuno riesca a passare la sua maturità...» «Sei fissato con questi ragazzi» mi ha detto mia moglie. «Ti interessano più di noi.» «Te ne innamoreresti anche tu. Dovresti vederli...» Sì, ho detto così: «Dovresti vederli». Pietro mi ha chiesto allora: «Come fai a vederli?». «Era solo un modo di dire, Pietro.» «Ma poi la vista ti torna quando diventi grande?» mi ha chiesto Penelope. «Non lo so.» E lei: «Così puoi vedere quanto sono bellissima». Mi ha abbracciato e mi ha dato un bacio sugli occhi: «Così ti guariscono prima».

GENNAIO

La città scricchiola nel gelo mattutino e l'aria di vetro amplifica i rumori come una stanza piena di cristalli. Clacson, saracinesche, tram, brandelli di conversazioni... troppo nitido per essere sopportato. Chi sente tutto deve anche fare i conti con tutto. Così mi rifugio nello stanzino di Patrizia, dove regna la quiete. Il primo caffè dell'anno ha un gusto speciale, come tutte le inaugurazioni della vita. Patrizia mi racconta le sue vacanze in Russia e la sua visita alla casa di Bulgakov, dove per anni i suoi lettori andavano a cercare il diavolo, mentre le note di una sonata di Beethoven riempiono di malinconia lo stanzino, che profuma già di caffè.

«Che cosa si aspetta da quest'anno, Patrizia?»

«Non ho aspettative, professore. Ho raggiunto l'equilibrio, devo solo cercare di non perderlo.»

«Non ci credo, altrimenti non leggerebbe così tanti romanzi...»

«Perché?»

«Chi non ha speranza non legge, perché non ha il coraggio di fermare lo sguardo a lungo su qualcosa. Solo chi è disperato non vuole più fare esperienza e lei, Patrizia, mi sembra tutt'altro che disperata.»

«Forse è così, forse ho solo paura di cambiare le mie abitudini.»

«Le abitudini sono la versione rassicurante della paura, i

patti che si fanno per tenerla a bada. Durante le vacanze ho pensato spesso a quello che mi ha raccontato di lei, al fatto di mettersi sempre a distanza di sicurezza. Ma aver a che fare con i ragazzi, qui a scuola, è come leggere romanzi o esplorare i segreti del cosmo. Ha bisogno delle loro vite per fare esperienza. E questo è proprio il modo di non rimanere soffocati dai compromessi a cui scendiamo con la paura e chiamiamo abitudini.»

Patrizia rimane in silenzio, soppesando le parole che si mescolano agli accordi che il sordo di Bonn ha tirato fuori da chissà quale periferia del silenzio.

«Prima avevo paura del vuoto e lo riempivo con la tv, poi si è rotta e mi sono resa conto che non mi mancava. Affidata alle parole dei libri, la mia immaginazione diventava più libera. Le immagini ci dicono ogni istante come dobbiamo essere, che cosa dobbiamo fare e pensare. Invece l'immaginazione ti fa vedere quello che manca alle cose per diventare più belle: io, quando vedo le mie misere piantine sul balcone, immagino i fiori che sbocceranno dopo settimane e questo mi dà speranza e forza. E lo stesso mi succede con i ragazzi. Ho capito che i libri sono una specie di allenamento a questo sguardo sulle cose: le vedi come sono e contemporaneamente come saranno, e ti viene voglia di prendertene cura.»

«Sa qual è uno dei doni della cecità, Patrizia?»

«Quale?»

«Che il cellulare è tornato a essere un telefono. Mi sono liberato di quella compulsione che mi spingeva a controllare messaggi, social, notizie... Sembra incredibile, ma i miei occhi sono più liberi ora, perché decido io dove indirizzare la mia attenzione, non subisco continuamente uno scroscio di immagini.»

«È proprio così. A me succede con i libri, soprattutto quelli lunghi: mentre li leggi le parole si mescolano con la vita di tutti i giorni ed è come se imparassi a mettere a fuoco cose che prima neanche vedevi. In fondo chi scrive libri che restano li scrive per necessità, come Dostoevskij: i soldi per campare in questa vita e le parole per scampare da questa vita. I libri ti costringono a capire quali sono i tuoi pensieri, a volte ti fanno scoprire che pensieri tuoi non ne hai e quello che pensi lo hai fatto tuo senza rendertene conto. Le immagini ti riempiono la testa di miraggi che sembrano pensieri, ma in realtà dentro hai il deserto e stai morendo di sete...»

«Patrizia, lei dovrebbe insegnare lettere ai nostri ragazzi... al posto di quella arpia.»

«Professore, non mi tocchi Anna. La conosco da quando è arrivata qui ed era piena del sacro fuoco che hanno i veri professori.»

«E poi?»

«E poi la vita glielo ha spento.»

«Come?»

«Ha perso un figlio.»

«Un figlio? Pensavo non fosse neanche sposata...»

«Sì, si è tolto la vita. E lei non se l'è mai perdonato. Da quel giorno si è spenta, è diventata di cenere, lei che era tutta fuoco!»

«Non lo sapevo.»

«Non glielo ha chiesto.»

Rimango in silenzio e mi rendo conto della fatica che faccio ad amare. Sono pieno di pregiudizi e incasello le persone prima ancora di averle ascoltate. Pretendo di vederle senza averle mai toccate.

«E lei, professore? Lei cosa si aspetta da quest'anno?»

«Di finire di leggere *Il dottor Živago* insieme a lei.»

«Tutto qui?»

«Non lo avrei mai letto, altrimenti.»

«E poi?»

«Vorrei recuperare la vista.»

«Ha avuto notizie dell'operazione?»

«Sembra che sarà a fine giugno, o ai primi di luglio. Spero solo non coincida con la maturità dei ragazzi.»

Il caffè mi offre le sue ultime intense carezze tiepide. La campana suona. Mi aspetta un anno pieno di incognite, ma una certezza ce l'ho. Patrizia.

A gennaio le cose mi sembravano sempre nuove, ma era solo una distorsione ottica. Le feste appena trascorse, la pausa rinfrancante dei regali e dei camini: tutto congiurava perché gli occhi si convincessero che una luce nuova si fosse posata sulle cose e la vita potesse veramente ricominciare. Da quando non ci vedo sono libero da questa illusione, e gennaio è un mese come un altro. È vero che ci sono state le feste, i regali e i camini, ma quella luce artificiale non si accende senza aver fatto incetta di vetrine e luminarie natalizie. In compenso ho trovato una luce diversa, che non si posa sulle cose ma ne esce. Giorno dopo giorno, la realtà mi sembra sempre più simile alla lampada delle *Mille e una notte*: il genio esce solo se ti ci sfreghi contro. Il che richiede cura, pazienza e anche un po' di fatica, ma poi sempre le cose rispondono esaudendo il desiderio: vincere la noia, la ripetitività, non precipitare nell'abitudine e nel già visto, nella fatica dei giorni. E così gennaio non è altro che una nuova sfida. La vita è rimasta uguale, anno nuovo vita vecchia, ma chissà quante possibilità non ancora esplorate per mancanza di attenzione, chissà quante lampade non ancora sfregate, quanti geni in attesa di ascoltare i nostri desideri.

I ragazzi sono entrati alla spicciolata e hanno interrotto i miei pensieri con saluti pieni di energia, a cui ho risposto con altrettanta gioia, scandendo uno per uno i loro nomi, come se fossero proprio le lampade da cui usciranno le sorprese di quest'anno. La novità non sta certo nei programmi o nelle riunioni, ma nelle loro vite che costringono la nostra a rinnovarsi.

«Sappiate che è iniziata quella parte dell'ultimo anno di

superiori in cui noi insegnanti siamo ossessionati dal programma. Temiamo di far brutta figura con chi vi esaminerà e quindi corriamo, perché almeno la quantità di argomenti confonda i pregiudizi dei professori esterni o quanto meno li impressioni favorevolmente: noi facciamo bella figura e se va male è perché voi non avete studiato. Che poi voi sappiate e abbiate capito qualcosa è secondario. Dal mio punto di vista, che detto da un cieco fa ridere, credo sia meglio capire in profondità una cosa, piuttosto che fingere di saperne due.»

«Ma perché nessuno cambia mai niente?» interviene Caterina.

«Perché a nessuno interessa la verità, ma che tutto funzioni.»

«Ma se qui non funziona manco il riscaldamento, oggi» si lamenta Elena.

«Io voglio vivere, non funzionare» ribatte Caterina.

«Per questo ci serve la verità, e per il riscaldamento... mi spiace, credo proprio che la verità sia più semplice da ottenere» le rispondo.

L'aula è immersa in un'aria gelida alla prima ora: l'effetto benefico dell'addensamento dei corpi, che con il passare delle ore la trasformerà in una stalla, ancora non ha cominciato a migliorare la situazione. L'anno si è aperto con problemi alla caldaia, e prima che si riesca ad avere un intervento approvato dalla inesauribile burocrazia implicata, saremo tutti surgelati. Indosso il cappotto e la sciarpa, ma i piedi e le mani sono freddi e doloranti. Ho sempre sofferto di problemi di circolazione alle estremità e temo che le dita possano cadermi da un momento all'altro.

«Meglio concentrarsi su qualcosa di caldo. Quanto tempo ci vuole perché qualcosa venga alla luce?»

«Dipende.»

«Da cosa?»

«Se si tratta di una pianta, di un animale, di un uomo...»

«Provate a cambiare prospettiva e non concentratevi su ciò che riceve la luce, ma sulla luce stessa.»

«In che senso?»

«Usate l'immaginazione. Chiudete gli occhi!»

Aspetto qualche secondo in silenzio.

«Adesso apriteli! Quanto tempo ci vuole perché ogni cosa venga alla luce?»

«Un istante!»

«Qualche cosa in più.»

«Cioè?»

«Quell'istante ha già una storia lunga 8 minuti. Accompagnatemi alla finestra.»

La apro e metto fuori la mano. Una folata di odori congelati e indistinguibili mi investe il viso.

«150 milioni di chilometri separano il Sole dalla mia mano. Io non posso vederla, ma se la espongo al Sole dopo qualche secondo il tepore dei raggi me la restituisce e so che ogni secondo un milione di miliardi di fotoni bombarda ogni centimetro quadrato di pelle. Ognuno di quei fotoni è partito 8 minuti e mezzo fa dal cuore di una gigantesca palla di elio e idrogeno che si trova a 1/63.241 di anni luce. Ognuno di quei fotoni si è scagliato fuori con un'energia spropositata, la stessa che rende la Terra totalmente dipendente dal Sole: prima ancora della gravità, è la luce della stella che l'attrae. Ogni fotone è il frutto di miliardi di bombe atomiche che rotolano l'una sull'altra, fiammate di migliaia di chilometri che scolpiscono il giorno e la notte, illuminano le azioni degli uomini o le nascondono. Questa infinitesima scintilla fatta di materia ed energia, caos e ordine, bagna i nostri volti per rischiararli e renderli belli.»

«Prof, ora non esageriamo... Belli... Solo alcuni fortunati» dice Oscar.

«Ma quando la pianti?» lo rimbrotta Elena.

«Chi disprezza compra!»

«Ma vaffanculo.»

«Prof, l'ha sentita?»

«Sì, e ha ragione» dico in tono bonario, «ogni tanto un vaffanculo ben assestato ha la sua bellezza. Ti arriva in faccia alla velocità della luce quando meno te lo aspetti...»

«Il solito femminista, se l'avessi detto io mi beccavo una nota» commenta Oscar.

«Elena non ha bisogno di me, Rocky» gli dico ridendo.

«Non mi tocchi il mio film preferito, professore» mi risponde.

«Anche tu mangi 5 uova crude alle 4 di mattina prima di allenarti?»

«Non e-sa-ge-ria-mo...» dice Oscar imitando la voce sillabata di Ivan Drago.

«Ma ancora Adriana non l'hai trovata, mi sembra...» lo prendo in giro.

«E lei che ne sa...»

«Chi se lo prende uno come te?»

La classe scoppia a ridere. Oscar è al tappeto.

«Dicevo... Il fotone vince ogni ostacolo, l'assenza di gravità non lo spaventa, l'attrito dell'aria non lo scompone. Questa luce e questo calore ci investono come una carezza originaria data a tutte le cose, perché la luce è la prima di tutte le forze del mondo. Aprite gli occhi. Chiudeteli. Apriteli. Chiudeteli. Tornate a stupirvi della luce, di tutta la luce che tocca le cose e ci costringe quindi a dare un nome diverso a ciascuna. Di questa luce io non posso vedere nulla, ma in realtà la mia retina ne sapeva pochissimo anche quando ci vedeva.»

«Perché?» chiede Ettore.

«Perché l'energia che il Sole riversa nello spazio è concentrata in minima parte su lunghezze d'onda comprese tra 380 e 760 miliardesimi di metro. La nostra retina è sensibile solo a questo ristrettissimo intervallo di lunghezza d'onda: la radiazione elettromagnetica che chiamiamo luce. Ma è solo una parte della storia. Sono molte di più le cose che ci sono e non riusciamo a vedere. Circa il 90 per cento di ciò che compone l'universo viene chiamato materia ed energia oscura, e non perché sia buia, ma perché c'è e non la percepiamo: non vediamo il 90 per cento delle cose. Quindi in fondo ho perso solo un 10 per cento della vita. Ma perdere anche quel decimo mi ha aperto gli occhi.»

«Perché?» È la volta di Elisa.

«Perché per vedere le cose adesso ho le mani: dalla punta delle mie dita escono fotoni che illuminano il 90 per cento di materia e di energia invisibile a occhio nudo.»

«Che tipo di fotoni sono?»

«Attivano la vita nascosta nelle cose e la fanno venire alla luce, come il genio della lampada di Aladino.»

«Un po' come Luce, l'educatrice della mia casa famiglia» dice Cesare.

«In che senso, Cesare?»

«Quando lei mi tocca una mano o mi dà una carezza, a me la corazza mi si spezza, e il respiro che era imprigionato riesce a uscire, viene liberato.»

«Ma ancora non ci hai fatto niente?» chiede Oscar.

Mentre Cesare e Oscar si accapigliano penso a quanto mi sento fragile di fronte a tutta questa bellezza, e grato allo stesso tempo. Dio parla con ogni cosa della vita, ma la sua voce, il suo tocco rimangono nascosti se non si è disposti a riceverli. Nell'aula la luce dilaga, non una luce riflessa, ma una luce interna ai corpi. Tutta quella vita unica e inedita manda una luce accecante. E io posso vederla, o meglio, sentirla.

Bussano alla porta.

«Avanti!»

«Prova di evacuazione! Prova di evacuazione! Recarsi nei luoghi adibiti seguendo le vie di sicurezza segnalate», è la voce di Patrizia usata come megafono in assenza di altri mezzi di amplificazione.

«Che palle sti incendi di prova!» sbotta Oscar.

I ragazzi si alzano repentinamente e si dirigono verso la cattedra tra le risate. Sono loro che devono salvare me dal finto incendio. E così mi prendono di peso e tra le risate mi sollevano e mi trasportano fuori. Io cerco di divincolarmi e comincio a ridere: ho sempre sofferto il solletico in modo esagerato.

Così vengo trasportato come un re su un trono di braccia attraverso le uscite di emergenza. Arrivati in cortile, un vociare felice di corpi baciati dal sole invernale riempie l'aria, corpi liberati da mura che li trattengono per 5 o 6 ore ogni giorno. «Romeo, Romeo, Romeo!», all'improvviso un coro scandisce il mio cognome, mentre sono ancora seduto sul trono di braccia intrecciato da Oscar ed Ettore.

Sento gli sguardi di tutta la scuola su di me. Rido come un bambino. I ragazzi con me. Per un attimo sembra di poter essere felici anche in cortile. Scendo dal trono e vengo invitato a fare un discorso, come un antico imperatore.

«La prova è perfettamente riuscita. Anche un cieco si è salvato. Ed è merito vostro» dico togliendomi gli occhiali da sole con un gesto teatrale.

Un applauso si leva, corale.

Poi tra le risate torniamo lentamente in classe. I ragazzi trasformano tutto in gioco ed è forse questo che devono ricordarci, mentre noi gli insegniamo a prendere sul serio le cose.

«Romeo, questa è una prova di evacuazione antincendio. La scuola non è un circo!», è la voce del preside.

«Ah no? A me sembra piena di animali in gabbia che noi cerchiamo di addestrare a ripetere esercizi ridicoli.»

«E sarebbero?»

«Fingere che ci sia il fuoco.»

«Che cosa intende?»

«Che qua dentro il fuoco lo abbiamo spento da tempo. Possiamo solo fingerlo...»

Quando rientriamo in classe chiedo ai miei ragazzi di scrivere sulla prima pagina del loro libro questa frase di Einstein, che voglio ci guidi nell'anno che comincia: «"La cosa importante è non smettere mai di interrogarsi. Non si può fare a meno di provare riverenza quando si osservano i misteri dell'eternità, della vita, la meravigliosa struttura della realtà. Basta cercare ogni giorno di capire un po' il mistero. Non perdere mai una sacra curiosità." Non permettete mai a nessuno di togliervi questa curiosità, di estirpare la meraviglia per il mistero dai vostri occhi. E adesso cominciamo l'appello proprio da qui, raccontatemi che cosa avete cercato in queste vacanze e che cosa cercherete in questi ultimi mesi di scuola».

AURORA

Durante le vacanze abbiamo deciso di rilanciare l'Appello. Non potevamo tradire ciò che abbiamo cominciato. All'assemblea di dicembre abbiamo raccontato ciò che avevamo fatto e la nota disciplinare che abbiamo ricevuto. I ragazzi della scuola hanno ascoltato come non accade mai, poi Cesare ha cantato la canzone dell'Appello mentre noi lo accompagnavamo. Mattia ha scritto un articolo per il giornale della scuola che esce oggi, primo giorno dell'anno scolastico, per spiegare perché non si può rinunciare a questa resistenza passiva alla scuola così com'è. Lo ha firmato con lo pseudonimo "Arthur" e intitolato: *Non vogliamo tornare all'anormalità!* Che genio sei, Mattia! Propone a tutti i ragazzi di rilanciare la sfida dell'Appello: una settimana di Appello con i professori bendati, che toccano i volti dei propri studenti dopo averne ascoltato le storie. Elisa ha disegnato il simbolo: sono due mani appoggiate sulle guance di un volto. All'immagine abbiamo associato le parole di Einstein che lei ci ha detto qualche tempo fa: "Chi crede che la propria vita e quella dei suoi simili sia priva di significato è non soltanto infelice, ma appena capace di vivere". Abbiamo distribuito questo volantino nelle classi prima che cominciasse la giornata scolastica. E ora vediamo che cosa succede.

MATTIA

Oggi voglio raccontarvi la storia di un poeta a cui abbiamo dedicato tre minuti, perché *non c'è tempo, il programma incalza*, e che io sono andato a leggermi per i fatti miei. La sua vita mi ha incuriosito e ho scoperto che era malato di tubercolosi. E fin qui, direte, niente di strano, tubercolosi compresa. Ma lui, ormai certo della sua sorte, ha cominciato ad allevare farfalle di varie specie, di cui osservava la metamorfosi e i colori, per scriverci su un poema. Lottava con la paura della fine custodendo e osservando la bellezza di creature che muoiono per diventare splendide. Negli ultimi tempi regalava crisalidi in letti di cotone ad amici e amiche, perché le ammirassero prendere il volo. Alla donna di cui era inutilmente innamorato scrisse: "Voglio mandarvi qualche crisalide: non ridete, vi prego. Mi attira il pensiero che si schiuderanno nella vostra camera. Estraetele dalla scatola dove ve le invierò, senza toccarle, sollevando per i lembi il cotone dove sono adagiate e deponetele senza smuoverle in una scatola più ampia, dove la farfalla nascitura abbia sufficiente spazio per distendere le ali. E lasciatele in pace, come bimbi che dormono, senza toccarle, né agitarle: fra quindici giorni nasceranno". I poeti sono soli perché la bellezza li attraversa senza fermarsi, senza lasciarsi trattenere, è un'ospite inattesa in un albergo a una stella. Credo che noi stiamo facendo lo stesso, stiamo facendo schiudere le crisalidi nelle aule, stiamo dando alle ali lo spazio per distendersi. Questo è quello che ho scritto anche nell'articolo sull'Appello. Ed è la prima volta che le cose che amo non mi sembrano assurde e non mi fanno sentire ancora più solo.

CESARE

Anche a me è successo lo stesso. Per la prima volta Ruggine non è un fesso. Quello che so fare è quello che serve, non mi devo vergognare, non sono in panchina, tra le riserve, non sono l'asino che raglia, ma un titolare pronto a segnare, c'ho il nome sulla maglia. La gente ha ascoltato la canzone, l'ho dovuta sistemare come Dio comanda, con la registrazione, il mix e il resto della banda. E c'è a chi piace e a chi no, ma non importa, perché non è questo che mi sposta, ma il senso che ha l'Appello, e spero ne esca un bordello, un caos giusto, di quelli che rimettono le cose in discussione, non chiacchiere di rivoluzione, ma cambiamenti veri, quelli che avvengono in silenzio, nelle teste e nei cuori, passo dopo passo, a regola d'arte, con la squadra e il compasso. E quando la metto in rete con il video, la fama non me la toglie più nessuno, se ne parlerà da Trapani a Belluno. Ci faccio un disco con l'Appello. Pieno di canzoni belle, che le canti senza sapere perché, sempre quelle, perché sono così vere che ti aiutano a vivere.

ELENA

Più ci sono giorni vuoti più io sento il vuoto delle mie domande. E se la mia fosse stata una bambina? Come l'avrei chiamata? Come avrebbe risposto all'Appello? Gioia? Costanza? Eva? Giulia? Federica? Stella? Aurora? Beatrice? Sento dentro di me un cimitero e sulla lapide non c'è neanche un nome.

STELLA

Durante queste vacanze sono andata al cimitero e mi sono seduta sulla sua tomba. E mentre fissavo il suo nome ho immaginato il mio sulla copertina del libro, accanto al suo. So che è quello che lui vuole: che io porti a termine la sua opera e che il suo nome torni vivo, grazie a me. E così ho baciato quel nome di pietra.

ACHILLE

Ragazzi, io ho fatto una cosa che non vi ho detto: ho creato dei profili dell'Appello: Twitter per i dinosauri, Facebook per i Neanderthal, Instagram per i Sapiens e, con i dovuti accorgimenti che piacciono all'algoritmo, ho fatto in modo che emergano bene dalle ricerche. Se voi mi date il permesso li metto online, con il manifesto e la canzone di Cesare. E così finalmente tutto quello che ho imparato e so fare sulla rete serve per qualcosa che esce dalla mia stanza.

OSCAR

Sarò sincero, io a questa cosa dell'Appello non ci credo. Cioè, ci credo finché la facciamo noi qui in classe con il professore. Qui è vera, è una necessità. Ma che senso ha fuori di qui? Diventa finta, come la prova antincendio. Tanto lo sapete che non cambia nulla, non è mai cambiato nulla e non cambierà mai nulla. Sai che gliene frega ai professori della faccia degli alunni, del loro nome, della loro vita... Ognuno è fatto per farsi i cazzi suoi e gli altri esistono solo quando gli servono. C'ha ragione quello lì che dice che l'uomo è un lupo. Così va il mondo. Ce la vogliamo far piacere in qualche modo, ma sta vita che abbiamo è proprio sfigata. È un sogno da cui ci si risveglia sempre delusi.

CATERINA

No, Oscar, non è vero. Non esiste l'altruismo e hai ragione tu quando dici che siamo tutti egoisti. Ma proprio per questo siamo stati bambini, persino tu... Abbiamo costretto i nostri genitori, anche i più egoisti, ad accudirci, a cambiarci il pannolino otto volte al giorno, a cantarci la ninna nanna tutte le sere, a inventare storie per farci addormentare, a consolarci quando avevamo dolori di cui non conoscevamo l'origine e a sopportare inutili capricci... E questo li ha resi diversi, perché noi impariamo ad amare gli altri prendendoci cura di loro. Se anche in una sola classe, su dieci che lo faranno, l'Appello cambiasse un paio di mani e di orecchie, allora avrebbe funzionato. Non dobbiamo cambiare il mondo, ma qualche persona. Vi ho già raccontato di mio fratello: per anni l'ho odiato perché rubava le attenzioni dei miei genitori che non c'erano mai per me. Ma un giorno me lo hanno affidato per la prima volta, a me da sola. Lui sentiva che io ero lontana, arrabbiata, con lui e con il suo modo di essere. E allora mi ha abbracciato e ha cominciato a farmi le carezze. Poi ha preso le costruzioni e voleva fare un aereo, ma non era capace. Mi si è avvicinato e mi ha chiesto *ti aiuto?* Lui non riesce a dire le cose in modo corretto, voleva dirmi "mi aiuti?", e invece gli è uscito il contrario. Ma quel giorno ho capito che aveva ragione lui, e che quella frase era giusta così. Era lui che stava aiutando me. Ho imparato a prendermi cura di me, aiutando mio fratello. In fondo chiunque abbia bisogno di noi ci sta dicendo "ti aiuto?". Se solo la smettessimo di proteggerci dalla fatica di amare perderemmo molto meno tempo e non avremmo paura di rinunciare un po' a noi stessi, per poi guadagnare il doppio rispetto a quello che abbiamo perso. In fondo con l'Appello noi spingiamo ogni studente a dire al proprio insegnante "ti aiuto?".

ETTORE

Forse per questo i miei genitori si sono separati: non li ho aiutati abbastanza... Io sono qui solo perché un giorno avevano voglia di scopare. Le conseguenze di una scopata sono eccessive. Prima bisognerebbe imparare ad amarsi, perché amare è molto più difficile. Amare non ti viene così, bisogna imparare. Ogni volta che sono sulla metropolitana tra la casa di mio padre e quella di mia madre, io mi devo concentrare e devo decidere di amarli. Ma spesso non riesco a tirar fuori altro amore. Faccio quel che posso. Che ne sarebbe di mio padre se non l'aiutassi? E mia madre come può vivere di rabbia così a lungo? Entrambi si distruggono. La vita li ha traditi, l'amore li ha traditi, non si aspettano più nulla se non demolire quello che hanno costruito. Per questo noi dobbiamo fare l'Appello e farlo fare a mezzo mondo: perché sapere di non essere soli, per qualcuno, è questione di vita o di morte. E se ne salviamo anche solo uno ne è valsa la pena, dovesse costarci 100 note disciplinari.

ELISA

Non mi sentivo così presente a me stessa da tempo. È stato un Natale bellissimo, e non perché io abbia pattinato nel cuore di Central Park, con il cielo di un azzurro compatto. Ma perché ci siamo riuniti a casa di Aurora per decidere cosa fare dell'Appello. C'eravamo tutti: eravamo in una stessa stanza non perché il caso ci avesse obbligato, ma perché lo avevamo scelto e avevamo qualcosa di bello da condividere nel mondo reale. Mi sono divertita a comprare un regalo a ciascuno. Mi è piaciuto girare per i negozi e osservare le cose pensando a chi potesse piacere un oggetto: un libro, una maglietta, un taccuino... Mi si è moltiplicata la vista, perché quando vuoi bene a qualcuno devi farti prestare i suoi occhi. Mi sono moltiplicata per nove, e vedevo cose che non avevo mai visto. Ero più reale. È proprio vero, professore, che amare apre gli occhi. E visto che oggi è il mio compleanno mi piacerebbe festeggiarlo con voi.

Elisa ha spento le sue 18 candeline in classe. Ogni studente dovrebbe festeggiare il suo compleanno in classe alla prima ora, alla presenza di tutti gli insegnanti, per celebrare insieme il fatto che ci sia anziché non esserci. Celebriamo i compleanni di autori, scienziati, filosofi e delle loro opere perché sono compleanni dell'umanità, ma sarebbe bello festeggiare il semplice fatto di esserci, senza per forza aver fatto qualcosa di eclatante. In fondo una cultura si misura dalla sua capacità di celebrare la nascita di qualcuno, la sua novità, indipendentemente dai risultati. Stavamo cantando *Tanti auguri*, quando è entrato il preside, senza bussare.

«Che cosa succede qui?»

«Stiamo festeggiando un diciottesimo, preside, se vuole unirsi a noi» rispondo per parare i colpi che arriveranno.

«E di chi?»

«Di una delle nostre alunne più brillanti: viaggiatrice vagabonda e lettrice onnivora.»

«Romeo, lei dovrebbe sapere che il regolamento vieta di fare feste e consumare cibo nelle aule.»

«In realtà è parte integrante del programma: si tratta di un esperimento scientifico.»

«E che esperimento sarebbe?»

«Volevamo calcolare la percentuale di probabilità che qualcuno rovinasse la festa» rispondo con serietà all'inizio, per poi fare un gran sorriso bonario nella sua direzione.

Il preside rimane in silenzio, interdetto. I ragazzi riempiono quel silenzio con voci di assenso e insistono perché il preside si fermi e assaggi la torta.

«Non tollero questi comportamenti nella mia scuola. Non siamo in un bar! Qui si fa cultura! E voi siete sorvegliati speciali.»

«Credo che anche questo sia cultura, preside. A che serve conoscere se non a prendersi cura delle persone?»

«Romeo, la filosofia l'ho studiata io, non lei. Si attenga alle scienze: è pagato per insegnare scienze e tenere la disciplina! Ci sono delle regole e vanno rispettate. A proposito, ora mi dovete dire chi ha scritto questo articolo sul giornale della scuola e chi ha stampato questo volantino! Me lo hanno portato già vari insegnanti.»

Rimaniamo in silenzio. Il battito di ali della farfalla chiusa nella nostra aula comincia a mettere in moto l'uragano nei corridoi della scuola. Il caos ha questo di bello: permette di scoprire che il vuoto non esiste e che se fai la tua piccola mossa dove sei, in modo imprevedibile, ogni cosa si mette in moto.

«Quando finisce questa lezione, o questa pagliacciata, perché mi sembra che qui ormai tra scuola e circo non ci sia più differenza... venga da me! Credevo che con la nota avessimo chiuso questa pratica. Voglio sapere che cosa sta succedendo.»

«Adesso anche scrivere è contro le regole?»

«Non si possono prendere o proporre iniziative scolastiche senza la regolare approvazione del progetto, soprattutto se coinvolge le altre classi. Romeo, siamo in una scuola dello Stato, non in un villaggio vacanze. Non creda che, a motivo della sua condizione, chiuderò un occhio...»

«Io li ho chiusi entrambi...»

I ragazzi ridono.

«Silenzio!»

«Se vuole fermarsi con noi le spieghiamo tutto. Io non ho inaugurato alcun progetto didattico. I ragazzi volevano condividere qualcosa in cui credono.»

«Forse non sono stato chiaro. Questa festa è finita!»

Il preside si avvicina alla cattedra. Prende la torta e la butta nel cestino, con forza, perché io senta il tonfo.

«La aspetto in presidenza!»

La porta sbatte con violenza, la maniglia cade fragorosamente.

I ragazzi rimangono in silenzio per pochi secondi, poi, come se si fossero messi d'accordo, urlano all'unisono «Sììì!».

Mi metto a ridere con loro. Quando suona la campana dico:

«Adesso andiamo tutti a festeggiare in presidenza. E ci giochiamo la maturità...»

Il preside non si aspettava l'invasione, ma i ragazzi non gli danno neanche il tempo di reagire: si asseragliano davanti alla sua scrivania. Io rimango in piedi dietro di loro. Mi sento a capo di un plotone di irriducibili.

«Che cosa volete? Ho convocato il vostro insegnante, non voi.»

«È con noi che deve parlare, preside. Abbiamo fatto tutto noi» dice Achille, l'ultimo da cui mi sarei aspettato una presa di posizione così ferma, anche se la voce un po' gli trema.

«Questa maturità proprio non la volete fare... E dire che vi avevo avvertito!»

«È questa la nostra maturità» risponde Elena.

«Che vuol dire?»

«Se io mi metto in mezzo al corridoio con una sigaretta, che succede?» chiede Caterina.

«Gliela faccio spegnere e poi le do la multa, una nota e la sospendo» ribatte il preside.

«E perché?»

«Perché c'è una normativa da rispettare. Una regola!»

«E perché c'è questa regola?»

«Perché è giusta.»

«Che vuol dire giusta?»

«Che protegge la vita delle persone.»

«Esatto. Per questo noi vogliamo l'Appello.»

«Che c'entra?»

«Non ci sono solo cose che fanno male al corpo. Ne esistono di ben peggiori, e sono quelle che fanno male all'anima. Ma per queste non c'è nessuna normativa, nessuna regola, perché a scuola dell'anima non frega niente a nessuno. Indifferenza, violenza psicologica e verbale, ignoranza... sono molto peggio delle sigarette. Provocano un cancro peggiore. Il cancro dei nomi. Lo volete capire che siamo stufi di regole senz'anima...»

Il preside rimane per un istante in silenzio. Poi riprende: «Queste idee gliele ha messe in testa lei, Romeo».

Non rispondo.

«La smetta di trattarci come bambini manipolati: vi va

bene solo quando siamo conformisti e se protestiamo in modo compiacente. Poi quando mettiamo il dito nella piaga dite che siamo manipolati, proprio perché vi fa male...» Inconfondibile il piglio di Caterina.

«Lei veda di stare al suo posto.»

«E chi si muove!» gli risponde senza tentennamenti.

«Conosce la Rosa Bianca?» chiedo al preside, prendendo per la prima volta la parola, per evitare che la situazione sfugga di mano.

«Non è il momento di parlare di botanica, professore.»

«Ma che botanica... Era un gruppo di studenti che frequentavano la stessa scuola nella Germania di Hitler, dal 1942 al 1943. Quei ragazzi si trovavano di nascosto nei locali della scuola, nottetempo, per leggere opere vietate dal regime e per resistere alle menzogne della propaganda. A poco a poco la loro opposizione culturale si trasformò in azione. Comprarono a loro spese un ciclostile, fogli, buste, francobolli... e cominciarono a stampare e distribuire di nascosto i volantini della Resistenza. Li mettevano nelle cassette della posta, li spargevano nelle aule scolastiche e universitarie. La Gestapo cominciò a indagare e riuscirono a stanarli. Li incarcerarono e torturarono per sapere i nomi di tutti. I ragazzi non ritrattarono mai le loro posizioni. In 15 furono decapitati. Il giorno dell'esecuzione, una delle fondatrici del gruppo, Sophie, andando alla ghigliottina disse: "Una giornata di sole così bella, e io me ne devo andare. Ma che importa la mia morte, se attraverso di noi migliaia di persone si sono risvegliate all'azione?". Le città tedesche furono inondate dei loro volantini dagli aerei inglesi.»

«E cosa c'entra questo?»

«Le idee sono nelle loro teste, non ce le ho messe io. E quando le teste funzionano, mandano in crisi il mondo a rovescio. E il potere le taglia. Va sempre così...»

«Il mondo a rovescio?»

«Sì, il mondo della menzogna in cui finiamo per crede-

197

re perché metterlo in discussione è pericoloso. Quando si rinuncia alla verità, immediatamente si insedia la menzogna, perché l'uomo non può vivere senza verità, non si può vivere senza una ragione, e così se ne fa una privata, a suo uso e consumo, e deve difenderla a ogni costo. Il potere serve a tenere in piedi il rovescio, e dove c'è il potere si addensano tutti i gregari incapaci di pensare con la propria testa: gli esecutori, finalmente felici di aver dato senso alla loro vita. Ma poi per fortuna c'è sempre qualche cuore pensante che vive ancora nel dritto, non rinuncia alla verità e si ribella a rovescio. Sa qual era il motto della Rosa Bianca?»

Senza dargli il tempo di fermarmi aggiungo: «"Uno spirito forte, un cuore tenero." Di questo abbiamo bisogno, preside, di ragazzi dotati di spirito forte e cuore tenero. Invece li stiamo trasformando in ragazzi dallo spirito debole e dal cuore duro, cioè stanchi, disperati e manipolabili».

«Lei esagera, professore. Non siamo mica in una dittatura!»

«Forse no, o forse sì, una dittatura morbida, dolce, accogliente... ma come scrivevano i ragazzi della Rosa Bianca: "Ciascun popolo merita il regime che accetta di sopportare".»

«E con questo che vorrebbe dire? Lei mi ha stufato, Romeo! Questa situazione è una pagliacciata intollerabile.» Il tono di voce si inasprisce a ogni sillaba, segno che sta perdendo il controllo e ha rinunciato a qualsiasi possibilità di ragionamento. «Maledetto il giorno in cui le ho dato l'incarico!»

«Preside, guardi che l'idea è nostra!» interviene Mattia.

«E per la cronaca, Arthur sono io!»

«Peggio per lei e peggio per voi! Non ci metto niente a farvi saltare l'anno! Lo volete capire!»

«Forse non ha capito lei, preside» interviene Achille.

«Che cosa?»

«Siamo noi che facciamo saltare la scuola.»

«Ma lei come si permette? Chi si crede di essere? Come si chiama?»

Achille non risponde.

«Che cosa fa, tace? Le ho chiesto come si chiama!»

Sento trambusto.

«Achille! Che succede?» gli urla Ettore.

«Aiuto... non respiro» sento rantolare.

«Deve essere una crisi d'asma. Fategli spazio.»
Resto paralizzato in fondo alla stanza perché non posso
fare nulla. I respiri di Achille si fanno strascicati e sempre
più sordi. Avrò un alunno sulla coscienza.

Qualcuno esce di corsa, mentre i ragazzi si agitano attorno a me.

«Ecco, ecco!», è la voce concitata di Stella. «L'ho trovato,
era nello zaino.»

I respiri di Achille si placano. L'inalatore gli ha riaperto i bronchi.

I miei ragazzi sono poco adatti a salvare il mondo, ma almeno sanno come salvarsi l'un l'altro, come una rosa i cui
petali presi singolarmente possono sembrare insignificanti, ma insieme formano un disegno perfetto.

Escono dalla stanza del preside senza dire nulla. Io resto
in un angolo, pietrificato.

«Avevo detto a lei di venire, da solo. Ecco cosa succede a
fare di testa propria. Se non lascerà in pace questi ragazzi
sarò costretto a mandarla via.»

«Non posso lasciarli in pace, altrimenti faranno la guerra contro se stessi.»

«Romeo, con le sue frasette mi ha stufato. Finiamola con
queste manie di protagonismo: dissuada i ragazzi dal continuare a perdere tempo con certe velleità adolescenziali.
Li faccia concentrare sulla maturità. E adesso se ne vada al
diavolo.»

Alla ricerca del tempo sprecato
Diario di un professore cieco

C'è troppo caos sul tuo volto, Oscar. C'è caos sul volto di ogni adolescente, e ogni giorno è una nuova battaglia tra la ricerca dell'ordine e il disordine dei sentimenti, dei pensieri, delle paure, dei rancori, delle illusioni e delle delusioni... È vero, ma al tuo volto, Oscar, tu hai voluto aggiungere i colpi, per essere in pari con la vita, restituirle i pugni che ti ha dato. Quando ho messo le mie dita sul tuo volto era gonfio, una maschera di pelle che nasconde i veri confini della carne e quindi della verità. Quando ci chiedono di disegnare qualcosa noi ne disegniamo il perimetro, quasi che per definire una cosa serva indicare dove finisce. Ma il tuo volto non si sa dove finisca, Oscar, né dove cominci. I tuoi zigomi irregolari, l'arcata sopraccigliare storta, la mandibola squadrata, e il naso storto, già rotto almeno due volte, con la cartilagine molle e il profilo schiacciato. Ho toccato il tuo desiderio di essere colpito più che di colpire. Vorrei che per un attimo lo facessi riposare, questo volto e questo dolore. Vorrei che tu cercassi la vita invece di ostinarti a prendere a pugni la morte...

Mi ricordi il giorno in cui sono salito sul tetto dove tenevo il telescopio che mi aveva regalato mio padre. Era una giornata senza vento e la cima del palazzo era immersa nel silenzio, i rumori della strada arrivavano appena. La città, sotto di me, arrancava più del solito per annottare. Sentivo su di me il peso dell'aria, ero un pavimento su cui la vita, il cielo e il dolore consumavano il loro baccanale. Da due anni non vedevo più nulla. Mi mancavano le stelle che prima studiavo ogni settimana, non riuscivo a sopportare di non veder crescere mio figlio, il contatto con mio padre era diventato impossibile. Alla quasi incolmabile distanza della sua demenza senile si era aggiunta la mia cecità: ora eravamo due isole senza più collegamenti. Tutto quello che eravamo sembrava svanito. La solitudine avvelenava ogni mio pensiero e ogni mio sentimento, non riuscivo più a raggiungere mia moglie, non volevo darle quella solitudine, pensavo di doverla affrontare da solo, perché mi vergognavo troppo di essere così debole. Avevo perso il gusto della ricerca, la mia proverbiale e insopportabile curiosità, avevo smesso di insegnare perché mi sembrava impossibile continuare. Il buio mi aveva tolto tutto e a poco a poco la vita dentro di me si era spenta. E io su quel tetto volevo dare seguito a quella solitudine. Sarebbe bastato un salto, anzi neanche, un passo. E così sono salito sul muretto, in piedi. Dal punto di vista meccanico è facilissimo farla finita, ma lo spirito se ne infischia della meccanica. Ho camminato lungo quel muro come un funambolo, con le braccia larghe, per mantenere l'equilibrio. Sotto di me un vuoto lungo dieci piani mi sbatteva contro il viso, ma mi sforzavo di immaginare che ci fosse solo un gradino da scendere per andare avanti nella vita. Sarebbe stato un volo breve, cieco, senza neanche la paura di sfracellarsi, perché non avrei visto il suolo avvicinarsi. Un buio definitivo avrebbe sostituito quello provvisorio. Ho rivolto il viso verso il cielo, urlando a Dio che mi aveva abbandonato e che non mi restava nulla da vivere. Gli ho chiesto perdono, ma avevo troppa paura di continuare a vivere così, perdendo ciò che avevo amato un granello alla volta, come lo stillicidio di una clessidra. Ero un peso per tutti, e più che mai per me stesso. Bastava un passo per dire addio e abbandonarsi definitivamente all'abbraccio del nulla. Ho cominciato a mettere in ordine i dieci suicidi più importanti della storia: Socrate, Giuda, Monroe, Catone, Cleopatra, Seneca, Cobain... Non avevo la dignità e l'estro di nessuno di costoro. La mia insignificanza aveva ricevuto dalla cecità un certificato autentico. La nostra vita è in balia del dolore e il contrappeso dell'amore non basta mai. Mai. Giunto a questa conclusione, con calma, ho staccato il piede e mi sono buttato nel vuoto. E sono precipitato. La caduta è durata un attimo. La mia caviglia si è spezzata. Ma io ero vivo. Ero sopravvissuto a un volo di dieci piani, la mia vita serviva ancora a qualcosa. Dio aveva un piano diverso per me? Mia moglie mi ha trovato così.

«Che ci fai qui per terra sul tetto?»

Non ho risposto.

«Che hai fatto al piede? Che hai fatto?»

Ero caduto dal lato sbagliato. Perso nei miei pensieri, mi ero voltato dal lato del tetto. Ero un miracolato: la cecità mi aveva salvato dalla disperazione.

Mia moglie mi ha abbracciato e mi ha baciato sugli occhi, poi ha avvicinato le labbra al mio orecchio e mi ha detto:

«Sono incinta.»

E io ho pianto, non so se per il dolore della caviglia o perché il mio confine si spostava improvvisamente oltre il perimetro del buio e della solitudine.

«Ho bisogno di te. Torna da me, così come sei» mi ha detto. E mi sono sentito amato proprio per ciò di cui mi vergognavo di più.

E in quell'istante sono rinato, perché ho lasciato morire la vecchia vita in cui avevo io il dominio sulle cose. Era cominciata una vita nuova, in cui dovevo imparare a ricevere.

FEBBRAIO

La città ronza in lontananza sulla medesima nota, operosa come un alveare. Ci sono mesi in cui le vite ammassate mandano un rumore piuttosto ripetitivo e noioso. L'inverno affamato di quest'anno comincia ad allentare il suo morso: dopo aver spolpato anche le ossa delle cose si allontana, sazio. "Il professor Romeo, ideatore della protesta, è cieco." Patrizia mi descrive la pagina del giornale con la mia foto e la didascalia. Una pagina intera con le interviste ai ragazzi, con tanto di richiamo sulla prima pagina del più importante quotidiano nazionale: "La rivoluzione della scuola sta in un Appello. Per farla ci voleva un cieco".

Rimango in silenzio, mentre sorseggio il primo caffè di febbraio e ignoro l'insopportabile ironia del titolista.

«Non sapeva nulla?»

«Nulla.»

Tutto è cominciato dall'articolo di Mattia, dalla canzone di Cesare, dai volantini con il simbolo disegnato da Elisa... hanno innescato un movimento inarrestabile. I ragazzi di tutta la scuola hanno indetto la giornata dell'Appello: un giorno a sorpresa in cui gli studenti hanno imposto ai professori ciò che i miei ragazzi avevano tentato in modo piuttosto improvvisato due mesi fa, pagandone le conseguenze con una nota e una diffida da qualsiasi altra iniziativa analoga. Il preside questa volta non ha potuto fare nulla: tutta la scuola era colpevole. Gli studenti hanno messo in atto la loro resistenza passiva, rifiutandosi di fare lezione a meno che i professori non si fossero bendati e non avessero ascoltato le loro storie e toccato i loro volti. Doveva essere un giorno di festa, ma in alcune classi gli insegnanti si sono opposti alla proposta dei ragazzi. Si è arrivati a un aspro scontro verbale e ai conseguenti provvedimenti disciplinari. Ma poi uno studente e il suo insegnante di matematica sono venuti alle mani, le urla hanno riempito i corridoi finché è arrivata l'ambulanza a prelevare il professore con il naso rotto... Era impossibile che la notizia non si diffondesse. Il telefono della scuola è stato intasato dalle chiamate di giornalisti e genitori, che il preside ha pensato bene di tranquillizzare sostenendo che si trattava di un progetto scolastico e che ciò che era successo non aveva nulla a che fare con l'esperimento pedagogico dell'Appello. Peccato che la strategia migliore per aumentare la curiosità su qualcosa sia dichiarare evidenti falsità. E così la madre di uno degli studenti, giornalista della più importante testata nazionale, ha raccolto informazioni e notizie in modo furbo.

«Ha cominciato a fare domande in modo sottile, mentre parlavano di altro. E così le hanno raccontato di voi» mi dice Patrizia riferendosi ai suoi colleghi del piano terra, che non si sono tirati indietro nel fornire dettagli e notizie. «E poi è andata a cercare i ragazzi per farsi spiegare da loro come è nato l'Appello. E lo sa come sono i giovani, professore, si sono sentiti finalmente al centro dell'attenzione: intervistati sul giornale, con tanto di foto. E così hanno esagerato e si sono tolti qualche sassolino: hanno criticato il preside dandogli del bugiardo e si sono lamentati del fatto che a scuola, a parte qualche rara eccezione, i professori non solo se ne fregano dei ragazzi, ma anche della materia che dovrebbero insegnare. Il modo più rapido per mettersi tutti contro, anche se a scuola sono diventati degli eroi della rivoluzione.»

«Che finirà nel sangue come tutte le rivoluzioni... Per favore, mi legge l'inizio dell'articolo?»

«Il professor Romeo, cieco dalla nascita, porta avanti una visione nuova della scuola, in cui la relazione con i ragazzi sia prioritaria rispetto ai programmi. Gli studenti hanno subito sposato la sua causa, e messo in atto una resistenza che è stata soffocata in modo insensato. Il preside ha spacciato per sua l'iniziativa, come se si trattasse di un progetto varato dalla scuola per sostituire la consueta autogestione annuale. Ma i ragazzi hanno confermato che l'iniziativa è stata loro, alcuni insegnanti si sono opposti e si è arrivati a degli scontri verbali violenti, e in un caso anche alle mani. In realtà l'origine va cercata nella nuova concezione del professor Romeo, un giovanissimo supplente (considerato che l'età media del docente italiano è da record mondiale: 54 anni), per di più cieco, con un passato da rivoluzionario e incline – a detta di alcuni colleghi – a manie di protagonismo. Insomma la sua idea di scuola sembra piacere ai ragazzi e un po' meno ai professori.»

«Quante stupidaggini... ci mancava solo questa.»

«Certo che lei è un formidabile catalizzatore di disastri...»

«Le cose vanno così dall'espansione dell'universo: la vita quando si libera esplode. L'inizio degli astri è letteralmente un disastro. L'equilibrio molto spesso va contro la vita, ma ci rassicura. Però la vita è più importante dell'equilibrio, solo che il cambiamento comporta sempre dolore...»

«E sarà lei a pagarla.»

«Intanto la pagheranno loro che si sono fatti sfuggire le cose di mano...»

«La libertà ha sempre un prezzo.»

«Speriamo che questa volta non sia troppo alto... Ora devo andare dal preside: sono stato convocato d'urgenza.»

Il preside mi accoglie senza preamboli: «Romeo, ho avviato un esposto disciplinare. Ero stato chiaro: la cosa doveva finire qui, e lei non mi ha ascoltato. Siamo finiti sui giornali e adesso ho tutta la stampa e i professori contro. Un vero capolavoro.»

«È lei che ha scelto di mentire.»

«Ho cercato di gettare acqua sul fuoco per recuperare la situazione, ma è stato inutile... lei e le sue manie di protagonismo.»

«Io non ho fatto nulla.»

«Lei non fa mai nulla. Le cose accadono da sole... Lasci che le dica che posseggo le conoscenze scientifiche minime per sapere che qualcosa si mette in moto solo se c'è una forza che vince l'attrito. E di certo questo caos non si è messo in moto da solo.»

«È così, ma hanno fatto tutto i ragazzi.»

«Anche loro dovranno pagare, non possiamo fare finta di niente.»

«Ma intendo i ragazzi di tutta la scuola. Si sono incuriositi per ciò che stava accadendo ai loro compagni e hanno voluto provarlo.»

«Senza alcuna approvazione, se non quella di un insegnante che sapeva tutto e non ha detto niente. Un insegnante per di più già diffidato dal prendere altre iniziative di questo genere.»

«E quindi?»

«E quindi lei rilascerà un'intervista in cui dirà che ha cercato di impadronirsi indebitamente di un progetto scolastico usandolo per i suoi scopi. Il progetto rientrava nella modalità di autogestione di quest'anno ed era concordato in modalità controllate e non conflittuali.»

«Ma lei è pazzo! Non farò mai nulla del genere...»

«E allora la pagheranno i suoi studenti.»

«Che cosa intende?»

«Li sospenderò per aver organizzato un'attività non concordata che ha portato a scontri e disordini. E perderanno l'anno.»

«Ma non è andata così!»

«Si sbaglia, Romeo. È andata proprio così. E se lei non lo capisce peggio per lei. Faccia quello che le ho detto e salverà l'anno dei ragazzi.»

«E io?»

«Lei pagherà le conseguenze. La sospensione dal servizio verrà confermata per giusta causa grazie alle sue stesse dichiarazioni e ce ne andremo ciascuno per la propria strada. Le avevo detto di non giocare con me. A lei la scelta: o i ragazzi o lei.»

«O la verità.»

«Provi pure. Ha contro tutti i suoi colleghi e gran parte dei genitori. Lei è uno scienziato, Romeo. È venuto il momento di analizzare i dati e accettare che il suo esperimento è fallito.»

«E così non solo avete sparato un sacco di balle, ma siete stati voi a cercare la giornalista e non, come mi ha detto Patrizia, lei a cercare voi?»

Il silenzio è più fitto che mai, perché i ragazzi stanno trattenendo anche il respiro. Nessuno ha il coraggio di aggiungere altro dopo che dai loro stessi racconti ho scoperto come sono andate esattamente le cose.

«Mi avete deluso. Vi siete lasciati inebriare dai flash e avete raccontato le cose in modo da mettervi in mostra. Avete rovinato tutto...»

«Ma perché dice così? In questo modo la storia è venuta a galla e tutti sapranno dell'Appello. Non c'era modo migliore di farlo conoscere. E per di più gratis...» risponde sommessamente Ettore.

«In questo modo tutto verrà bruciato rapidamente, come una notizia di cronaca. Quello che poteva essere un cambiamento lento ed efficace verrà divorato dalla fame di novità. E poi avete letto quante fesserie ci sono in quell'articolo? È scritto per creare una specie di supereroe da osannare o fare a pezzi, perché ai media non interessa la verità, ma la viralità. Rendere visibile un bersaglio da colpire, così da impegnare l'attenzione della gente in quella direzione, far crescere l'audience, e aspettare che arrivi il prossimo bersaglio. E senza che ve ne rendiate conto vi hanno già usato per questo gioco.»

«È stato lei a spingerci a fare qualcosa di buono, a utilizzare le nostre energie per cambiare le cose. Ci ha ripensato?» mi chiede Elena.

«Non ci ho ripensato, ma non era questo che volevamo ottenere: un po' di attenzione drogata dai media.»

«Professore, lei ragiona in modo antiquato. Non avremo mai tanta attenzione ed è venuto il momento di sfruttarla a nostro vantaggio», a parlare è un insolitamente spavaldo Achille.

«Io sarò antiquato, Achille, ma voi siete ingenui... Questa notizia durerà poche ore e poi verrà eliminata con la stessa rapidità con cui è stata divorata. Sarà l'ennesimo fuoco d'artificio, mentre noi volevamo appiccare un bell'incendio duraturo.»

«Anche un incendio ha bisogno di un innesco.»

«Ma se non hai preparato la legna poi si spegne subito. Non puoi farlo con la paglia dell'entusiasmo. I professori non sono pronti per un cambiamento del genere, è qualcosa che si deve sviluppare lentamente, nel cuore, poi nella testa e infine nelle orecchie e nelle mani. Non basta una provocazione per cambiare un sistema, non è un'idea che imponi con la forza da fuori, ma qualcosa che si deve risvegliare a poco a poco da dentro.»

«Ce la faremo, abbia fiducia in noi.»

«Ce l'ho.»

«Non sembra.»

«Non avete capito che rischiate di perdere l'anno?»

«E secondo lei questo è il nostro problema?»

Rimango in silenzio e mi rendo conto che sto cercando

di proteggerli da qualcosa di cui non hanno paura, probabilmente sono io ad averne. Non voglio vederli soffrire ancora, anche se non c'è conoscenza che non passi da un po' di sofferenza.

«Statemi a sentire bene.»

Racconto loro quello che mi ha detto il preside. Rimangono in silenzio, sempre più consapevoli che comunque vada ci faremo del male, ma questo non sembra metterli in crisi, anzi pare motivarli ulteriormente.

«I ragazzi della Rosa Bianca ci hanno rimesso la vita. Alla peggio noi perderemo un anno di scuola» dice Aurora.

Ho gli occhi pieni di lacrime, e sono lacrime vere. Ora l'ho capito grazie a una domanda del *Dottor Živago* che mi è rimasta in mente durante una delle letture con Patrizia: "Com'è bello il mondo! Ma perché proprio questo dà un senso di dolore?". Una lacrima è il modo in cui ammettiamo la nostra incapacità di trattenere la bellezza. L'amore arriva alla velocità della luce e l'occhio, vittima di questa bellezza, si inumidisce perché ha perso troppo presto ciò che non è stato capace di trattenere. E se si dice che nella vita eterna sarà asciugata ogni lacrima è solo perché, finalmente, i nostri occhi saranno della consistenza della luce stessa e quindi in grado di ricevere tutta la bellezza senza più perderla, tutto l'amore senza più perderlo, tutta la luce senza più perderla. La bellezza va troppo veloce rispetto a quello che riusciamo a trattenere, perché siamo finiti, e così per poter sentire nella carne il valore di qualcosa dobbiamo perderla. Ma io non voglio che la bellezza di questi ragazzi vada perduta. Così, dopo aver asciugato gli occhi e deciso quali saranno i nostri prossimi passi, li riporto alla quotidianità, anche perché temo che questa potrebbe essere la nostra ultima lezione.

«Dovete sapere che le scoperte della fisica del ventesimo secolo ci hanno liberato da tre illusioni: la relatività ci ha liberato dall'illusione che spazio e tempo siano assoluti, la fisica quantistica ha messo in discussione il fatto che le cose siano controllabili, la teoria del caos che siano prevedibili. La fisica ci ha fatto scoprire che non controlliamo nulla, proprio per questo ci ostiniamo a farlo con la forza. Dovremmo concentrarci su come rinnovare la vita piuttosto che su come frenarne l'entropia. Possiamo usare veramente l'espressione "di nuovo"? Quando la usiamo, lo facciamo per indicare qualcosa che si ripete più o meno stancamente e per abitudine. Ma "di nuovo" vuol dire molto di più: significa che qualcosa si è rinnovato mentre si ripeteva, non c'è un tramonto che sia uguale ai precedenti o ai futuri. È l'ennesimo tramonto, ma è il tramonto fatto "di nuovo": or ora, mai visto. Nella creazione c'è un principio di rinnovamento continuo e se noi non riusciamo a riconoscerlo diventiamo ciechi di fronte alla realtà per troppa consuetudine. Le cose non si ripetono uguali, ma si ripetono rinnovandosi. E questa stessa novità noi la cerchiamo in ciò che facciamo: nel lavoro, in amore, nelle relazioni. Noi vogliamo essere ogni giorno "di nuovo", rinnovarci mentre ci ripetiamo.

Per questo io adesso voglio sapere da voi che cosa "di nuovo" porteranno le vostre vite, perché solo questo vi rivelerà la novità di ogni giorno e vi libererà dalla paura di non avere una ragione per essere. Che cosa creerete? Cioè, come crescerete? Vorrei che scriveste il vostro desiderio da realizzare su dei fogli che metteremo in una busta che io custodirò gelosamente. Li tireremo fuori fra quindici anni, con la promessa che ci rincontreremo per leggere ad alta voce ciò che avevate scritto e vedere che cosa è successo e come si è realizzato. Voglio che il contenuto di questa busta accompagni i vostri giorni come una promessa che fate a voi stessi e agli altri, una promessa di felicità a cui restare fedeli. Tradire ciò che scriverete oggi significherà tradire voi stessi, gli altri e il mondo intero.»

«Io lo farò solo se lo farà anche lei» mi dice Elisa, con la capacità di verificare la bontà della richiesta di un adulto costringendolo a viverla in prima persona.

«Va bene. Decidiamo il giorno e il luogo in cui ci troveremo fra quindici anni.»

«Perché quindici?»

«Perché mi ricorda un gioco che facevo da bambino, perché nel linguaggio dei sogni indica "il ragazzo", perché è la somma di tre numeri primi consecutivi... E ci sono mille altre ragioni, ma soprattutto perché fra tre lustri la mia Penelope avrà la vostra età, voi starete raccogliendo i frutti del vostro raccolto, e io non sarò ancora troppo rimbambito.»

«Su quest'ultima cosa non sarei così sicuro, professore. Sta già messo male...» scherza Oscar.

«Ti auguro di arrivare a 45 anni splendido come me!»

«E allora, dove e quando ci troviamo?»

«Ci siamo conosciuti il 14 settembre...» propone Elisa.

«Mi sembra un'ottima idea.»

«E dove?» mi chiede incerta.

«All'Osservatorio della città.»

«Non si smentisce mai... è proprio fissato con le stelle» commenta Aurora.

«Sono fissato con le cose belle... Ora però qualcuno deve aiutarmi a scrivere sul mio foglio, ma senza leggere che cosa scrivo.»

«Ci penso io» si offre Stella.

La sua mano si posa sulla mia. Non sono più abituato a scrivere. In genere registro tutto quello che voglio ricordare.

«A capo adesso» mi ripete tutte le volte che è necessario.

«Chi te lo fa fare?»

Davanti a me c'è Annamaria, che mi ha bloccato all'uscita dall'aula in cui ho appena fatto lezione.

«Che cosa?»

«Questa battaglia. Che cosa c'è dietro?»

«Dietro?» mi volto e agito le mani in modo plateale come alla ricerca di qualcosa o qualcuno.

«Non fare lo spiritoso, Romeo. Insegno da sempre e il tuo entusiasmo l'ho avuto anche io. Anche io ero convinta che avrei salvato tante vite con la letteratura, ma c'è voluto poco a capire che si trattava di sogni. Ai ragazzi non importa nulla di nulla. Quindi dimmi, come fai?»

«A fare cosa?»

«A lottare. Che cosa vuoi ottenere?»

«Che nulla vada sprecato, neanche una vita.»

«Sei un idealista.»

«No, no. Innanzitutto io voglio che la mia vita non vada sprecata. E poi sono un uomo di scienza: mi attengo ai fatti.»

«Quali?»

«Dieci ragazzi scalcagnati stanno cambiando il mondo.»

«Il mondo non cambia mai, Romeo, e tu lo sai. E così li farai soffrire ancora di più, perché rimarranno ancora più delusi.»

«Il mondo non è quello là fuori, Anna. Ognuno di loro è il mondo intero. A me basta che anche uno solo di loro realizzi quel mondo. E allora ne valeva la pena.»

«E quale sarebbe il segreto?»

«Fare bene le mie lezioni e curare ogni giorno l'appello.»

«Tutto qui?»

«Tutto qui.»

«Se bastasse...»

«Basta cambiare prospettiva.»

«Che intendi?»

«Chi ha inventato la prospettiva voleva dominare la realtà con lo sguardo e trasformò tutto in forme geometriche, matematicamente definite. Tutto sembrava perfetto, ma era un'illusione.»

«Che c'entra ora la storia dell'arte?»

«La realtà è la più grande cospirazione mai ordita: tutte le cose respirano insieme, e quel respiro è la vita che unisce chi guarda e le cose che guarda. La prospettiva ha tolto il respiro che univa tutto e lo ha sostituito con un'idea...»

«E che cosa era questo respiro?...»

«Qualcosa che prescinde da noi, Anna. Qualcosa che ci supera e dà vita a noi e alle cose. Quando sono diventato cieco, ho dovuto ripercorrere la storia della prospettiva e rinunciare all'occhio rapace e illusionista che abbiamo creato. Un esempio banale: oggi la donna spesso è usata come oggetto del desiderio per l'occhio che la vuole possedere, e così facendo le toglie vita. Sempre più rapace, l'occhio esalta il desiderio e trasforma la donna in pura illusione, per eccitarlo. Finché l'occhio non guarisce da questa volontà di dominio non riusciremo più a vedere le cose e a sentirne il respiro. Riavremo il mondo solo quando smetteremo di volerlo dominare.»

«Stai mettendo in dubbio le più grandi conquiste del Rinascimento.»

«Chissà se lo erano veramente... Io credo lo siano state solo in parte. Non stiamo parlando di virtuosismi pittorici, Anna, ma di aver preteso di essere noi soli la misura di tutto, e così abbiamo smesso di amare le cose, scegliendo piuttosto di controllarle. Ma per capire non serve controllare, perché solo l'amore lega in modo reale colui che conosce e l'oggetto della conoscenza. Soggetto e oggetto non sono separati, non c'è prospettiva, non c'è separazione, ma un legame.»

«Sono le stesse cose che dicono i poeti che ho sempre amato... finché ho smesso di leggerli.»

«Perché?»

«Perché la vita che promettevano era una menzogna... La vita è un continuo tradimento.»

«Tuo figlio?»

«Come lo sai?»

«Lo so.»

Rimango in silenzio, per dare il tempo ad Anna di decidere se spogliarsi di uno strato della sua corazza.

«Mi sarebbe piaciuto essere ancora come te, Romeo... ma è troppo tardi, e sono stanca.»

«Ti devo confessare la verità. Sai chi c'è dietro di me?»

«Ecco, lo sapevo. Chi?»

«Proprio quel legame che consente di vedere tutto nella stessa luce, perché ne è la fonte.»

«E sarebbe?»

«L'amore in cui Dio fa tutte le cose.»

Resto in silenzio.

«Dio non esiste, Romeo, e di sicuro non è amore: basta leggere un giornale per rendersene conto.»

«Se dovessi credere solo a quello che vedo, Annamaria, io dovrei credere che il mondo non esiste, che è senza colori. E invece...»

«E comunque, che c'entra Dio con tutta questa storia?»

Le prendo il volto tra le mani e sento le sue rughe ancora dolci. «Se in ogni istante della tua vita tu sentissi il tocco delle mani sul tuo volto, così come adesso, mani che, qualsiasi cosa succeda, non smettono mai di darti una carezza, di accompagnarti, di asciugarti una lacrima, di guidarti... non vorresti fare tu lo stesso con gli altri? Questa è la vita, la luce in cui si comprendono e amano tutte le cose.»

Sorrido tra le lacrime.

Il suo volto si rilassa, la mia non è una dimostrazione dell'esistenza di Dio attraverso i passaggi logici a cui la ragione non può sottrarsi, né una scommessa su di lui che fa dei credenti dei pazzi coraggiosi, ma qualcosa che io posso solo mostrare. L'evidenza dell'amore. Dio non si può dimostrare, si può solo mostrare.

Sento le mie dita inumidirsi. Sono le lacrime di Anna, che comincia a singhiozzare come una bambina, anche se ormai è una donna con una vita alle spalle, o meglio sulle spalle, forse con un cuore indurito dalla cancrena del dolore. L'unica cosa che resta da fare a chi smette di amare è indurirsi, per proteggersi dal dolore.

Gli uomini hanno paura di Dio, finché assomiglia a quello che la loro immaginazione crea: un vecchio, arcigno o distratto, che osserva il mondo come un cantiere senza poter fare un granché o godendo delle disavventure altrui. Invece Dio è un uomo che ha lavorato in quel cantiere, in mezzo agli uomini, e continua a farlo, ogni giorno, per costruire con loro una casa accogliente, perché per amare e ricreare il mondo bisogna prenderne su di sé il dolore e le ferite.

«Cambiare il mondo è rendere casa qualche metro quadrato in più di deserto.»

«Lo diceva anche Leopardi... Vorrei farlo anche io.»

«Aiutami.»

Le carezzo il viso, come fosse quello di mia madre. E dal mio punto di vista lo è.

Alla ricerca del tempo sprecato
Diario di un professore cieco

Il tuo volto, Caterina, ha una luce che le mie dita possono toccare. Non è la sua simmetria, non le sue proporzioni, ma la sua apertura generosa. La pelle è tesa, non per l'agitazione, ma per la ricerca, vita che cerca la vita e non si accontenta di quella che ha: slanci di amore verso tutto e tutti, con il rischio di perdersi, un rischio accettato e voluto. Occhi grandi e ben aperti, mai sazi. Nel loro rapido tremolio, sotto le palpebre, pulsa l'inquietudine, un combattimento tra paura e avventura, tra salvezza e sicurezza, un combattimento buono, quello che ogni donna affronta per decidere se costruire la propria vita sul dare o sul prendere, sull'amore o sul possesso, sull'invisibile o sul visibile. Perché la donna, a differenza dell'uomo, sente la vita da dentro e non da fuori. Sei stata tu l'unica che un giorno ha deciso di alzare le braccia e appoggiare le mani sul mio viso, mentre io le tenevo sul tuo, e toccarmi gli occhi. È proprio vero che amare è dare a un altro ciò che non si possiede, e tu lo hai fatto con me. E tuo fratello con te. E così nei secoli: chi sa tenere la ferita del proprio dolore sempre aperta impara a curare quella altrui.

Io l'ho imparato da Penelope, quando era solo un inizio e non aveva niente da darmi. Quando mia moglie mi ha detto di essere incinta, era il giorno del mio tentato volo miseramente fallito con un salto da mezzo metro e una caviglia ingessata. Mi sono rialzato da quella caduta come uno che si lascia alle spalle la propria carcassa e la guarda come una storia vecchia. Penelope, ancora invisibile, mi dava la vita che a me mancava. Mia moglie mi chiedeva di regalarle il mondo che avevo e non quello che avevo perso. Quella notte ho sognato di nuotare sott'acqua e di cercare a tutti i costi di risalire per respirare, ma non facevo mai in tempo. Ero immerso in quel silenzio liquido, che da culla diventava la mia bara. Ogni volta cercavo di risalire per respirare e ogni volta annegavo. Non trovavo una via di salvezza, non ce n'erano, perché io non sapevo e non potevo respirare. Poi a un certo punto, per interrompere quel cerchio infinito di morti per acqua, mi sono abbandonato al suo silenzio e sono rimasto nella pace del mare. Con uno strappo i miei polmoni hanno cominciato a respirare, come una creatura nuova, fatta per le acque. Potevo risalire quando volevo e quando ne avevo bisogno, ma non dovevo più morire.

Io non potevo veder crescere il grembo di mia moglie e così ho imparato a poggiarvi l'orecchio ogni giorno. Era il nostro rito serale: lasciare che il battito del futuro bussasse alle mie orecchie. Potevo sentire il sussurro del loro dialogo, un dialogo a cui nessun uomo può accedere se non origliando, anche se non capisce la lingua che una madre e il figlio usano nei primi nove mesi. Quando mia moglie era incinta di Pietro parlavo a mio figlio, avvicinando le labbra al grembo e impartendogli le sue prime lezioni. Ora desideravo soprattutto ascoltare, per imparare il suono che fa la vita quando viene tessuta. Assomiglia a una ninna nanna con le rime baciate, a un ondeggiare lento di culla, al respiro di chi conosce la vera pace del sonno. Poi una sera quel suono divenne incerto, boccheggiava e raspava. E ho detto a mia moglie che l'indomani saremmo andati a fare una visita di controllo. Lei mi ha risposto che stava benissimo e che mi preoccupavo troppo. Ma io ho insistito fino a convincerla. E così abbiamo scoperto che c'era un rischio di distacco della placenta e che Maddalena avrebbe dovuto passare il resto della gravidanza a letto. Per due mesi ho lasciato che la loro vita crescesse nel mio cuore e nelle mie mani, te-

mendo ogni giorno per la salute dell'una e dell'altra. E quel dolore d'amore mi ha insegnato il linguaggio del loro dialogo segreto. In quei due mesi Penelope mi ha trasformato nel marito di cui aveva bisogno mia moglie, dopo che avevo tentato di lasciarla da sola. Il dolore senza amore ci rende così egoisti che vogliamo smettere di rischiare, perché il gioco della vita ci sembra troppo grande, eppure il segreto è proprio questo: il dolore ci porta sul ciglio della vita, come uccelli che devono spiccare il loro primo volo. Sembra crudele la spinta nel vuoto, ma solo buttarsi e affidarsi all'aria li salverà, e non rinchiudersi nel loro nido o affidarsi a esili zampe fatte per darsi lo slancio, non certo per camminare sulla terra.

È stata Penelope a spingermi nel vuoto. Lei che non aveva visto nulla della vita. Non ero un cieco per lei, ero soltanto un padre.

MARZO

Comincia il mese che un tempo segnava l'inizio dell'anno, quello in cui la natura si risveglia dal sonno che l'ha paralizzata. Tutte le cose fremono per compiere un nuovo giro del loro ciclo di rinascita e morte. L'andamento della natura è circolare, cerchio su cerchio, ciclo su ciclo, si ripete regolarmente la sua necessità. L'andamento dell'uomo è diverso: è una spirale. Compie i suoi cerchi, il suo destino, ma ogni volta a un livello diverso, a una profondità diversa, a un'altezza diversa. Il suo destino è la libertà e nulla di previsto o prevedibile può ripetersi allo stesso modo, ma può accadere l'impossibile.

Ho rilasciato un'intervista alla giornalista dell'articolo sull'Appello, ma a modo mio. E così ho firmato la mia condanna, è solo questione di giorni, ma intanto l'Appello è diventato un fenomeno nazionale. Si diffonde in modo imprevedibile, contagiando singole classi o intere scuole. È la conferma che la scuola ha tradito la sua vocazione e si è appiattita sui desideri del nostro tempo: dovrebbe essere un luogo in cui diventare più liberi ed è bloccata da apparati burocratici e politici a cui interessa soprattutto preservare se stessi; dovrebbe essere un luogo dove conoscere se stessi e il mondo per poi prendersi cura di se stessi e del mondo, e invece spinge a odiare un sapere che non serve a vivere meglio; dovrebbe essere un luogo dove imparare a discernere tra ciò che vale e ciò che non vale, ma si è ridotta a un calderone di attualità e conformismo, che non incide sulla vita quotidiana dei ragazzi. Quando le relazioni non sono più l'origine della scuola, la scuola non può essere se stessa e diventa un esercizio di potere, o agito o subito.

L'attenzione dei media sull'Appello è diventata costante e, puntuale, la politica sta cercando di intestarsi un fenomeno che non può più controllare, provando a addomesticarlo, come quando si inaugura un'opera pubblica che altri hanno voluto. Nel nostro caso sarà il ministro in persona a incontrare i ragazzi, proprio dove tutto è cominciato. L'attuale situazione di crisi del suo partito e della sua leadership l'ha indotto a vedere nell'Appello una opportunità di riscatto.

Ha annunciato di voler incontrare i ragazzi durante il regolare orario scolastico, per ascoltarli e comprendere che cosa si aspettino. Almeno così viene spacciato l'evento dalla comunicazione del ministero. In realtà si tratta della solita mossa politica per appropriarsi delle energie e dei volti ancora puri dei ragazzi a scopo di consenso. A questo parassitismo politico si affianca sempre quello dei media, che non vedono l'ora di trasformare in emozione facilmente digeribile ogni cosa: più è virale più è vero. La verità ormai non c'entra più nulla con la realtà, ma solo con l'audience. Tutto diventa spettacolo che ci ipnotizza. È una delle prime cose da cui mi ha liberato la cecità: l'ipnosi delle immagini e la manipolazione dello sguardo attraverso le regole dell'algoritmo, che fa vedere cose diverse a ciascuno e ci convince che siano il mondo, e invece è solo la nostra tribù con i suoi idoli. A poco a poco la mia mente si è disintossicata da una droga da cui era dipendente senza averlo deciso. Abbiamo così preparato un piano degno di un racconto di Philip Dick o della prima puntata di *Black Mirror*.

In perfetta e furba eleganza istituzionale, il ministro ha occupato il posto dell'insegnante, il mio trattandosi della mia ora, alla cattedra. Io mi sono sistemato in un angolo, per godermi lo spettacolo (almeno l'audio). Doveva sembrare una normale lezione: nell'aula, che è piuttosto piccola, potevano rimanere solo il preside davanti alla porta e il cameraman nell'angolo opposto all'entrata. Tutti gli altri assistevano dal corridoio, alle spalle del preside. Poi è scattata la trappola, che nessuno si aspettava da quei dieci avanzi di scuola dell'obbligo, che fino a quel momento avevano interpretato la parte dei contestatori che però alla fine si consegnano gioiosamente complici al gioco dell'audience e del consenso. Oscar si è alzato, con un gesto rapido ha spostato il preside fuori dall'aula, ha chiuso la porta e l'ha bloccata con la forza, mentre Cesare la chiudeva con la chiave che avevano duplicato, prelevandola dal mazzo del bidello. Il ministro, in diretta, aveva già preso a srotolare il suo discorso autocelebrativo e non ha capito cosa stesse succedendo, così ha continuato a parlare come se nulla fosse: «... siamo impegnati da sempre per garantire agli studenti il meglio della didattica, e per questo abbiamo guardato con attenzione all'iniziativa sorta in questa scuola come a un progetto pedagogico all'avanguardia, l'Appello, lanciato proprio in questa classe, ritenendolo un valido spunto per il sistema nazionale che si sta attrezzando per...».

Immerso nella diretta, l'operatore ha continuato le riprese, fino a che i ragazzi non hanno interrotto il discorsetto.

«Ministro, per favore, la smetta di ripetere sempre le stesse cose. Siamo stufi di questi discorsi di circostanza», è la voce di Elena.

L'uomo si è paralizzato sulla sedia e ha capito che una reazione indispettita o violenta gli si sarebbe ritorta contro, anche perché i ragazzi, che si era immaginato ammaestrati a dovere, non stavano facendo nulla di male. Avevano semplicemente interrotto lo spettacolo.

«Vogliamo che lei ci ascolti, e con lei tutti quelli che vedranno questa diretta.» A parlare è stato Achille.

L'operatore ha continuato a riprendere i ragazzi, tranquillizzato anche dall'atteggiamento accomodante del ministro.

«Vi ascolto, siamo a scuola per questo.»

«*Saremmo* a scuola per questo» puntualizza Mattia. «Per cercare insieme la verità, studenti e docenti. Non si viene a fare propaganda politica o a prendere in giro un gruppo di studenti con il solito paternalismo d'occasione. Siamo arrivati all'ultimo anno di superiori, e da 5 anni sento ripetere la parola magica di cui vi siete riempiti la bocca: spirito critico. Cioè? Che cos'è, ministro?»

Dopo una pausa il ministro ha risposto.

«La capacità di giudicare qualcosa con lucidità e senza lasciarsi influenzare.»

«Benissimo. Ed è proprio quello che adesso faremo. La scuola ci tratta come animali da circo. Veniamo addestrati a ripetere ciò che dicono gli adulti – istruzione – e se lo ripetiamo bene allora siamo bravi e andiamo avanti – prestazione. Siamo prodotti di una catena di montaggio. Ma noi non siamo né animali né prodotti: veniamo qui 5 o 6 ore al giorno per diventare più liberi, non più ammaestrati. Ci dite cosa fare, ma non il perché. Veniamo farciti come oche da ingrasso: il programma, più ne fai meglio è... per poi essere divorati da un mondo che non capiamo. Non sappiamo più che farcene di questa scuola per teste vuote. Questo sistema invece di dare vita la toglie, perché è basato sulla ripetizione e non sulla scoperta, sulla interrogazione e non sull'interrogativo, sulla prestazione e non sulla presenza.»

«Che cosa intendi?»

A questo punto ha preso la parola Caterina, a soffiare sul fuoco che Mattia ha così ben acceso.

«La fisica attuale ci insegna che le cose non sono date una volta per tutte, ma che esistono nella misura in cui si instaura una relazione tra fenomeni. Quello che la fisica dei quanti ci ha svelato vale anche per le persone. Esistono solo nella misura in cui le relazioni le attivano, si esiste sempre almeno in due. Sono gli insegnanti a innescare le nostre vite e la nostra intelligenza, non bastano i programmi. Ogni persona è la somma di un dato di fatto e di un dato da compiere. E il dato da compiere è affidato a voi, che invece siete prigionieri sempre e solo del dato di fatto: della nostra storia non ve ne importa nulla. Per questo noi vogliamo che la smettiate di prenderci in giro e cominciate a seguire le leggi della fisica.»

«Come?»

«Prendendovi cura di noi, uno per uno. Siamo qui perché questo è l'anno della nostra maturità e nessuno di noi si sarebbe sentito in pace con se stesso se avesse affrontato l'esame di fine anno come una scimmia ammaestrata. A che serve un esame che non viene preso in considerazione per iscriversi all'università? A che serve un esame che promuove tutti? A ripetere un rito vuoto? Non siamo qui per chiedere di fare di meno, ma per fare tutto quello che serve, anche di più, purché abbia senso!»

Il ministro non ha parlato. I ragazzi lo stavano smascherando con una precisione sorprendente.

«Gestire il sistema scolastico nazionale non è una cosa che si improvvisa, ma sono qui ad ascoltarvi per capire come si potrebbe intervenire...»

«Per quello che vogliamo noi non servono soldi o riforme, solo un po' di attenzione, tutti i giorni, o almeno una volta alla settimana», a parlare è stata Elisa. «E per questo cominceremo proprio qui, oggi, con lei, che farà l'Appello con noi.»

Aurora e Stella hanno raggiunto il ministro alle spalle e con delicatezza gli hanno mostrato una benda.

«Io?»

«È venuto qui per capire che cosa è l'Appello? Bene. Si faccia bendare, stia in silenzio e rinunci a imporre le sue parole. Ascolti. Uno per uno. In diretta nazionale. Giusto per dare il buon esempio richiesto a un ministro», la voce è quella di Aurora.

Il ministro non ha risposto, ormai prigioniero del meccanismo che lui stesso aveva costruito: ribellarsi avrebbe distrutto la sua immagine, perché i ragazzi stavano conducendo tutto in modo ineccepibile. Le ragazze lo hanno bendato, poi ognuno si è avvicinato, ha preso le mani del ministro, le ha poggiate sul proprio volto e ha pronunciato una frase.

MATTIA

Chi nomina male le cose aumenta l'infelicità del mondo e il mondo non può più sopportare tanta infelicità. La scuola è un luogo dove si impara a nominare le cose.

AURORA

Il mondo è fatto di nomi comuni e nomi propri. Chi vuole aderire all'Appello si impegnerà a "salvare" almeno un nome proprio al giorno.

ACHILLE

Salvare un nome significa farlo esistere di più e questo può accadere ogni giorno a scuola, in famiglia, per strada. L'Appello è un esercizio degli occhi e del cuore.

ELISA

Ciascuno potrà farlo come preferisce: un passante, un familiare, un amico... al quale permetterà di raccontare la propria storia, senza fretta, rimanendo in silenzio.

ETTORE

A questa sfida sono chiamati tutti, ragazzi e adulti, ciascuno con chi gli è affidato, con chi ha accanto, con chi gli capita a tiro. Ma è a scuola che tutto deve cominciare.

CATERINA

Perché solo da qui può prendere il via un cambiamento: è nello spirito che avvengono i cambiamenti. Tutto il resto è apparente. Noi crediamo in un umanesimo carnale e non mentale.

ELENA

Ognuno faccia la sua parte, con un nome solo, ogni giorno. È venuto il momento di costruire un mondo all'altezza della fisica che lo regola, come ci ha insegnato il nostro professore.

CESARE

Non siamo atomi ma molecole, non siamo individui ma nodi, non siamo isole ma arcipelaghi. Tutte le cose sono fatte così, non sono una qui e una lì, sono collegate con fili invisibili: dietro ogni reazione c'è sempre una relazione.

STELLA

Esistiamo nella misura in cui ci aiutiamo a esistere, per questo possiamo essere contemporaneamente vivi e morti, come il famoso gatto di Schrödinger. Dipende tutto dall'essere o meno chiamati all'Appello. E dal rispondere: presente!

Sei vivo solo quando qualcuno ti chiama per nome e ti tocca il volto per dirti che vai bene e che senza di te la vita non si può fare. Sei necessario, anche se fai un po' pena!

È calato il silenzio. Il ministro è rimasto fermo. Gli è stata tolta la benda. Ha guardato in camera con un sorriso e non ha detto nulla, è riuscito a biascicare solo un grazie. Ho sempre creduto nella capacità istintiva di bambini e adolescenti di metterci in crisi proprio su ciò che pretendiamo da loro, chiedendoci conto del perché glielo chiediamo. Sanno bene che la verità o è di carne o è un'ideologia.

Quando la trasmissione è finita, i ragazzi hanno riaperto la porta. Il preside è entrato e il ministro lo ha investito di improperi e urla. Il preside proferiva solo dei monosillabi di costernazione, scuse e riverenza.

«Non finisce qui!» ha sibilato tra i denti quando gli strepiti del ministro si sono spostati in corridoio.

«Infatti abbiamo appena iniziato...» ha risposto freddamente Elena.

L'Appello è la prima notizia di tutti i telegiornali, occupa la prima pagina di tutti i giornali. Non c'è rete o sito che in un momento qualsiasi della giornata non trasmetta il video dei miei ragazzi con il ministro. La canzone di Cesare è diventata una specie di tormentone, qualcuno la canta persino per strada; i profili social creati da Achille sono presi d'assalto e migliaia di ragazzi mettono in atto la nostra rivoluzione gentile in centinaia di classi. Ci sono persino bambini delle elementari che mandano i loro video dell'Appello. Migliaia di storie inondano il Paese e si fanno strada come canti che non possono più essere ignorati, perché, una volta raccontate, le storie non puoi più nasconderle. Gli antichi dicevano che le parole dette a voce volano e quelle scritte rimangono ferme, e intendevano proprio il contrario di quello che noi oggi tramandiamo. Per loro solo la parola orale era libera di viaggiare, di superare i confini, di trasformare pensieri e idee, mentre le parole scritte rimanevano incatenate al supporto che le aveva accolte. E se non viaggia, quella storia rimane imprigionata sulla pagina. Le storie di centinaia di ragazzi adesso si propagano e non possono più essere arrestate, come i volantini della Rosa Bianca, piovuti a migliaia sulle città come bombe destinate a portare vita e non morte.

I miei studenti sono diventati degli eroi. I giornalisti li cercano per intervistarli, per sentire le loro storie direttamente: ciò che prima veniva ignorato ora è oggetto di curiosità morbosa. Non c'è via di mezzo, o non esisti o esisti troppo, inevitabile conseguenza di un occhio ugualmente malato, o indifferente o rapace, che determina la morte delle cose.

Poi arriva la telefonata che stavo aspettando.

«Professor Romeo, sono la segretaria della scuola, le passo il preside.»

«Grazie, signora, come sta?»

«Sto bene. Spero anche lei. Mi mancherà... Glielo passo...»

Una pausa di qualche secondo.

«Il suo incarico è stato revocato per inadeguatezza disciplinare. Non si presenti più in classe.»

«Quale sarebbe l'inadeguatezza disciplinare?»

«Riceverà una lettera con i dettagli. Stia bene.»

«Scusi, preside.»

«Che c'è?»

«No, dicevo, scusi per quello che le abbiamo fatto passare. Non c'era niente di personale contro di lei, volevamo semplicemente difendere la verità.»

«Ancora, con questa verità... Quale sarebbe lo sa solo lei!»

«Le persone, preside, le persone. Vengono sempre prima di qualsiasi idea, teoria, programma, progetto, regola... Tutte le volte che non va così non può che andar male, perché la vita viene sempre prima e noi abbiamo rinunciato alla vita da un pezzo.»

Interrompe la comunicazione.

Suonano al citofono.

«Omero! È un certo Virgilio!» Mia moglie mi urla quella che potrebbe sembrare una battuta.

«Scusa la sorpresa...»

«Virgilio!»

Lo accolgo con un abbraccio, dimenticandomi della sua presa poderosa che mi stritola. Da quando sono cieco il mio lessico fisico è diventato molto più spregiudicato.

«Che ci fai qui?»

«Ho saputo... e volevo sentire come stai.»

«Come uno che ha perso il lavoro che aveva appena ricominciato. Un nuovo record da segnare nel mio curriculum. E i ragazzi?»

«Frastornati: chi li ama e chi dà loro addosso. Il preside non sarà meno severo di quanto sia stato con te...»

«Lo sapevano a cosa andavano incontro.»

«Sì, ma adesso diventa reale, e hanno paura.»

«È giusto che sia così.»

«Il supplente rivoluzionario! A proposito, che hai fatto ad Annamaria?»

«Perché?»

«È venuta a cercarmi e mi ha chiesto se avessi scoperto qualcosa in più sulla situazione di Elisa.»

«E tu?»

«Le ho detto che i segni sulle braccia ci sono... ma che non ho ancora parlato con lei a tu per tu. E lei mi ha chiesto *e cosa aspetti?* Sono rimasto a bocca aperta. E prima ancora che la chiudessi ha concluso che ci avrebbe pensato lei.»

«E come è andata?»

«Non ho avuto altri aggiornamenti, ma ti farò sapere.»

«Sarai la mia spia...»

«Vacci piano... qualsiasi cosa tocchi fai un casino, e io non voglio perdere il lavoro.»

«Portare sfiga è il destino di tutti i supplenti e di tutti gli indovini. Eppure non è colpa nostra! Ci limitiamo ad avvertire prima. Come Tiresia...»

«Chi è, un collega?»

«Ma no! È l'indovino a cui Ulisse chiede se riuscirà mai a tornare a Itaca. Anche lui era cieco: sembra che per vedere oltre il proprio naso sia necessario non vedere proprio nulla.»

«E di me cosa vedi?»

«Che hai il cuore grande il doppio del normale, come tutti i tuoi muscoli.»

Virgilio scoppia in una risata.

«Il mio segreto sono gli hamburger. A proposito, devo portarti a mangiare i più buoni della città, così magari metti su qualche etto e non voli via nelle giornate di vento» mi prende in giro e intanto mi solleva afferrandomi dai fianchi, senza che io riesca a reagire. Poi mi rimette giù: «Sei proprio uno sfigato...».

Cerco di colpirlo dando dei pugni all'aria, ma senza esiti apprezzabili.

«E per l'hamburger quando vuoi, tanto adesso non devo neanche più andare a scuola... Però offri tu!»

«Il solito taccagno...»

«Il solito morto di fame...»

Dopo una pausa aggiunge: «Come farai?».

«Mi inventerò qualcosa... Magari faccio come all'inizio... qualche ripetizione, sai, il mercato dell'ignoranza non conosce flessioni.»

«Se posso aiutarti in qualche modo...»

«Potremmo rapinare una banca!»

«Hai ragione: chi sospetterebbe di un cieco?»

«In confronto *Breaking Bad* sembrerebbe Cenerentola...»

Scoppiamo a ridere. Quando riesci a ridere delle cose più serie, allora puoi stare certo di aver trovato un amico.

«Ho parlato con Elisa.» Annamaria mi ha proposto di incontrarci in un bar, e ora è lei ad aggiornarmi direttamente.

«E lei?»

«Mi ha detto che non sono affari miei e si è alzata per andarsene.»

«E tu che hai fatto?»

«Le ho preso un braccio e le ho detto che invece sono affari miei, perché ho perso un figlio, che si è suicidato. E io non ho saputo stargli vicino come avrei dovuto... Allora si è seduta e ha cominciato ad ascoltarmi.»

Proprio perché quella di Annamaria è una ferita che non si chiuderà mai, riuscirà a farsi ascoltare da tutti quelli che portano i segni di quella stessa piaga. Lei rinnoverà il suo dolore, ma guarirà quello di molti altri, perché ci sono ferite da cui si guarisce solo quando qualcuno le prende su di sé. E questo è quello che Anna ha deciso di fare con Elisa.

«E poi?»

«Poi mi ha ringraziata, piangendo, e se n'è andata. L'indomani ho trovato una lettera infilata nel mio armadietto a scuola. Era sua. Te la voglio leggere.

"Ho viaggiato in tutti i continenti, mi sono rifugiata in mille personaggi, sono scappata in secoli che mi apparivano più miei di quello in cui sono precipitata. E l'ho fatto perché non ho mai accettato di essere stata distrutta quando ero soltanto una bambina. E proprio dalle mani di chi avrebbe dovuto proteggermi. Da quel giorno la realtà per me è una prigione da cui scappare. La mia immaginazione è diventata potente come quella della mia scrittrice preferita: ho imparato a modellare la realtà. Quando riesco a costruire il mio universo parallelo, allora il dolore, i ricordi, la fogna spariscono e trovo pace. Non posso stare troppo tempo nella realtà, altrimenti tutto comincia a ricordarmi ciò che è successo. Non posso avvicinarmi a un ragazzo, anche se vorrei, non posso ricevere un abbraccio, anche se vorrei, non posso prendere il sole in costume, anche se vorrei.

Devo nascondere tutto, perché la fogna subito se lo prende. Non ne ho mai parlato con nessuno e ci ho messo un'intera notte a scrivere queste righe. Sono stanca, come se avessi urlato per ore...".»

«Che vuol dire secondo te?» le chiedo.

«Che ha cominciato a guarire...»

«E tu?»

«Anche io.»

Sui profili ufficiali dell'Appello è apparso un video in cui una figura mascherata parla con voce grave. La maschera è quella di un costume di carnevale per bambini, di cartone ricoperto da una stoffa bianca, con le paillettes a incorniciarne i contorni. Nel video si vede solo la maschera. Gli occhi saettano attraverso lo schermo mentre le parole ne rotolano fuori come tuoni. La descrizione appartiene a mia moglie, mentre l'audio lo conosco ormai a memoria:

«Viviamo in un Paese al rovescio. Il professore dell'Appello, Omero Romeo, un uomo cieco che per conoscere i suoi allievi ha inventato un modo diverso di celebrare quel rito mattutino con cui i professori verificano se i nostri corpi sono presenti – delle anime non gliene importa niente –, quell'uomo è stato sospeso dal suo incarico di supplenza annuale pur avendo una classe da condurre alla maturità, classe che aveva assunto per questo anno con una supplenza da 1000 euro al mese. Questo professore è stato sospeso per motivi disciplinari, ma il vero motivo è che è stato incolpato di ciò che i suoi allievi hanno fatto con un ministro incapace, che aveva tentato di servirsi dell'Appello per ottenere visibilità e consensi. Noi chiediamo che a dimettersi sia il ministro e che il professor Romeo venga reintegrato nel suo ruolo di insegnante di scienze, che ha sempre svolto con passione, precisione e correttezza. Per questo invitiamo tutti quelli che hanno aderito all'Appello a un giorno speciale di Appello: il primo di aprile, alle ore 10, tutti i ra-

231

gazzi si alzeranno in piedi e diranno: "Il professore in cattedra, il ministro a casa!". E non il contrario, come è accaduto. Siamo stanchi del mondo al rovescio e vogliamo rigirarlo!»

Non avevo riconosciuto la voce di nessuno dei miei alunni in queste frasi di fuoco, perché il timbro è contraffatto da effetti audio, ma non mi è sfuggito il leggero rantolare in alcune pause, che tradisce l'asma di Achille. Solo lui, per rovesciare il mondo, poteva ricorrere a una maschera di carnevale residuata dalle scuole elementari. Ma quando un ragazzo intravede la possibilità di dare senso alla propria vita è disposto a qualsiasi azione, l'alternativa è usare quella stessa energia contro se stesso, una forza uguale e contraria che o costruisce o distrugge. L'*homo sapiens* è sopravvissuto non perché sa ma perché non sa e quindi rischia: si proietta nello spazio di una mancanza, e cerca di riempirla. La sua parte animale lotta per sopravvivere ma quella spirituale per vivere sopra.

Alla ricerca del tempo sprecato
Diario di un professore cieco

Sul tuo viso, Stella, ogni volta ho trovato tuo padre. Hai il viso teso della curiosità, le occhiaie della malinconia e i connotati dello stupore. Hai tutto di lui, e non lo perderai solo se comincerai ad amarlo in te, invece di continuare a perderlo. Se lo accoglierai come guida nella terra del mistero. Prigioniera del passato, se ti liberassi avresti più futuro degli altri, perché puoi guardare già oltre la morte, nella terra dove le persone rinascono, altrimenti non sarebbero così vive in noi, anche se il prezzo da pagare è in lacrime. Scrivi quella storia, Stella, e aiuterai gli altri a scoprire che c'è sempre un dolore che si trasforma in bellezza, quando qualcuno ha il coraggio di berne il calice fino in fondo, per rendersi conto che non era il fondo, più sotto c'era un diamante incastonato al centro. Come si faceva un tempo con i calici sacri: si nascondeva una pietra preziosa dove solo Dio poteva scorgerla. È grazie a te che ho capito meglio cosa mi accade quando vado a trovare mio padre.

Ogni incontro con lui è un mistero. Fino a quando ci vedevo mi sembrava di poter fare qualcosa. Anche se lui mi riconosceva solo a momenti, quegli istanti di consapevolezza mi bastavano per sapere che ero ancora suo figlio. Da quando sono del tutto cieco la comunicazione è affidata a qualcosa di imponderabile, invisibile, incontrollabile, che forse è proprio il luogo a cui appartiene la comunione, mentre la comunicazione spesso è un ostacolo.

Sono andato da lui. Lo faccio con una certa regolarità, ma l'altro giorno ero proprio in crisi, avevo bisogno di lui. Se ne stava tranquillo a leggere nella sua poltrona. Mi sono avvicinato e gli ho poggiato una mano sulla gamba.

«Chi sei?»

«Sono Omero, papà. Tuo figlio.»

Sento che annuisce.

«Come stai?»

«E chi m'ammazza!»

Non ha mai perso la prontezza alla battuta.

Ho poggiato la mano sul suo volto rugoso e ho sentito la barba rasata di fresco, come ha sempre fatto tutti i giorni, da che lo conosco. L'odore della sua colonia mi riempie le narici, sempre e solo quella: il primo ricordo olfattivo che ho di lui.

Il suo viso è calmo, le rughe lo segnano come le vigne i campi. Non c'è tensione, sa stare solo nel presente, nessun futuro lo attanaglia. Quanto al passato, ricorda solo quello che, con il tempo, si è trasformato in bene.

Da lui ho imparato il rigore e la disciplina dello scienziato, e una certa tendenza al perfezionismo. Mi regalò il mio primo telescopio, piccolo, con un cavalletto smontabile. Avevo solo 6 anni e una volta alla settimana ci sedevamo in balcone e mi raccontava una costellazione, una stella dei naviganti, un pianeta, uno spicchio di Luna... Aveva suddiviso la volta celeste in piccoli quadrati e me la consegnava tutta, pezzo dopo pezzo, come se fossero terreni di sua proprietà. Da lui ho ricevuto in eredità il cielo e il silenzio. Mi diceva sempre che le stelle si possono guardare solo se si sa stare in silenzio, perché hanno ciascuna un proprio timbro, e la loro eco non è solo di luce.

«Papà, lo sai che hanno trovato tracce di gas su Venere? Un tipo di gas che sulla Terra proviene da forme di vita. Quindi o lì c'è qualcosa di vivo o quei gas sono frutto di reazioni che ancora non conosciamo!» I nostri discorsi sono sempre stati indiretti, ci siamo detti le cose più importanti attraverso Venere, Marte, Giove, il Merletto del Cigno, la costellazione di Andromeda e il Mare della Tranquillità...

«Ho sempre immaginato di avere una casa su ogni pianeta, come una villa al mare o in montagna, in cui passare qualche fine settimana. Non deve essere male una casa su Venere.» Continuo a raccontargli di me attraverso il cosmo, come lui mi ha insegnato. Ma adesso non ricorda più quel nostro lessico intimo seppure indiretto. La demenza senile ha cominciato a fare il suo lavoro dopo la morte di mia madre, quasi che lui non volesse più saperne di ricordare quanto le mancasse. A poco a poco ha smesso di riconoscere i volti e di ricordare ciò che aveva sempre saputo. Prima aveva una memoria formidabile, simile a quella degli uomini del deserto che delle stelle hanno una conoscenza fisica, non scientifica. Riusciva a ricordare la conformazione della volta celeste come fosse un corpo, nei vari periodi dell'anno, e tutte le volte che sollevava lo sguardo al cielo vedeva cose che nessuno era in grado di percepire. Mi mancano i suoi occhi che si accendevano quando parlava di stelle, quando ascoltava i pezzi per pianoforte di Beethoven e Schubert, quando ricordava con mia madre eventi irrisori del loro passato e litigavano per determinarne i dettagli con precisione, dimostrando che lo stesso evento era vero solo sommando le versioni, non escludendone una delle due. O quando risolvevano insieme i cruciverba, in cui mia madre non aveva rivali. Era temuto dai suoi studenti perché non tollerava approssimazioni e imprecisioni, agli esami li maltrattava quando sbagliavano qualcosa, ma poi era sempre generoso nei voti. Il suo rigore gli impediva di minimizzare sulla verità, ma era comprensivo con le persone.

«Chi sei?»

«Te l'ho detto, papà, sono tuo figlio.» Gli accarezzo il viso e poi la testa sulla quale i capelli sono ancora folti e forti.

«Non saprei...»

«Ti ricordi quando mi hai regalato il telescopio grande? Era il giorno del mio decimo compleanno. Mi hai portato sul tetto del nostro palazzo, dove ancora abitiamo. E al centro c'era un parallelepipedo di cartone alto tre volte me. È per te, mi hai detto. Era un telescopio con seggiolino, dotato di motore per ruotare all'unisono con la Terra in modo da non perdere mai il fuoco su ciò che si sta osservando. Mi hai fatto sedere su quella sedia. Lo hai acceso: emanava un ronzio meraviglioso, elettrico come quella notte che non dimenticherò mai. Hai regolato l'oculare su Saturno e ho visto quello che mai mi sarei aspettato: un occhio che galleggiava nel cielo, l'anello sembrava il contorno e al centro brillava una pupilla giallastra. Quello che avevo sempre ammirato nelle pagine dei tuoi libri, lo osservavo con i miei occhi, in quel momento. Ero io a vederlo, ero io che festeggiavo i miei 10 anni con il regalo di tutto il cielo, in cui scorrazzare liberamente. E tu hai cominciato a raccontarmi tutto di quel pianeta: il suo nome terribile legato al tempo e a banchetti di figli, le sue 82 lune che mi facevano girare la testa al solo immaginare di contemplarle tutte, la sua dimensione 10 volte maggiore di quella della Terra, i suoi venti superficiali che raggiungono i 2000 chilometri orari e scuotono lo strato gassoso più esterno, il suo giorno che dura poco più di 10 ore e l'anno che equivale quasi a 30 dei nostri, la singolare composizione esagonale delle sue nubi al polo e il suo meraviglioso anello fatto di frammenti di ghiaccio che gli girano attorno come una pista di pattinaggio sospesa nel nulla.»

All'improvviso si è scosso e ha poggiato le sue mani sulle mie.

«Omero, che cosa hai sugli occhi?»

«Non ci vedo, papà. Sono diventato cieco.»

«E quando?»

«Cinque anni fa, papà.»

«Che peccato... Se vuoi ti aiuto io.»

«Mi farebbe piacere, papà. Vorrei che mi raccontassi una delle tue storie del cielo.»

«Questo spettacolo sempre antico e sempre nuovo», la frase con cui introduce i suoi racconti. E comincia a descrivermi per l'ennesima volta la sua costellazione preferita e le stelle che la compongono, il loro modo di pulsare e le sfumature di colore per distinguere la loro grandezza e la loro storia. Non la dimentica mai. Finché arriva il suo pezzo forte: la spiegazione della forma a spirale delle galassie, la più lampante dimostrazione che in ogni angolo dell'universo le cose danzano insieme. Da mio padre ho imparato che l'universo è una coreografia in cui danza e danzatore sono un'unica cosa e noi siamo stati creati per goderci lo spettacolo. Si è fermato e dopo una pausa in cui siamo rimasti in silenzio mi ha poggiato la mano su una spalla e ha ripreso:

«C'è un popolo del deserto in cui le donne che hanno appena partorito, di notte, si allontanano dal gruppo e portano i loro neonati sotto il cielo stellato, quando le stelle scintillano nel buio più di quanto faccia il sole di giorno. Li espongono a quella luce e chiedono alla stella più luminosa di sostituire il piccolo cuore del bambino con il proprio, perché il suo cuore sia il cuore di un cacciatore: le stelle infatti, per loro, sono cacciatrici. Ricordo quei mesi passati nel deserto a studiare le stelle, lì anche io ho sentito che emanano un suono inconfondibile, un fischio sordo, come quello che i cacciatori rivolgono ai loro cani per incitarli a cercare le prede.»

Ancora una volta mio padre mi ha detto ciò che voleva attraverso i corpi celesti. Voleva rimettermi nel cuore quel desiderio di cacciare i misteri del cielo, un cuore antico e sempre nuovo come le stelle, un cuore di fuoco.

E così ha curato la mia paura e il mio scoraggiamento, forse senza saperlo. Mi basta questo per sapere che è mio padre. Non importa che non sia più capace di fare nulla, che non mi riconosca più, importa che io mi riconosca in lui e nei suoi doni. E lui non smette di donare tutto quello che ha e che non ha, come fanno i padri che amano i loro figli. Ho perso il lavoro, i miei ragazzi e, mio malgrado, sono diventato un rivoluzionario... Ma non mi importa. Se dovessi perdere tutto, so che c'è una cosa che nessuno può togliermi e di cui non mi stancherò mai: essere figlio.

APRILE

Aprile è il mese più crudele perché è il mese della speranza. Persino la città se ne accorge e i fili d'erba si insinuano tra le fessure dell'asfalto. La vita fragile, appena risvegliata dal calore, fermenta ma teme di non essere abbastanza forte contro le intemperie. È un mese in cui tutte le nostre fantasie di distruzione ritornano a galla con malinconia crudele, e a niente servono i segnali sempre più intensi della primavera, perché sono ancora incerti, e come tutte le speranze incerte fanno più male delle certezze disperate. Mi mancano le lezioni, mi mancano i ragazzi, mi manca Patrizia, mi mancano l'odore dell'aula densa di corpi e il rimbalzare di parole essenziali tra mura scalcinate. È proprio vero che la classe non la fanno i muri ma i corpi, non i mattoni ma le anime. Ma quest'anno il mese crudele si è aperto con un pesce d'aprile nazionale ordito dal nostro eroe mascherato...

«Il professore in cattedra, il ministro a casa!»

Alle 10 le vie della città si sono riempite di uno strepito potente e compatto, che rimbalzava contro i muri delle case e dei palazzi. I telegiornali hanno dato spazio all'evento e nell'edizione del pranzo il ministro, intervistato, è dovuto correre ai ripari dichiarando che non sapeva nulla e che la mia posizione sarebbe stata esaminata attentamente, mentre la sua non era in discussione: il governo gli ha manifestato piena fiducia. La necessità di specificarlo significa che è vero il contrario. E ho provato pena per lui che fa, male, quel che può.

Oggi è stata una giornata tiepida e ventosa. Nel pomeriggio ho passeggiato a lungo nel parco vicino a casa. Ero appena rientrato quando è suonato il citofono.

«Sono Achille.»

Riconosco subito la voce asmatica dell'eroe *smascherato*, con il quale è ora di fare i conti.

«Sali.»

Lo faccio accomodare nel soggiorno, mentre lui balbetta qualche parola imbranata. Gli ho chiesto io di venire a casa mia, tramite Virgilio.

«Come va l'asma?»

«Al solito... Che cosa è successo?»

«Lo sai.»

«No, non lo so...» La voce gli si incrina, come ai bambini quando cercano di nascondere l'evidenza.

«Come ti è venuto in mente di girare quel video senza consultarmi?»

«Quale video?»

«Quello che hai messo online il 25 marzo per lanciare la manifestazione del 1° aprile...»

Tace.

«Achille, ho riconosciuto il tuo respiro, non fare il furbo con me.»

«Era la cosa giusta da fare, professore» risponde d'un fiato.

«Dovevi chiedere il mio parere, perché si tratta di me.»

«Ho deciso da solo, perché era la cosa giusta.»

«Ma non hai considerato le conseguenze su di voi. Fino a oggi il fatto che io sia stato sospeso vi ha protetto: le colpe sono ricadute per lo più su di me, e per voi è stato chiuso un occhio grazie all'intervento di alcuni professori. Ma la vostra situazione resta in bilico e rischiate ancora di saltare la maturità. Se scoprono che sei stato tu, la pagherete tutti.»

«Pazienza. Ce lo ha detto lei che i cambiamenti richiedono un prezzo e che non bastano le chiacchiere.»

«Mi avete preso troppo alla lettera...»

«O semplicemente sul serio.»

Suonano alla porta.

«Apri tu, Pietro? Prima chiedi chi è.»

Pietro corre incuriosito. Dietro di lui sento i passi corti di Penelope, che imita il fratello.

«Papà, ci sono dei ragazzi. Dicono che sono i tuoi studenti.»

Il soggiorno si trasforma in un'aula: sono loro. Sono arrivati con Achille e hanno aspettato qualche minuto prima di dare inizio a questa pacifica invasione, per difendere il loro supereroe. Ci hanno preso gusto.

«Chi sono chetti bimbi grandi?» mi chiede Penelope, aggrappandosi alla mia gamba e nascondendo il viso per la vergogna.

«I miei studenti.»

«E perché non vanno a 'ccuola?»

«Chiedilo a loro...»

«Che bei figli, prof!», la voce di Caterina.

Sento che si avvicina e si china su Penelope, che mi si attacca di nuovo, abbracciandomi impaurita. Non riesce a gestire troppi estranei in una volta.

«E tu chi sei?» domanda Elena.

«Pietro.»

«E sei fissato con le stelle come tuo padre?»

«Sì, sì. Ho anche il telescopio e ho visto l'anello di Saturno.»

«Davvero? E com'è?»

«Come un occhio che ti guarda dallo spazio. Fa paura...»

«Effettivamente fa paura...»

«Sì, ma papà mi ha spiegato che sono pezzi di ghiaccio che gli ruotano attorno. E non ho avuto più paura.»

Una risata collettiva sorprende Pietro e la sua frase pronunciata con fierezza.

«Liberarsi di voi è proprio impossibile.»

«Lei ha un programma da portare a termine. E pensavamo che questa potesse diventare la nostra nuova aula.»

«La supplente è una noia mortale.»

«E poi a noi interessa imparare anche le cose della vita, mentre ci spiega quelle del cosmo.»

Mi metto a ridere.

«Siete più testardi di me.»

«Il discepolo supera il maestro...»

«E da cosa cominciamo?»

«Da quello che vuole lei, professore. Oggi era per venirla a trovare.»

«Mi sembra il minimo, dopo quello che ha combinato Achille.»

Rimangono in silenzio e so che si stanno scambiando sguardi di intesa.

«L'ha capito» interviene Achille sconsolato.

«L'hanno capito tutti, supereroe» ribatte Caterina.

Si accomodano nel soggiorno, chi per terra, chi sui divani, chi sulle sedie prese dalla cucina.

«Posso rimanere pure io?» chiede Pietro.

«Se stai buono...»

«Pule io, pule io!» urla Penelope appesa al mio braccio.

«Abbiamo due studenti in più, oggi» dico rivolto ai miei ragazzi.

«In realtà ne mancano due...» precisa Achille.

«Chi?»

«Aurora è ricoverata e Mattia è sparito di nuovo, e non risponde al telefono.»

«Ricoverata?»

«Sì, per l'alimentazione forzata...»

«Chiamiamo Aurora, così può seguire con voi via video o almeno in viva voce.»

«Non sappiamo se ce la fa...»

«Proviamo.»

Aurora risponde con una voce fioca.

«Aurora, non puoi perderti questa lezione memorabile.»

«Ma io, professore, sono...»

«Lo so. Non importa. *Ubi bene, ibi patria* dicevano gli antichi: noi siamo a casa dove stiamo bene, ovunque ci troviamo. Vuoi stare con noi?»

«Ci provo.»

«Tu ascolta e se vorrai interverrai, altrimenti va bene lo stesso. Cominciamo. Visto che non mi avete dato il tempo di prepararmi, facciamo una lezione un po' speciale. Mi spiace che Mattia non sia qui con noi...»

Mi concentro per qualche secondo, immergendomi nel silenzio da cui tiro fuori le cose migliori. Sono a casa mia con i miei studenti. Non è me che cercano, ma quello che io desidero per loro, che costruisce le vere mura di quella cosa che chiamiamo scuola, che è ovunque ci siano persone strette dai legami invisibili che spingono a cercare insieme il senso delle cose. Fuori dalle finestre la natura striscia sotto la città per riprendersi un po' della vita che le è stata sottratta. La bellezza ancora invisibile fermenta sotto l'asfalto, e io so di essere qui per dare dei nomi a tutte le sue imprevedibili manifestazioni per poterli poi donare ad altri. Studenti e figli seduti vicini per me sono ormai un tutt'uno.

«Lo studio è l'unione sempre più profonda dell'animo innamorato di una cosa con quella cosa. Non ci può essere studio senza la scintilla d'amore, noi continuiamo a cercare ciò che abbiamo già trovato: per questo si usa il termine ricerca, che vuol dire girare attorno a qualcosa più e più volte, come fa un ragazzo con la sua ragazza. Non si dà un incremento di conoscenza in un campo che non sia preceduto da un incremento di amore per ciò che è oggetto di quel campo. E così, anche se so che non è nel programma, vorrei dedicare questa improvvisata lezione casalinga all'origine del metodo di ricerca: il cuore. Quattro cavità ne compongono lo spazio, perché quattro sono le cose che il cuore custodisce e spinge nelle arterie della vita: il dolore, la gioia, la paura, il desiderio. La prima stanza contiene quello che più ci fa soffrire, che ci àncora al passato e ci impedisce di trasformare il presente in futuro.

La seconda stanza contiene ciò che più ci rende felici, il saperci amati e l'amare, l'avere un posto nel mondo e vivere la vita con slancio creativo. È la stanza del senso delle cose, quella in cui la vita è in pace, comunque vada là fuori. È la stanza dove si torna sempre a casa.

La terza stanza è quella del buio, quel buio che fin da bambini riempiamo di ciò che temiamo di più, anche se non lo vediamo, anzi, proprio perché non lo vogliamo vedere. Lì si annidano tutte le nostre prigioni reali e mentali, è la stanza in cui non siamo e non saremo mai abbastanza, perché abbastanza è di più della perfezione. È la stanza della vergogna di esistere, del sospetto su noi stessi.

La quarta stanza è quella del desiderio, in cui siamo aperti al futuro, quella che ci fa tendere in avanti e non ci fa dipendere da tutto il resto. Tendere è il contrario di dipendere. È il luogo del rischio e dell'inquietudine, senza la quale la vita raggiungerebbe presto l'equilibrio della morte.

Da queste quattro stanze del cuore dipende il sangue della vita, e non si può fare a meno di nessuna: ci sarebbe fatale. Il cuore è un organo cavo di fibre muscolari che lanciano impulsi autonomi da qualsiasi controllo volontario, sin dalle prime settimane di vita, quando questo tessuto è ancora fatto solo di qualche cellula. È la vita così com'è, la vita nel suo ricevere e nel suo dare. Vorrei sapere che cosa c'è, adesso, nelle stanze del vostro cuore, perché da questo dipende il sangue che circola in ogni centimetro del vostro corpo, tanto che se io vi pungessi con uno spillo, dalla pelle uscirebbero subito quelle quattro cose...»

ELENA

Nella stanza del dolore c'è la mia bambina. Nella stanza della paura c'è la mia bambina. Nella stanza del desiderio non c'è la mia bambina. Nella stanza della gioia non c'è la mia bambina. Ma io sono qui, perché non voglio impazzire.

STELLA

Da tutta questa vicenda ho capito una cosa, professore, che per scrivere, come per vivere, ciò che conta non è dire qualcosa, ma avere qualcosa da dire, e l'unica cosa da dire è la verità. Prima ero concentrata sul dolore, la perdita di mio padre, e non sapevo vedere la metà corrispondente, la gioia. Quel dolore è così forte perché altrettanto forte è stata la gioia di averlo come padre: e questo io lo voglio dire, questo è quello che ha da dire il bambino al suo robot lontano. Prima ero imprigionata dalla paura, il terrore di non farcela da sola, non solo a continuare il libro, ma a vivere, eppure anche in questo caso non sapevo vedere la metà corrispondente, il desiderio. La paura era così forte perché altrettanto forte era il desiderio di crescere: e questo io lo voglio dire, quanto desidero crescere, è quello che ha da dire il bambino al suo robot lontano. Ho cominciato a scrivere e ho scoperto che scrivere non serve a confermare il destino che ci è capitato e a rigirarci dentro un coltello, ma a riscriverlo, a dargli un senso, una direzione, a farlo diventare una destinazione.

"Sono felice di avere notizie dal tuo mondo, così posso vivere contemporaneamente nel mio e nel tuo. Anche se la distanza mi fa male e mi manchi, io so che questa mancanza è la misura di quanto ti voglio bene. Inoltre mi dà gioia sapere che il tuo bene è prenderti cura del tuo pianeta e dei tuoi amici. Quando la notte vedo brillare in cielo un punto, sempre quello, ti immagino sul tuo pianeta, e la distanza che ci separa è colmata dal ricordo, dal pensiero, dalla nostalgia, dall'amicizia. E tutte queste cose riempiono il cuore, anche se alcune fanno male, ma è un male che fa bene, perché comunque lo riempiono di te." Queste sono le parole che ho scritto, la lettera del bambino al robot comincia così.

«Pronto, casa Romeo?»

«Sì, con chi parlo?»

«Sono Luce Cherubini, lavoro in una casa famiglia dove abita un suo alunno.»

«Cesare! Come sta?»

«Non lo sappiamo.»

«Che cosa è successo?»

«Non torna da due giorni e non riusciamo a trovarlo.»

«Ma è successo qualcosa?»

«Sì... Ha provato a baciarmi e l'ho respinto. E poi è fuggito.»

«Parla spesso di lei, Luce, come dell'unica persona che lo ascolta. Deve essersi innamorato della prima persona da cui ha percepito un affetto sincero.»

«Parla spesso anche di lei. Per questo l'ho cercata, e le chiedo scusa se mi sono procurata il suo numero di telefono tramite la scuola. Magari lei può sapere dove è andato.»

«Una volta ha parlato di un posto, vicino alla stazione, dove si riuniscono lui e gli altri del suo giro. Potremmo provare a cercarlo lì.»

«Bene, allora lo segnalo ai carabinieri.»

«No, Luce, no. Tradirei la confidenza che mi ha fatto. Perché non andiamo a cercarlo noi? Ha una macchina?»

«Sì... ma lei non è cieco?»

«Basta che ci veda lei. Perché non mi passa a prendere e andiamo insieme?»

«Non è mio compito, rischiamo di rafforzare la sua confusione. E poi non mi sembra il caso...»

«E lei pensa che se lo trovano i carabinieri e lo riportano a forza la confusione passerà?»

«Non lo so, ma è così che bisogna fare.»

«Facciamo che sono io che lo vado a cercare e lei non sa niente, mi accompagna e basta.»

«Non mi convince... ma per Cesare posso fare un'eccezione. Passo da lei appena finisco l'orario di lavoro. Se non lo troviamo sarò costretta a fare come le ho detto.»

«Luce, l'aspetto.»

Ci avventuriamo nella zona abbandonata della ferrovia, dove sostano vecchie carrozze arrugginite dopo incidenti che le hanno rese irreparabili.

«Mi ha parlato dei binari abbandonati dove si ritrovano per le loro sfide.»

Avanziamo con circospezione tra cespugli spinosi e muri diroccati, che Luce mi descrive pieni di graffiti.

«Qui c'è una ringhiera di ferro. Non si può andare oltre...»

«A meno che non la si scavalchi. L'ideale perché nessuno possa trovarli.»

«Non mi fido. Siamo una ragazza e un cieco in una zona di tossici...»

«Proprio per questo dobbiamo trovare Cesare. Siamo l'ultimo appiglio per quel ragazzo. E servirà anche solo averci provato.»

«Ma io ho paura.»

«E perché, io no? Manco ci vedo...»

«Cesare mi aveva detto che lei è un testardo, ma a me sembra anche sprovveduto.»

«Se non lo fosse anche lei, non sarebbe qui. Andiamo avanti.»

«Ma lei qui non può passare, non può scavalcare.»

«Posso. Sa, una volta ho fatto un salto dal decimo piano e mi sono rotto solamente una caviglia. Sono praticamente immortale... Lei mi aiuti e ce la caveremo.»

L'operazione è più semplice del previsto, si tratta di una di quelle ringhiere basse che richiedono solo un po' di attenzione. Mi sento un ragazzino che sta violando una proprietà per rubare la frutta, come facevo in campagna anni fa. Il vento sibila freddo e noncurante tra le lamiere che sbattono secondo il capriccio del soffio. Camminiamo sulle rotaie abbandonate. Luce mi tiene per mano e sembra di essere nel finale di un film di Chaplin di cui non ricordo il titolo. Mi riprometto di fare un elenco dei suoi 10 film più belli, che ho visto con mia madre a cui piacevano in modo speciale. I ricordi di lei si insinuano nell'aria fredda e abbandonata di questa sera e penso al fatto che Cesare non avrà mai immagini di questo tipo. Come si può vivere senza avere i ricordi di quando un padre e una madre ti consegnano bocconi di mondo che non sei ancora in grado di masticare? E così comincio ad avere paura. Dove mi trovo? Che cosa sto facendo? Come mi è venuto in mente di avventurarmi fino a qui con una sconosciuta?

«Che cazzo ci fate qui?» Una voce con una strana cadenza e le vocali strascicate ci fa sobbalzare. Sento la mano di Luce stringersi alla mia.

«Stiamo cercando Cesare» dice lei con la voce strozzata.

«Qui non c'è nessun Cesare, andate via prima che vi cacciamo a calci in culo.»

«Cerchiamo Ruggine. Dicci dov'è, invece di rompere le palle» intervengo con finta fermezza.

«Ehi, bello, datti una calmata, sennò da qui non esci con le tue gambe. Ruggine è in quel vagone. Ma voi chi siete?»

«I suoi genitori» rispondo seccamente.

«Che cagasotto, il paparino e la mammina sono venuti a prenderlo perché non è tornato a casa...»

Sento i passi del ragazzo venire verso di noi: ci supera con una parolaccia e si allontana nella direzione da cui siamo venuti.

Ci avventuriamo tra i vagoni abbandonati. Mi lascio guidare da Luce. Saliamo i gradini di quella che deve essere una carrozza vuota, i nostri passi rimbombano e la temperatura è la stessa che c'è fuori.

«Luce! Professore! Che cazzo ci fate qui?»

«Modera i termini, Cesare.»

«Qui siete a casa mia, e parlo come voglio.»

«Che ci fai qui, tu, Cesare? Questa non è casa tua...» dice Luce con delicatezza.

«E quale sarebbe casa mia? Quella merda di rifugio di disperati?»

Mi siedo accanto a lui e sento che anche Luce si accoccola lì davanti.

Rimaniamo in silenzio per un po', poi prendo il volto di Cesare e ne riconosco i tratti da bambino costretto a fare l'uomo, le lacrime cominciano a solcargli le guance. Porto il suo volto al petto.

«Non si chiude mai, professore, non si chiude mai.»

«Lo so, Cesare, e non si chiuderà mai. Come ti ha detto Luce, quello che conta è che cosa puoi tirarci fuori.»

Rimaniamo in silenzio, attorno a noi il freddo avvolge il ferro e la carne allo stesso modo, rendendo tutto un unico cumulo di detriti. I rumori della città, lontanissimi, vengono neutralizzati dal vento che fischia tra le lamiere. Eppure in mezzo a questa terra buia e amara c'è sempre qualcosa di piccolissimo che assomiglia alla tenerezza e non può essere inghiottito né raggiunto dal male.

«Torniamo a casa» sussurra Luce.

ACHILLE

Voi non avete idea del movimento che c'è attorno ai profili dell'Appello. Migliaia di contatti giornalieri, con video e commenti. Sembra che gli studenti non aspettassero altro. Passo le giornate a dirigere il traffico e a controllare che tutto proceda regolarmente. Ho ricevuto anche diverse proposte di sponsorizzazione, ma ho sempre detto di no perché perderemmo credibilità se diventassimo una pagina commerciale. E l'eroe mascherato è la cosa più grande e intelligente che io abbia mai fatto: migliaia di ragazzi si ribellano all'unisono, con quella stessa maschera ridicola. Io che non sono riuscito mai a combinare nulla di importante nel mondo reale, in un colpo solo ho ribaltato un pezzo di mondo al rovescio. Questi sono il desiderio e la gioia che ho nel cuore, e non ho più tempo per pensare al dolore e alla paura. Il mio computer finalmente è diventato una finestra sul mondo, non uno schermo in cui vedere solo me stesso. Dobbiamo fare in modo che l'Appello valichi i nostri confini e diventi un movimento di resistenza internazionale. Tutti devono sapere e lottare per far in modo che la scuola così com'è crolli, e ne nasca una nuova. Un luogo in cui le vite fioriscono invece di spegnersi. So che può sembrare uno slancio campato in aria, ma non possiamo sprecare le energie che abbiamo raccolto, dobbiamo farle esplodere come l'atomica.

CESARE

534.346 visualizzazioni della mia canzone, e quando mi ricapita sta situazione? Mi hanno intervistato per sapere come è andata, io gliel'ho raccontato, la vita mi si è ribaltata. Tutti mi hanno chiesto perché non gliel'ho detto che facevo canzoni, e io gli ho detto *bastava chiedere, coglioni!* Tutti ti cercano quando hai successo, smetti di essere invisibile, non sei più un cesso, tutti vogliono un po' della luce che ti è capitata, ma tu devi rimanere concentrato sulla musica, il resto è una cazzata. Così ho scritto ancora e voglio fare un disco, professore, un disco che ti cambia l'umore, che trasforma la rabbia, che te la toglie dal cuore come si fa con la sabbia nelle scarpe. Ho sofferto come un cane, perché quel dolore doveva diventare pane, perché il dolore è come il grano, lo devi raccogliere tutto nella mano e macinare piano piano per poterti sfamare tu e chi muore di fame. Nel mio cuore c'è ancora la paura di prima, quella di restare solo, ma adesso c'è un desiderio, quello di farci un assolo, la mia gioia ve l'ho detta, è la musica, che è lì che aspetta, e il dolore pure quello lo sapete, ma adesso è diventato un modo di vedere le cose, di chiamarle per nome, di trovarci un come. Tanto i conti non tornano mai. Così lo voglio intitolare: *I conti non tornano.* Prima camminavo guardando il passato e cadevo rimanendo senza fiato, ora guardo avanti, perché ci guardino in tanti. E tutto questo non sarebbe successo se qualcuno non fosse venuto a cercarmi in fondo a quel cesso in cui mi ero andato a ficcare. C'è sempre una luce se qualcuno ti ama, la vita si ricuce se qualcuno ti chiama.

«Professor Romeo?»

«Sì, con chi parlo?»

«Commissariato di polizia. Potrebbe per favore raggiungerci con una certa urgenza?»

«Ci deve essere un errore.»

«No, no: Omero Romeo, professore. Abbiamo qui un suo studente che ci ha detto di chiamare lei.»

«Per cosa?»

«Glielo spiego di persona...»

«Arrivo.»

Mi faccio dare l'indirizzo e mi precipito con un taxi. Durante il viaggio mi domando di chi si tratti, ero talmente confuso che non ho neanche chiesto. La città fuori dal finestrino strepita più del solito, tutti hanno fretta nel ventunesimo secolo e il frastuono dei clacson segna il ritardo perenne in cui crediamo di vivere.

«Sono il professor Romeo, mi avete chiamato poco fa.»

«Lei è il professor Omero Romeo, proprio lei?» Chi mi accoglie ha il tipico tono di voce incredulo.

«Sì, sono io. Capisco che può sembrarle strano...»

«Per me è un onore, professore! Lei è l'eroe dei miei figli. Ce ne vorrebbero centinaia, che dico, migliaia, di professori come lei. Allora sì che la scuola cambierebbe in fretta. Dovrebbero farla ministro.»

«Solo questa mi manca... Ma che è successo?»

«Un ragazzo ha tentato una rapina in un negozio. Lo abbiamo beccato. E quando gli abbiamo suggerito di contattare qualcuno ci ha chiesto di chiamare lei.»

«Ma perché? Che c'entro io?»

«Dice di essere un suo studente, e se qualcuno garantisce per lui forse il proprietario del negozio non sporge denuncia. Se lo fa, il ragazzo comincia con una fedina penale macchiata e diventa tutto in salita, se lo lasci dire...»

«Ma che ha combinato?»

«È entrato nel negozio con un coltello e il viso coperto. Il proprietario ha reagito e gli ha strappato il passamontagna, lui gli ha spaccato uno zigomo con un pugno. È scappato, ma con le telecamere non ci è voluto molto a rintracciarlo...»

«Ma dov'è? Sta bene?»

«Sì, sì, anche troppo. Parla e straparla...»

Mi portano in una stanzetta.

«Professore!»

«Oscar! Che cosa ti è venuto in mente?»

«Lo so, lo so, adesso non ci si metta anche lei a rompere. Ho fatto una stronzata. Ma c'ho bisogno di soldi, prof.»

Gli metto le mani sul volto per assicurarmi che sia il mio Oscar e che sia tutto intero.

«E quindi hai avuto la brillante idea di rapinare un negozio. Ma che c'hai in testa?»

Mi abbraccia e comincia a piangere sulla mia spalla.

«Mia madre non può andare avanti così, professore, non può...»

«Che vuol dire?»

«Quello che non ho mai detto. Che deve fare certe cose per campare. E io non lo sopporto. La devo portare via, professore. Ma ci vogliono i soldi o quelli l'ammazzano. E io non so dove prenderli.»

«Ma perché non me lo hai mai detto?»

«E che le dicevo davanti a tutti, che mia madre è una puttana e che mio padre non è mai esistito e mi sono inventato tutta la storia?»

Rimango in silenzio. Sono pochissimi i momenti della vita in cui siamo veramente nudi e lasciamo vedere ciò per cui vogliamo essere amati. Questo è uno di quelli.

«Non voglio che anche mia madre ci vada di mezzo... Così ho fatto il suo nome e ho detto che era una scommessa, un gioco. Non m'hanno creduto. Solo lei ho, prof. Solo lei può convincere gli sbirri e quello del negozio.»

«Perché io?»

«Perché lei si fida.»

«Di te?»

«Sì.»

«Oscar, ma tu gli hai spaccato la faccia e hai tentato di rapinarlo. Non si può far finta di niente.»

«Non mi abbandoni, prof, sennò sono rovinato. Ero disperato. Non bastano i soldi dei combattimenti e devo finire la scuola, poi col diploma mi posso cercare un lavoro.»

«E chi mi garantisce che non lo rifai?»

«Nessuno, professore. Si deve fidare. Come si è fidato di me per tutti questi mesi, anche quando raccontavo balle. E se non fosse stato così non saremmo qui. Io non ho nessuno di cui fidarmi. Nessuno.»

«Solo a una condizione, Oscar.»

«Quale?»

«Che la smetti di combattere. Quello non è il tuo futuro.»

«Come no? È l'unica cosa che so fare.»

«No, è l'unica cosa che ti sei convinto di dover fare!»

«Non può chiedermi questo.»

«Allora arrangiati. Vuoi farmi credere che quei combattimenti siano legali? Tu non sei iscritto a nessuna gara nazionale. È il solito giro di scommesse illegali e di incontri clandestini. È vero?»

Silenzio.

«Come lo sa?»

«Quando le persone mentono cambiano tono di voce e prendono tempo, fanno pause, perché devono inventare o ricordare a che punto è la costruzione del loro castello di menzogne. La verità invece è semplice da dire, fa male ma poi ti dà le energie per affrontare quello che comporta. La puoi anche dire a pezzi e con lunghe pause, ma quelle pause servono a prendere il fiato contro la paura, e sono molto diverse da quelle di chi racconta balle come te...»

«Lei è proprio il cieco più stronzo che io conosco, professore.»

«E tu sei l'alunno più stupido che io abbia mai avuto. Dopo tanti anni di scuola non sai manco usare il congiuntivo.»

«Va bene, non ho scelta... Però io non so come venire fuori da questa merda.»

«Troveremo il modo.»

«E per il congiuntivo deve rassegnarsi, non l'ho mai usato e mai lo farò.»

«Peggio per te. Allora ti lascio qua dentro.»

«No, no, ci proverò anche con quello. Lo prometto!»

Mi abbraccia. È un gigante. È un bambino.

E così Oscar e io abbiamo un grande segreto.

Il segreto delle vite a cui è data una possibilità di rinascere, quando finalmente trovano il coraggio di chiedere aiuto.

CATERINA

"Dove è il tuo tesoro, là sarà anche il tuo cuore." L'ho letto nel Vangelo ed è vero. Il cuore sta dove c'è ciò che ci attrae, qualsiasi cosa sia. Sono così contenta di rivederla, professore, e sento che il mio cuore è felice, perché abbiamo trovato un tesoro e lo stiamo mostrando a tanti altri. Mi è mancato il nostro Appello, i vostri racconti. L'altro giorno raccontavo a mia nonna quello che stiamo facendo, perché mi aveva vista in tv. Mi ha detto *goditi questi momenti, perché ci camperai tutta la vita*. Lei vive di ricordi, come si usa dire, cioè va a prendere la vita dove si è depositata. Io non faccio che pensare a quello che verrà, la vita per me è una linea che da sinistra va a destra, da dietro va in avanti. Per mia nonna è il contrario: la linea va indietro, è tutta memoria. Non ha più forza per immaginare ciò che verrà dopo e sta più volentieri in ciò che è già avvenuto. Allora mi sono chiesta come fare un giorno ad avere una vita piena anche nei ricordi. E secondo me il segreto è nell'attenzione. L'attenzione è la presenza del presente. Ed è solo il desiderio che ci dà il coraggio di tenere gli occhi aperti. Ed è questo che voglio adesso, amici, rivelarvi il mio desiderio. Dopo la maturità voglio dedicare tutta la mia vita a Dio, perché è lui che desidero più di ogni altra cosa, ed è in lui che passato, presente e futuro diventano un'unica cosa. Forse l'ho fatta un po' complicata, ma se questo è il senso di tutta l'esistenza, se dopo la morte c'è la vita con Dio, io voglio cominciare subito. Ho sentito la sua chiamata. Mi ha detto: tu sei mia. E io ho risposto: e tu pure.

OSCAR

Certo che tu sei strana... Però c'hai le palle. Cioè... Ci siamo capiti. Io però vi devo chiedere scusa, perché non ci avevo creduto. Quando mi hanno cercato per intervistarmi mi sono spaventato. Pensavo mi cercavano per altri motivi... C'era questa macchina che mi seguiva e poi si è fermata davanti a me. Io stavo per scappare, ma poi il giornalista mi ha detto *è per l'Appello!* Mi hanno fatto un casino di domande ed è stato figo. Ho sparato qualche cavolata, scusate, ma ero in tv e non potevo perdere l'occasione. In palestra mi hanno salutato con rispetto, perché anche se della scuola non gliene frega nulla hanno capito che questa è una cosa giusta. Mia madre non la finiva di vantarsi con le sue amiche. E Oscar di qua, e Oscar di là, e Oscar di su, e Oscar in tv... Quanto al mio cuore e ai suoi spazi non so che

255

dire, mi sembra che lei la fa troppo precisa, professore. Nel mio cuore è tutto mescolato, gioia e dolore, paura e desideri, non sono mai riuscito a distinguere, anche perché è tutto coperto di rabbia. Fino a che non ho finito di rompere nasi e zigomi non ho tempo di distinguere gioia e dolore, desideri e paure. E nemmeno me ne frega, fino a che non riesco a fare quello che devo fare...

«Perché non sei venuto?»

«Lei non si arrende mai, professore, mai!»

«E tu un po' troppo facilmente.»

«È tutto inutile. Nessuno dà importanza a quello che ne ha per me. Per me la Luna piena, una ragazza nel vento di primavera, la risacca su una scogliera, una bambina che disegna un ritratto della madre... sono sufficienti a credere nella vita, ma poi mi ritrovo solo e di queste cose, che nessun altro vede, non so che farmene. Sparisce tutto e ciò che prima mi parlava diventa muto. Prof, c'è stato un momento in cui lei mi ha fatto tornare la voglia di essere vivo. Abbiamo gridato al mondo che la scuola di oggi è il rovescio della scuola.»

«E poi?»

«E poi guardi come siamo finiti tutti... Ci hanno dato subito in pasto agli schermi. E noi stessi ci siamo dimenticati che cosa avevamo fatto e perché lo avevamo fatto. Abbiamo barattato subito la nostra battaglia con un po' di notorietà, come se in fondo avessimo desiderato solo questo. Io per primo...»

«Che cosa è successo?»

«Mi ha cercato un giornalista, colpito, così ha detto quello stronzo, *dalla mia carica ideale e dalla mia capacità retorica*. Mi ha proposto di partecipare a una trasmissione in tv per presentare il nostro manifesto, così da farlo arrivare a molte più persone. Ma quel programma era un'altra versione del circo, ancora più feroce, e il conduttore voleva costringere me e gli altri che erano lì a recitare i casi umani che lui aveva in mente. Non gliene importava nulla del nostro progetto, quello che serviva era qualcuno da spolpare...»

«E tu?»

«E io gliel'ho detto in faccia, mentre registravano. Quando hanno interrotto le riprese mi sono alzato e me ne sono andato... Mi ha urlato dietro *ma chi ti credi di essere?* Io l'ho mandato a quel paese.»

«Hai fatto bene.»

«Ma è tutto inutile, professore. Ci sono solo adulti affamati, da entrambi i lati dello schermo. Io per loro non esistevo, servivo solo come specchietto per l'audience.»

«Tu non hai coraggio, Mattia. Sei un concentrato di paura.»

«Se è venuto qui per insultarmi poteva risparmiarsi la fatica.»

«Smettila di fare la vittima. Che cosa ti aspettavi, che il mondo cambiasse perché gli abbiamo detto che fa schifo? Sei proprio un idealista...»

«E perché lo abbiamo fatto, allora?»

«Perché la verità bisogna seminarla, poi darà frutto al tempo opportuno. Noi non siamo idealisti, Mattia.»

«E cosa siamo?»

«Contadini. La verità è un seme piccolo, te ne devi prendere cura e proteggerlo dalle intemperie. E sperare che dia frutto, ma non è sicuro che accada. L'importante è che tu abbia fatto la cosa giusta: su questo puoi stare in piedi sulle tue gambe e sostenere il peso di altri. Tu invece sei troppo concentrato sulle tue debolezze e su quelle altrui, e ti manca la compassione per accettarle. Anche io ci sono cascato quando sono diventato cieco. Tutto quello in cui avevo creduto era stato spazzato via... Ero disperato. Mi sono ritirato dalla vita. E pensavo di farla finita...»

«Finita, lei?»

«La mia forza l'ho trovata solo quando sono stato debole.»

«E come voleva farla finita?»

«Nell'unico modo in cui la si fa finita. Mi sentivo giustificato: avevo l'alibi perfetto per scappare.»

«E poi?»

«E poi ci ho provato e sono precipitato da mezzo metro anziché da trenta. Dio mi ha afferrato per i capelli e mi ha fatto capire che mi stavo prendendo troppo sul serio. Dovevo trasformare quel buio in luce, come fanno gli scienziati e gli artisti.»

«Cioè?»

«Lottano contro il buio per tirare fuori la luce. Non si arrendono, vanno nel buio e ci restano, perché sanno di essere al servizio della vita e non di se stessi.»

«Ma chi dice che c'è questa luce? È una tortura: uno cerca la verità, e più la trova più scopre che è orrenda: la vita taglia le gambe. Alla fine per cosa viviamo? Oggi la maturità, domani la laurea, dopodomani il lavoro, la famiglia, i figli... E tutto questo per cosa?»

«Questo è il punto, Mattia, esattamente questo. Beethoven divenne sordo, voleva suicidarsi, era a un passo, ma il suo amore per la musica lo salvò, e da sordo compose opere tra le più belle della musica di tutti i tempi. Pensa che l'*Inno alla gioia* è una di queste: capisci? L'*Inno alla gioia*! Composto e diretto da un sordo, con un corpo ormai rattrappito che cercava di suonare tutti gli strumenti contemporaneamente. Risultava quasi ridicolo. Eppure quella fragilità umana gli aveva consentito di entrare nella musica a un altro livello. Il livello in cui si trova ciò che è sacro, in cui la vita non può mai essere rovinata dagli uomini ma diventa pura gioia. E qualcuno lo deve pur fare questo lavoro sporco di scavare fino a lì. Sei a un passo dalla verità, quella su cui puoi stare in piedi. Se non rinunci...»

«Ma perché è così difficile? Perché bisogna prendere tutto questo peso sulle spalle? Soffrire così tanto?»

«Non lo so, Mattia. So solo che ad alcuni Dio chiede di toccare il fondo della vita per aiutare altri a riconoscerlo, a non averne paura. Ma come possono raccontarlo se non lo conoscono?»

«È un prezzo troppo alto...»

«La bellezza si paga cara. È come la perla delle conchiglie: quello che per noi è un gioiello, per l'ostrica è stata una lotta con la morte. E tu sei qui per questo. È la tua strada, Mattia. Smettila di scappare, di aver paura, di distruggerti! Il compito degli artisti e degli scienziati è accettare la solitudine e il buio per indicare agli altri la strada per uscirne.»

«Non ho le forze!»

«Fammi leggere qualcosa.»

«Che cosa?»

«Fammi leggere. Un ragazzo della tua sensibilità se non scrive impazzisce. Fammi sentire. Fammi sentire come ti sei salvato fino a ora, oltre che fuggendo...»

«Nessuno mi ha mai chiesto di leggere ciò che scrivo.»

«E allora vuol dire che sarò ricordato nei libri come quello che ti ha scoperto.»

Silenzio.

Sento un cassetto aprirsi e un tonfo.

Silenzio.

Allungo la mano.

«Che cos'è?» Sento le pagine di alcuni quaderni, sono deformate, la scrittura le ha graffiate. Saranno almeno dieci.

«Che cosa sono?»

«Le mie poesie. Ho sempre pensato di voler scrivere un libro che facesse saltare in aria il mondo, ma mi sono sempre usciti solo frammenti.»

«Leggi. Leggine una.»

Silenzio. Niente si muove.

Prendo uno dei quaderni, lo apro a caso. Ma il caso non esiste.

«Questa! Voglio sentire questa!»

Gli porgo il quaderno e aspetto. Passano i secondi, forse un minuto.

«Avevo la fame dei bambini / e tu non avevi latte per me. / Volevo i giochi dei bambini / e tu non avevi occhi per me. / Cercavo le carezze dei bambini / e tu non avevi mani per me. / Questo vuoto a cui faccio da sentinella / notte e giorno / giorno e notte / in attesa che dalle tue labbra esca il mio nome / tace. / Ma io aspetto / notte e giorno / giorno e notte / e grido il tuo nome muto, / Madre.»

Silenzio.

«Come si intitola?»

«*Giorno e notte.*»

Prendo il volto di Mattia e gli asciugo le lacrime. Le prime buone, da mesi. O da anni.

«Ecco che cosa mi nascondevi con tutti quei discorsi. Ecco di cosa ti vergognavi.»

«È morta dopo il parto. Una emorragia inarrestabile, per far nascere me...» mi dice fra le lacrime e la saliva, che raccolgo con pazienza nelle mie mani.

«Devi dirlo a tutti.»

«Che cosa?»

«Come si trasforma un dolore simile in bellezza. Quei versi sono il regalo che devi a tua madre per la vita che ti ha dato. I tuoi versi sono le parole che lei avrebbe voluto dirti. Te le sei dovute cercare da solo. E chissà quante persone potresti aiutare a guarire.»

«Ma a che serve?»

«Non farla morire due volte...»

«Perché lo fa, professore?»

«Che cosa?»

«Tutto questo.»

«E che altro dovrei fare? Ognuno ha i suoi capolavori da realizzare... Non posso lasciarli incompiuti.»

Rimaniamo in silenzio. Non bisogna aggiungere nulla quando le parole toccano la verità in modo tale che le sillabe sembrano parti del corpo. Gli prendo una mano e l'appoggio sulla mia guancia.

«Grazie, voi poeti siete contadini sorprendenti: sapete far dare frutto alla terra più arida e dura, quella del dolore. Fosse anche solo per questo, devi restare vivo» gli dico.

«Per esser poeta?»

«Per esser te stesso, fragile nel rovescio del mondo, poeta inscalfibile nel suo dritto. Se perdi uno dei due lati ti perdi tu, e ti perdiamo noi. Ci perdiamo tutti.»

«Ma a che serve? A chi serve?»

«Quando mia madre è morta, io ero già cieco. Ho poggiato le dita sul suo volto, sulle sue mani, sul suo corpo, e ho tremato: non era più mia madre. In quel momento il legame che avevo con la vita si è in qualche modo reciso, perché è lei che mi ha strappato al buio. Dove era finita quella vita che mi ha reso vivo? Tu oggi mi hai ricordato come riaverla.»

«E come?»

«Proprio nel dolore, la misura di quanto l'ho amata. E quindi nell'amore. Ma non è facile accettare che su questa Terra il dolore sia la forma in cui l'amore resta: nel rovescio del mondo il dolore è quello che nel dritto è l'amore.»

«E quando avrei detto tutto questo?»

«Poco fa, nella tua poesia... Sei fragile, Mattia, come tutte le cose più preziose. È il prezzo da pagare.»

Mi appoggia la fronte sulla spalla e tace nel modo più eloquente che io conosca.

Suonano alla porta.

Quando Mattia apre, viene travolto dai suoi compagni che hanno comprato le pizze.

Sento le loro risate, le loro battute, le loro forme di intesa, le loro ingenuità e mi scopro padre ogni volta di più.

«Per lei abbiamo preso la Margherita, prof. Lei è il tipico prof da pizza Margherita» dice Oscar.

«E perché?»

«Perché è un po' sfigato.»

Cerco di afferrarlo, ma lo manco, perdo l'equilibrio e mi ritrovo con le mani dentro una pizza.

Il silenzio cala improvviso. Mi porto le dita alla bocca. «Prosciutto e funghi... Buona!» Scoppiamo a ridere.

E la vita è questo, nient'altro che questo comico miracolo quotidiano in cui nessuno si salva da solo.

ETTORE

Ha ragione Leopardi: la vita assomiglia al tardo pomeriggio della domenica, quando la malinconia cancella le poche speranze rimaste nel lunedì in arrivo. E non riusciamo mai ad afferrare la luce, a toccare la felicità che speravamo di trovarci. Giorno dopo giorno il cuore si stanca, e la parte della gioia è occupata dal dolore, che così ha due stanze, e la parte della paura conquista quella del desiderio, e così ha due stanze. Il mio cuore, professore, adesso è diviso solo in due parti, grandi il doppio del normale: paura e dolore. È come se avessi eliminato dalla circolazione il sangue ossigenato. Non so come si faccia a purificarlo da tutta questa tristezza. Non so come si faccia a sperare quando non ci si sente amati. Però quello che abbiamo ottenuto con l'Appello mi ha fatto dimenticare un po' la tristezza, e ho capito che dalla tristezza vieni fuori se non resti solo, se hai amici con cui e per cui combattere. Quando mia madre ha sentito alla tv che la sera faccio le consegne per guadagnare qualcosa, mi ha domandato perché non avessi chiesto aiuto a lei. E io le ho risposto che quei soldi servono per evitare che papà si ammazzi. Nudo e crudo. Mia madre mi ha abbracciato, in lacrime, e mi ha chiesto scusa. È stata la prima volta da anni in cui mi sono sentito suo figlio.

ELISA

Devo dirvi una cosa. Io non sono mai andata da nessuna parte. Quei viaggi me li invento, sono solo storie per farmi piacere la realtà: nella mia stanza della paura però di storia ce n'è solo una, e la porta è sbarrata da sempre. Questo c'è nella stanza del desiderio: il coraggio di entrare nella stanza accanto, quella della paura. Con voi a poco a poco ho imparato a non vergognarmi del mio corpo, della mia vita, di tutto quello che stava nella stanza del dolore. Per la prima volta non voglio solo scappare, ma provare ad aprire. E alla fine ecco cosa c'è nella stanza dell'amore: un posto per ciascuno di voi. E vi prego di rimanerci, come se fosse la vostra stanza.

PATRIZIA

Tocca a me. Sì, lo so, non se n'era accorto, professore. Mi sono unita ai ragazzi quando mi hanno detto che sarebbero venuti a trovarla. Mi sono imbucata e messa in un angolo. Volevo rivederla. Abbiamo *Il dottor Živago* in sospeso e non posso andare avanti senza di lei. Ho portato una torta per festeggiare. Sopra ci ho disegnato una bella A capovolta, come un vaso da cui fiorisce il volto. Di questo simbolo si stanno riempiendo i muri della città e soprattutto delle scuole. Non ho mai dubitato di voi ragazzi in questi anni, lo sapevo che eravate destinati a grandi cose. E adesso anche io voglio fare la mia parte.

Ho le lacrime agli occhi, tutta questa luce non l'avevo prevista.
«Aurora?» chiede Patrizia per togliermi dall'imbarazzo.
«Ci sono!», ora la voce è più squillante.
«Tocca a te.»

AURORA

Io vorrei una fetta di quella torta... E non mi sentirei in colpa a mangiare una cosa nata in questo modo. Anzi, forse farei anche il bis.

Scoppiamo a ridere tutti insieme. Poi una voce mi sussurra all'orecchio:

«Andiamo!» È Patrizia.

«Ora?»

«Ora.»

«Ti abbiamo portato la torta!» La voce di Patrizia riempie la silenziosa stanza d'ospedale in cui Aurora è ricoverata, attaccata a una flebo che la costringe a nutrirsi.

Ci mette un po' a capire che cosa sta succedendo.

«Ma io scherzavo...»

«E noi ti abbiamo preso sul serio» le rispondo.

«Come stai?» le domanda Patrizia.

«Non ne faccio una giusta... Stavo meglio. Poi sono arrivati quei video, le interviste... Mi vedevo grassa, sgraziata. E ho ricominciato... Non ce la farò mai, credevo di esserne uscita, ma poi c'è sempre qualcosa che mi risucchia, che mi riporta indietro.»

«Un passo alla volta. Un passo alla volta. Se ti concentri sul passo successivo ce la fai, perché è alla tua portata.»

«No, non lo è, professore. Non è così facile. Sono già stata ricoverata, e lo ricordo come uno dei periodi più tristi della mia vita. E proprio adesso che ero felice ci sono ricascata, come se la gioia fosse un rischio troppo grande e sentirmi viva fosse una colpa... A volte è più facile aggrapparsi a un dolore sicuro che rischiare una felicità ignota.»

«Sei una ragazza così bella, Aurora, con così tante cose da realizzare...»

«Non è vero. Non valgo niente. L'anoressia mi accompagna da anni. È il mio grido d'aiuto e rimarrò per sempre legata a lei, per l'amore che mi ha permesso di ricevere...»

«Che vuoi dire?»

«Per sentirmi amata sono dovuta arrivare a pochi passi dalla morte. Per sentirmi unica devo essere malata...»

«Ognuno ha la sua strada, Aurora. E hai ragione: per sentirsi amati bisogna arrivare a pochi passi dalla morte. Anche per me è andata così.»

«Come?»

«Con un bel tuffo di 30 metri...»

Rimaniamo in silenzio.

«E poi?»

«E poi Dio ha deciso di farmi girare dal lato sbagliato del muretto. E quando mi sono ritrovato per terra, con la polvere in bocca, mi sono sentito amato come non mi era mai successo. È come se una cascata di vita mi fosse entrata in corpo. E non era solo l'adrenalina... Era amore. Aurora, le vie per essere vivi davvero sono tortuose, non aver paura...»

«Non sopporto di sentirmi fragile; e quello è il momento in cui lei torna: con lei riprendo il controllo.»

«Come facciamo l'appello senza di te?»

«Io non servo a niente, professore. Non valgo niente.»

Chissà se guarirebbe non potendosi più guardare... quanto può essere potente uno sguardo, persino quello che abbiamo su noi stessi, tanto potente da portarci a non vedere nulla. Vorrei prestarle un po' della mia cecità. Rimango in silenzio, senza più parole. Non riesco a fare breccia nella sua tristezza. Allora le prendo una mano e la stringo nella mia. Poi mi avvicino e le do un bacio sulla testa, pregando Dio di ridarle la vita, perché io non so come fare.

Alla ricerca del tempo sprecato
Diario di un professore cieco

Il tuo volto, Ettore, è un campo di battaglia. Diviso in due, come le vite che vi si contendono la vittoria, quella di tuo padre e quella di tua madre. Due flussi di sangue in lotta come due mari che si scontrano senza riuscire a mescolarsi, se non quando si scatena la tempesta. Le tue occhiaie pronunciate, la tristezza nelle orbite scavate dal peso di chi deve fare tutto da solo, e così gli angoli della bocca, stretti e incurvati, raccontano di un ragazzo che non si aspetta molto dal futuro, perché è troppo impegnato a guardarsi le spalle. Ho sentito sotto le mie dita le linee della rassegnazione, dell'umiliazione, della rinuncia. Ma ho anche percepito la tensione del combattente, di chi non ha abbandonato il campo, di chi ha un riscatto da conquistare proprio perché ha molto sofferto. L'amore ha fallito con te, Ettore, ma tu non vuoi fallire con l'amore. Spero tu possa farcela e non ti abbandoni all'alcol, il cui odore si nasconde nel tuo fiato sin dalle prime ore del mattino... A volte sono i figli a dover mettere al mondo i genitori, come è successo anche a me.

Ho avuto bisogno di mio figlio Pietro più di quanto lui avesse bisogno di me. Non potevo più aiutarlo nei compiti, leggergli le storie, andare a giocare a calcio con lui, mostrargli le costellazioni... Mi sembrava di non avere più i mezzi per affidargli il mondo che ogni padre vuole tramandare al figlio, come mio padre ha fatto con me. Poi un giorno camminavamo mano nella mano, tornando da scuola, quando si è messo a piovere. E ho cominciato a raccontargli come tutte le cose, un attimo prima mute e sole, erano diventate una sinfonia: ticchettare sulle macchine, picchiettare sulle foglie, rimbalzare sull'asfalto, tintinnare sulle tegole, scoppiettare sugli ombrelli, tamburellare sull'erba... Gli descrivevo gli effetti della pioggia in ogni angolo, come fossero i componenti di un'orchestra: ottoni, fiati, archi... Con una immaginaria bacchetta isolavamo un gruppo di strumenti e ascoltavamo il timbro che l'acqua si premurava di rivelare, poi li componevamo insieme. Gli raccontavo che il tuono è un appello alla terra, perché si apra alla pioggia, che disseta la città soffocata dall'asfalto.

È la linea in cui collochiamo il confine tra oggettivo e soggettivo che ci regala le cose: un tempo per me la pioggia era solo un ostacolo ai programmi, un fastidio da evitare. Ora la pioggia è acqua che rende nuova la terra. E così abbiamo ballato, perduti nell'istante, con cuore primitivo. Siamo tornati soltanto un'ora dopo, bagnati fradici e ridendo. La pioggia era diventata un dono, anche per lui. Qualche tempo dopo mi ha detto che, da quel giorno, tutte le volte che comincia a piovere chiude gli occhi e si ferma ad ascoltare.

«Tutti scappano quando piove, per loro la pioggia è una cosa brutta. Per me invece ha la tua voce.» Così mi ha detto.

C'è sempre qualcosa che un padre può donare a un figlio, fossero anche le sue mani vuote. E poi c'è tutto l'immenso panorama delle cose che un padre può ricevere da suo figlio, e spesso sono quelle che credeva di dovergli dare lui.

MAGGIO

Maggio è un mese che non lascia scampo a un cieco. Il fermento di tutte le cose, che incanta gli occhi, è un frastuono entropico. All'inizio è un verso sottile e strisciante tra le tante voci del mondo, un sottofondo, una nota persistente, dissonante e sospesa come alla fine della nona sinfonia di Mahler, che mio padre amava tanto, un allarme lanciato dalle cose per non essere derubate della vita. Nell'esplosione della vitalità è contenuto il seme della decadenza. A poco a poco il suono cresce, penetra nelle strade, frusta le facciate dei palazzi, sferza l'asfalto, rimbalza sui tetti. Le cose in cui confidiamo perché ci sembrano stabili e fedeli stanno rovinando. Tutte le cose che abbiamo costruito si crepano. Il lavoro, i corpi, gli orari, le case, le carezze, i soldi, i libri, gli abbracci, i capelli, gli amplessi, i denti... tutto viene giù a velocità crescente, mostrando quanta realtà manca alla realtà. Ogni scorza di vita urla per esistere di più, tradendo in modo sfacciato la sua paura di non esistere ancora o la sua vergogna di non esistere abbastanza, perché la natura conosce solo una strada per resistere: affrettarsi sulla via della morte. In ogni bellezza c'è morte: una gemma su un ramo è una nuova crepa.

A maggio sento il fiato sprecato dalla natura, anche se sa di rose e lavanda, sento la mancanza di una vera soluzione alla morte, l'assenza di una consolazione al destino di tutte le cose. Per questo preferisco i mesi dell'attesa a quelli della nascita.

Mi perdo in pensieri senza parole, passeggiando nell'aria troppo ricca del parco vicino a casa, in attesa di Annamaria che vuole aggiornarmi sulla situazione della classe. Comincio a elencare i dieci libri più spacciati per essere stati letti senza averlo fatto: *La Recherche*, *Guerra e Pace*, *Ulysses*, *Infinite Jest*...

«Rischiano di non essere ammessi all'esame di maturità.»

«Perché?»

«Basta che abbiano il voto di comportamento sotto la sufficienza, e la nota disciplinare che hanno preso per ciò che è successo può bastare.»

«Sì, sì, so come funziona... Ma a che serve?»

«Il preside sa che se fa un passo indietro si crea un precedente. Non vuole perdere la faccia. E poi, lo sai, non c'è niente di peggio dell'orgoglio ferito per far smettere una persona di ragionare...»

«Ma è assurdo! In tantissime scuole sempre più insegnanti dedicano una parte della loro prima ora di lezione a formulare l'Appello. Persino il ministro ha cominciato a promettere aumenti di stipendio agli insegnanti, le solite umilianti polpette per tenere a bada il cane...»

«Sei diventato un rivoluzionario!»

«Mio malgrado. In realtà io credo solo in un certo tipo di rivoluzione.»

«Quale?»

«Quella dei pianeti: il loro moto attorno a un centro di gravità. La rivoluzione della Terra attorno al Sole, la rivoluzione della Luna attorno alla Terra. La rivoluzione dell'Appello non avviene contro nessuno, non distrugge ma crea, fa ruotare la scuola attorno al suo centro di gravità, senza però voler eliminare ogni tensione. È un movimento vitale: non rinuncia alla vita, che è proprio ciò a cui la scuola ha rinunciato. Non si saltano le lezioni, non si fanno scioperi, occupazioni o i loro succedanei post ideologici: autogestioni, cogestioni, didattica alternativa... Rimanere in classe significa confermare ciò che si sta facendo, ma rinnovandolo dal di dentro, proprio *con* quelle persone e non *contro* quelle persone. La nostra rivoluzione è un risveglio, non una guerra, è pro, non contro. È ciò che accade alla natura in questo periodo dell'anno: un risveglio che sembra esplodere all'improvviso ma è stato preparato lentamente.»

«Non ho mai creduto neanche io nelle rivoluzioni immediate. Tutto ciò che viene rivoluzionato all'improvviso è frutto di una maledizione e di un tradimento del passato, ma il passato è l'unica certezza che abbiamo, nel bene e nel male...»

«Persino la Luna ogni anno si allontana dalla Terra di 2,5 centimetri, ma nessuno se ne accorge. Noi abbiamo soltanto dato un'accelerata al processo, perché nelle vicende umane è la libertà a innescare ciò che nei processi naturali accade per una logica intrinseca.»

«Hai molta fiducia nella libertà. Forse troppa...»

«È veramente il più grande dono che ci ha fatto Dio, Anna. E infatti è il limite della sua onnipotenza.»

«Che intendi?»

«Che non crederei mai a un Dio che fa di me un burattino in un teatrino che chiamiamo storia. La storia è il rischio che Dio ha deciso di correre creando l'uomo. Nella Genesi, il primo compito che diede a Adamo fu attribuire un nome a tutte le cose.»

«Sì, mi ricordo, ma cosa c'entra?»

«È il rischio che Dio corre con ciascuno di noi. Dare i nomi alle cose vuol dire esserne responsabili. Dio si fida della nostra creatività, della nostra libertà, e lascia che la storia si modelli sulle nostre scelte... Mette il mondo nelle nostre mani.»

«Non mi sembra sia stata una grande trovata, se consideri come vanno le cose...»

«E questa è la conferma che la libertà è reale e non una finzione: la vita è veramente nelle nostre mani.»

«E che ci dovremmo fare con tutta questa libertà?»

«Non si può amare senza libertà, Anna. Amare è la scelta più rischiosa che ci sia.»

«Allora io ho fallito...»

«Perché lo dici?»

«Mio figlio.»

«Non lo hai amato?»

«Sì.»

«Allora hai fatto quello che potevi.»

Anna rimane in un silenzio che spezzo io dopo qualche secondo.

«Che tipo era?»

«Da bambino era incontenibile. Amava esplorare, domandare, ascoltare storie...»

Si interrompe, cercando le forze per ricordare per l'ennesima volta ciò che la lega a lui: il dolore.

«E poi si è trasformato. Proprio durante l'adolescenza, in quel modo misterioso che ti fa soffrire doppiamente perché non ne capisci la ragione. È diventato malinconico, si chiudeva spesso in un silenzio che non riuscivamo a scalfire... Non c'erano stati traumi... è come se fosse diventato incapace di gestire il suo entusiasmo per la vita, come se fosse rimasto deluso da quello che aveva scoperto. Non lo so. Sarà la mia croce finché campo. Gli saresti piaciuto. Amava moltissimo le scienze e da piccolo ripeteva sempre che voleva fare l'astronauta. Forse gli è mancato qualcuno come te.»

«Come me?»

«Qualcuno che gli facesse vedere che era necessario al mondo. Questo dovremmo fare noi per mestiere, farli sentire necessari. Ma è una pretesa assurda, non ci riusciamo neanche con i nostri figli...»

«Ma a noi è chiesto di amare, non di riuscire... Io sono sicuro che con tuo figlio l'hai fatto.»

«Chi lo sa...»

«Come va con Elisa?»

«Quella ragazza è una sorpresa continua.»

«Perché?»

«Ha divorato una quantità di libri inimmaginabile e in classe non ne aveva mai parlato. L'altro giorno siamo rimaste a discutere per un'ora di *Cime tempestose*.»

«E come sta?»

«Meglio.»

«Merito tuo.»

«Io non ho fatto nulla. Ho solo cercato di ascoltare.»

«Ti pare poco? Oggi, tra fretta e cellulari, prestare attenzione è diventato rivoluzionario...»

«Una volta eravamo al parco e mio figlio scorrazzava in bicicletta. Aveva appena imparato ad andare senza le rotelle. E continuava a ripetermi *guarda, mamma, guarda come vado veloce!*»

«Funziona così... se li guardi trovano il coraggio.»

Rimaniamo in silenzio, mentre tanti suoni animano il parco: grida di bambini, corse di cani, biciclette leggere, conversazioni pacate... basta un ritaglio di bellezza per far crescere nel cuore di pietra della città il seme della vita.

«Mi hai fatto venire un'idea» sbotta Annamaria interrompendo il mio pensieroso silenzio, quasi stesse ascoltando le onde che il cervello emette quando riflette tra sé e sé.

«Che idea?»

«Per farli ammettere alla maturità.»

Il panico morde il petto e reagisco facendo l'elenco delle 10 gradazioni del mio ex colore preferito (di quando ci vedevo), che adesso è soltanto una serie di nomi nostalgici: Celeste, Turchese, Lapislazzuli, Marino... Achille posiziona lo schermo in modo che la telecamera centri il mio volto e quello di Annamaria. Quando sento la sua mano sulla mia finalmente mi tranquillizzo e lascio perdere il Cobalto e il Reale. Tutto è pronto per registrare il video che finirà sui profili dell'Appello.

«*Pensieri Pericolosi*. Azione! Quando volete...»

Trascorrono lunghissimi secondi di silenzio, mentre ripasso mentalmente i passaggi chiave della mia parte.

Poi la voce di Anna, ferma e infuocata, rompe gli indugi.

«*Classe! Una parola che diamo troppo per scontata. Originariamente era la schiera di soldati radunati dall'appello di una tromba che era detta* classicum, *da un antico verbo che significava "chiamare". La classe non è un mucchio di persone prese a caso, e non è un parallelepipedo in cui costringere i corpi di alcuni sventurati, ma è un esercito chiamato a combattere. Gli infanti, coloro che ancora non sono capaci di parlare, sono chiamati a diventare fanti, coloro che prendono la parola e si dispongono a combattere in prima persona. E questo è quello che stanno facendo i nostri studenti: hanno risposto all'appello, pronti a difendere la vita di tanti altri.*»

Ora è il mio momento.

«*"Per favore, fai più copie che puoi di questo volantino e distribuiscilo." Così scrivevano i ragazzi della Rosa Bianca alla fine di ogni manifesto. Poche settimane dopo la loro esecuzione capitale, quei fogli piovevano sulle città tedesche e a lanciarli erano gli aerei inglesi. Era il 1943 e un gruppo di diciottenni, o poco più, aveva risvegliato migliaia di coscienze addormentate e complici, pagando con la vita. Qualcosa di simile sta succedendo ai nostri ragazzi. Le scuole del Paese sono in subbuglio. L'Appello si diffonde nelle classi, da nord a sud, semplicemente perché è giusto. Gli studenti ci stanno dicendo che è impossibile separare una testa da un corpo: nessuno può studiare un capitolo di storia se è in preda a un atroce mal di denti. E noi non possiamo più ignorare il mal di denti.*»

Di nuovo Anna.

«*Cronos divorava i figli per paura che il suo potere venisse rovesciato, nessuno aveva il coraggio di opporglisi. E anche noi continuiamo a divorare i nuovi. Ogni generazione teme di essere*

sostituita dalla successiva. Dovremmo invece imparare che una generazione ha bisogno dell'altra, come accade in classe: passato e futuro creano il presente, rendendolo reale attraverso la relazione tra noi e loro. E ve lo dice una che insegna da una vita e che per troppo tempo aveva smesso di farlo, pur entrando in classe a fare la sua lezione. Il passato entra nel futuro attraverso questo presente faticoso e imprevedibile che chiamiamo scuola. E questo incontro è l'incontro dei nostri corpi con i loro, delle nostre anime con le loro, perché ancora una volta il passato diventi futuro e il futuro diventi presente.»
A me.

«Dopo quanto è successo con il ministro, io sono stato sospeso per ragioni che mi risultano tuttora incomprensibili, ma per ragioni ancora più assurde adesso i miei ragazzi rischiano di essere esclusi dall'esame di maturità. Allo stesso tempo sono stati raggiunti da tv, giornali, radio... intervistati in lungo e in largo, trasformati in star da bruciare sull'altare del Momento. La scuola li respinge, lo spettacolo li divora: è questo il mondo a rovescio che abbiamo creato per loro. Il mondo degli adulti da un lato li respinge e dall'altro li schiaccia. I cruenti sacrifici umani di giovani che le culture hanno sempre praticato non sono venuti meno. Le vite giovani sono sempre state immolate per preservare il mondo al rovescio costruito da chi in quel mondo ce le ha messe: questo deve finire! L'eutanasia culturale del nostro tempo deve finire. I nostri studenti stanno lottando per non essere divorati. Non hanno fatto niente di male. Meritano di tornare a scuola, perché è la scuola che hanno difeso.»
Anna.

«Per questo vi invitiamo a essere parte di un cambiamento della scuola da dentro. Resistete senza violenza a uno stato di cose che ignora l'unicità delle persone e il fatto che ciascuno è necessario a realizzare un mondo nuovo. Pretendete una scuola in cui tutto quello che vi viene insegnato sia non solo di qualità, ma coerente con la vita vostra e di chi lo insegna: il sapere serve a vivere meglio o non è sapere. Non possiamo più sopportare scuole brut-

te e cadenti. Non possiamo più sopportare indifferenza e ignoran-
za. Non possiamo più sopportare che i nomi non contino nulla in
una relazione umana che comincia tutte le mattine con un appel-
lo. Non possiamo più permettere che anche uno solo di questi ra-
gazzi si perda o si convinca che la sua vita sia inutile, tanto da
decidere di sbarazzarsene. Come scrive Euripide: "Come può es-
sere salda una città / quando si strappano via i giovani coraggio-
si / come spighe nei campi a primavera?".»

Il gran finale è mio.

«*La responsabilità per ciò che è successo è mia e solo mia, e non*
capisco perché debbano pagarla loro. Sono cieco, e ho inventato
questo modo di fare l'appello perché non ho altre possibilità per
vederli. Vi chiedo di ripetere i loro nomi prima dell'inizio della vo-
stra giornata scolastica, prima del vostro appello, perché tutti sap-
piano che ai miei studenti viene impedito di mostrare la loro ma-
turità. Fateli tornare a scuola.

Scandite i loro nomi: Achille, Elisa, Ettore, Aurora, Oscar, Mat-
tia, Caterina, Cesare, Stella, Elena. È venuto il momento di dare le
pietre in pasto a Cronos, e non le vite. E questo dipende da voi. La
scuola non serve solo a trasmettere conoscenze ai ragazzi e a pre-
pararli per affrontare esami, ma a far sì che ci siano uomini e donne
veramente liberi. Solo così la città potrà rimanere salda!»

Taccio.

«E... stop! Buona questa! Che bomba! Avevate il fuoco nelle
parole. Professoressa, non sembrava lei! Cioè volevo dire...
Insomma, vabbè... Avete capito... Non mi sono spiegato.»

Anna e io scoppiamo a ridere.

Non potevamo lasciare da soli i ragazzi. Ripenso a quello che mi ha detto mia moglie: *non concentrarti su ciò che hai*
perduto, ma su quello che puoi guadagnare. Ho una sola vita e
negli ultimi istanti voglio che a passarmi davanti agli occhi sia una sequenza di volti: chi ho amato e le cose che abbiamo costruito insieme. Solo così me ne andrò veramente
in pace, potendo dire che nulla è andato sprecato, potendo dire di non aver distrutto più di quanto abbia costruito.

«Sei in tv!» urla Pietro. Sono bastate 24 ore.

Veniamo catapultati nelle case di milioni di persone. Mi vergogno della mia voce, ma credo che questo sia un Appello anche per noi.

«Chi è quest'uomo pazzesco?» mi sussurra mia moglie all'orecchio, mentre mi abbraccia alla vita, avendo avvertito il mio imbarazzo.

«Papà, papà, che ci fai nella televisione?» chiede Penelope.

«Una rivoluzione.»

«Che cos'è?»

«Una cosa bella.»

«Bella come?»

«Tipo un girotondo.»

«Bello il girotondo, quant'è bello il mondo, gira la Terra, tutti giù pe' terra!» parte Penelope con i suoi automatismi lessicali e canori.

Al video seguono interviste a ragazzi, insegnanti e genitori. C'è chi è entusiasta, chi è perplesso, chi è disgustato... Come accade sempre nella finta democrazia televisiva, in cui lo spettacolo delle emozioni elimina ogni ragionamento sulla realtà. Ma la realtà sa come farsi strada, e il tempo è il suo miglior alleato.

«Ro-me-o! Ro-me-o! Ro-me-o!» scandisce qualcuno nel servizio televisivo.

Mi metto a ridere, perché sono solo un cieco che va a tentoni, uno che per non inciampare dappertutto ha bisogno di un bastone.

«Lo voglio ministro!»

Rido fragorosamente.

«Te le immagini le interviste? E lei, ministro Romeo, come vede questo problema? Qual è il suo punto di vista? Che prospettive ha?» mi prende in giro Maddalena.

Mentre ridiamo insieme, dentro di me ho paura. Comincio a tremare, e prima che io trovi dieci cose da mettere in ordine, mia moglie mi stringe più forte e so che qualsiasi cosa succeda andrà tutto bene, perché ciò che conta non si è spostato di un millimetro, anzi ha messo radici più profonde.

I giorni passano, e gli uomini tessono le loro trame. Per non perdere ulteriore consenso, il ministro è dovuto intervenire perché la sanzione disciplinare dei ragazzi venisse riconsiderata. Il preside dal canto suo ha collezionato l'ennesima memorabile figuraccia facendo marcia indietro sulla decisione precedente. Non ha osato mettersi contro Annamaria, che ha lasciato tutti i professori della scuola di stucco. I ragazzi potranno affrontare la maturità. Il video ha dato un'ulteriore spinta all'Appello e i nomi dei miei dieci campioni sono risuonati nelle aule di tutto il Paese. Sono in tanti a chiedere che io venga reintegrato nel mio ruolo. Nel frattempo noi andiamo avanti con le nostre lezioni clandestine, che hanno ormai superato il numero di ore settimanale che avevo con loro in classe: la verità è che di scuola, a scuola, non ce n'è troppa, ma troppo poca...

Dobbiamo concentrarci sull'ultima parte del programma.

«"Grande cosa è certamente alla immensa moltitudine delle stelle fisse che fino a oggi si potevano scorgere con la facoltà naturale, aggiungerne e far manifeste all'occhio umano altre innumeri, prima non mai vedute e che il numero delle antiche e note superano più di dieci volte." Chi è?»

«Il solito Einstein?» chiede Cesare.

«No. Sono parole di Galileo. Nella sua opera *Sidereus Nuncius* descrive il frutto delle sue osservazioni del 1610, con l'utilizzo del nuovo telescopio. Il cielo sembrava già ben affollato, ma è bastato potenziare con delle lenti la nostra capacità oculare e la volta celeste si è popolata di una luce dieci volte maggiore. Voglio partire da qui oggi, ragazzi, per dirvi che ogni vita a guardarla da vicino fa più paura, ma è l'unico modo di cogliere la realtà. E scoprire che ciò che sembrava buio è altra luce. Ci era invisibile semplicemente perché ci eravamo accontentati o eravamo stati superficiali, non avevamo la lente giusta. Galileo non inventò il telescopio o le lenti, ma li mise al servizio della sua curiosità per il cielo e gli oggetti che lo popolano, soprattutto la Luna. Poche pagine di prosa sono così belle come quelle in cui la descrive, come un innamorato parlerebbe del viso della sua amata. Come sempre è l'amore che guida e amplia la conoscenza, perché rende un tutt'uno con ciò che si ama. Per questo vorrei che oggi mi raccontaste come va con la luce, la vostra luce, quale forma ha preso, dove è incastrata, dove sta brillando... puntate il telescopio sull'anima e, come dice Galileo, scoprirete di essere dieci volte più luminosi di quanto credete, proprio frugando in quello che sembra essere il vostro buio.»

AURORA

Quando sono stata in ospedale per l'alimentazione forzata ho trovato ciò che non riuscivo a vedere. Un giorno mi sono messa a girare per i corridoi dell'ospedale: il camice da malata mi dava accesso a zone proibite e, senza rendermene conto, ho varcato la soglia di una di queste, forse incuriosita dai colori vivaci delle pareti. Il reparto di oncologia pediatrica. Ho visto bambini e bambine torturati dal dolore, alcuni riposare con un po' di pace in viso, altri ancora giocare come se nulla fosse. Molti di loro senza capelli, bambini invecchiati. Sono rimasta a guardare in silenzio quando d'un tratto Irene, una bambina di 7 anni completamente calva, che danzava come un elfo dei boschi col sottofondo di una melodia allegra, si è fermata e mi ha chiesto *chi sei, una fata?* E io le ho raccontato chi sono e perché ero lì. E lei mi ha chiesto *e perché non mangi?* E io ho provato a raccontarle il perché. E lei mi ha detto *a me piace mangiare, ma spesso vomito le cose o non sento il sapore, per le medicine che mi danno.* Non sapevo cosa risponderle... Lei mi ha sorriso e poi mi ha chiesto come facevo ad avere capelli così belli e così lunghi e così biondi. Le ho risposto che sono i capelli della mia mamma. *Anche io li voglio come te, da grande* – così mi ha detto –, *se ci riesco a diventare grande.* Le ho accarezzato la testa. *Li avrai,* le ho assicurato. *Me lo prometti? Te lo prometto.* Irene è andata via con un sorriso e ha ricominciato a ballare, con la gioia di chi ha ricevuto una magia inattesa. E così ho capito che cosa voglio fare: far ridere i bambini. Io ho riso troppo poco da bambina, perché avevo sempre paura di sbagliare. Per Irene io dovevo mangiare, come succedeva quando da piccoli ci convincevano a prendere un boccone in più: e questo è per... è per Irene, e per tutto il dolore che posso curare con il mio. Se non fossi finita in ospedale non avrei visto, non avrei capito. Non pensavo che il dolore potesse aiutarmi a mettere a fuoco la vita. Nella tenebra di quel reparto ho trovato la luce di cui avevo bisogno.

CESARE

Hai ragione, Aurora, bisogna crederci alla vita, anche se ti ferisce, anche se è in salita. Io avevo perso Luce perché la volevo solo per me, poi abbiamo fatto pace e mi ha spiegato che ci si ama in tanti modi. Certo che la vita è una strana cosa, devi sciogliere un casino di nodi per capirci qualcosa. A lei piace la nostra rivoluzione, perché non è violenta, da quando lavora con quelli come me, non ha mai visto cambiare nessuno con la violenza, mi ha detto che ci vuole tempo, le cose non cambiano mai in un momento, perché quando una cosa è vera è come un seme, ci mette anni a dare frutto. Quando invece vuoi subito tutto, usi la forza, rompi la scorza, usi la violenza, e rompi anche l'essenza. Io la ascolto come le sue lezioni, professore, con gli occhi aperti, con il cuore. Ed è come un telescopio vedere con i suoi occhi, si vedono molte più cose, molte più di quelle che tocchi. Io adesso voglio dedicarvi una canzone, la sto scrivendo e un

verso dice: ... *a te non lo nascondo, quello di cui mi vergogno...*
E quando ci penso c'è un sacco di luce, prof, anche dentro,
dove l'anima si scuce e fa male che non ci devi pensare. E
per questo devi cantare. Ma forse ora mi posso fermare, almeno un pochino, sono stanco di scappare da tutto questo
casino. È ora di crescere, non sono più un bambino.

ELENA

Quando ero piccola non riuscivo a addormentarmi senza
tenere la luce accesa. Tenevo gli occhi aperti fino a perdere
i sensi, e se per caso mi risvegliavo li riaprivo subito, per
assicurarmi di essere ancora viva e che nessuno fosse entrato. Quella luce mi aiutava a addormentarmi perché allenta-
va l'angoscia. L'angoscia, l'ho capito con il tempo, è diversa dalla paura. Si ha paura di qualcosa, l'angoscia invece è
una paura senza nemico, è paura di tutto. Con il tempo ho
imparato ad avere paura solo del buio e ad affrontarlo. Ma
da quando ho abortito sono tornata a provare angoscia, e
da quel giorno ho bisogno di tenere la luce accesa per potermi addormentare. Per me la luce è sempre stata un modo
di arginare l'angoscia. Ci sono notti in cui ci vuole più di
un'ora prima che io mi addormenti, e finisco con l'odiare
i dettagli su cui la mia attenzione si posa ossessivamente
o i pensieri che si intrecciano l'uno con l'altro, come i corridoi di un labirinto. Non so quando ricomincerò ad avere soltanto paura. Pace mai. Ha ragione quel poeta che abbiamo studiato: la morte si sconta vivendo... e la vita non
ti fa sconti su nulla.

STELLA

Il bambino della storia che sto scrivendo ha chiesto un telescopio ai genitori, perché tutte le sere vuole vedere più da
vicino il pianeta dove il suo robot è tornato. E così grazie al

suo dolore scopre il cielo stellato, il movimento degli astri che escono dall'oculare perché la Terra gira, il colore differente delle stelle e il loro modo unico di pulsare. Prima sembravano tutte uguali e immobili. Il mio bambino vuole diventare un esploratore di stelle. E così racconta al suo robot tutte le scoperte che sta facendo, e riduce la distanza tra lui e il suo amico. Sta succedendo anche a me, a furia di puntare la lente sull'assenza di mio padre sto scoprendo moltissime cose che non mi sarei aspettata. Le sue lettere a mia madre per corteggiarla, che lei ha conservato in una scatola. In una le dice che grazie a lei ha scoperto che cosa significa sentirsi amati: "Mi sento a casa dovunque ci sia tu". E poi: "Tutto ciò che vedo senza di te lo conservo per potertelo raccontare, e solo in quel momento diventa veramente mio". Mio padre parlava molto poco di sé e forse per questo aveva bisogno di scrivere, ma sto scoprendo di lui più cose adesso di quando ce lo avevo accanto. E la cosa sorprendente è che sento di averlo accanto. C'è una strana luce nel buio della perdita, come un bambino che scopre in una scopa un magnifico destriero, proprio perché non ha altro che quel bastone per giocare. L'unico modo per affrontare qualcosa è attraversarla, e in questa terra che mio padre mi sta costringendo ad attraversare ogni ombra ha una luce corrispondente. Non c'è l'una senza l'altra.

ACHILLE

Ragazzi, noi ci stiamo dimenticando perché siamo qui. L'Appello! Arrivano richieste di persone da tutto il mondo. Stanno nascendo profili nelle altre lingue e mi arrivano i video degli Appelli da Tokyo a Parigi, da Ottawa a Buenos Aires. Mi ha contattato una rivista pazzesca di informatica e tecnologia, una di quelle in cui intervistano gli inventori del futuro. Volevano sapere come ho messo a punto la struttura informatica della app – AppEal (che genio!) – che ho inventato per unificare e identificare tutti gli Appelli del mondo: una bandierina spunta sulla mappa e puoi trovare e incontrare le persone degli Appelli vicini a te. C'è una mia foto a tutta pagina, e sembro quasi normale. I miei genitori erano fieri di me. Per la prima volta mi sono sentito Achille. Per la prima volta sono stato all'altezza del mio nome.

OSCAR

Cazzo, Achille, non ti riconosco più, ti si è sballato il cervello. Non ti ferma più nessuno. Anche io ho capito una cosa: voglio fare come Rocky. L'ho rivisto un'altra volta, secondo me ho superato le 100. Lui non vuole fare il pugile, lui vuole dare un'altra vita a Adriana, perché la ama. La vuole tirare fuori dal negozio di animali dove lavora, le vuole comprare una bella casa, la vuole rendere una regina. Senza di lei non potrebbe fare niente. Infatti alla fine glielo dice all'intervistatore, a lui non gliene frega niente dell'incontro e cerca Adriana, perché è rimasto in piedi fino alla fine solo per lei. Solo per amore si può rimanere in piedi sino all'ultima ripresa, anche quando non ci vedi più perché ti hanno gonfiato la faccia. Per questo diventerò anche io un grande pugile. Questo voglio fare. Questo io so fare.

CATERINA

Da un lato tutti ci ripetono che dobbiamo trovare la nostra vita, la nostra unicità, la nostra vocazione, ma poi quando si arriva al dunque ne hanno paura e ti invitano a ritornare nel conformismo. Io voglio essere sempre innamorata. Solo questo. Ho capito che il senso di tutto è qui. Non è la felicità, ma l'amore, perché l'amore ti aiuta ad affrontare anche l'infelicità. E i momenti di infelicità sono inevitabili, neanche Dio li ha potuti eliminare quando si è fatto uomo. Però aveva l'amore, l'amore che risorge sempre.

Ed è quello che voglio io. Se dici che ami Dio e vuoi vivere con lui e per lui, tutti ti rispondono che sei pazza, che è pura immaginazione. Sono stufa di un mondo in cui il denaro esiste più di Dio, e tutti gli aspetti fondamentali della vita sono ridotti a questioni economiche. La luce fortissima di Dio viene continuamente soffocata dagli uomini che poi, dopo averlo fatto, lo incolpano di essersi dimenticato di loro. Non permetterò che questo fuoco si spenga, non permetterò a nessuno di togliermelo. Continuiamo a costruire a partire dal tetto e le nostre case non stanno in piedi, semplicemente perché abbiamo rinunciato alle fondamenta della vita. E io voglio costruire da qui, dall'Amore. Non voglio più perdere tempo. Dio non è più una delle cose più o meno importanti della mia vita, ma è quella per cui tutte le altre hanno senso, perché senza amore io non so che farmene del resto...

ETTORE

Quando mia madre ha visto mio padre ridotto com'è lo ha chiamato per nome, a bassa voce, come se in lei si fosse risvegliata la tenerezza. Mio padre quando l'ha vista dopo tanto tempo le ha detto *stai bene con questo vestito a fiori. Ti è sempre piaciuto. Anche a me.* E ha pianto. Per un attimo in quella stanza ho sentito di nuovo il fuoco, ma è stato solo un istante. Mi sono sentito vivo e non colpevole. La luce di quel fuoco ci salverà, ma nessuno di noi sa come farlo durare. Come dice quella canzone: *Amore che vieni, amore che vai...* E questo è crudele. Ho paura, una fottuta paura che sia solo un inganno, un'illusione, un miraggio. Nel buio ho visto questa luce, e anche se era tanto piccola bastava a vincere il buio, perché non si poteva non vederla in mezzo a tutta quella oscurità.

ELISA

Troppo dolore c'è invece quando la luce illumina tutto quello che hai nascosto e che non è cresciuto in te, perché avevi paura che facesse schifo. C'è un dolore infinito nella luce, una crudeltà estrema, che non lascia scampo a tutti i rimpianti di quelle vite che hanno un titolo comune: *Come sarebbe dovuta andare*. Proprio come il racconto del papà di Stella. Non hai la forza di alzarti dal letto: l'immaginazione, prima così capace di difenderti dalla realtà, è paralizzata. La sua luce artificiale non può vincere quella del dolore, è come una lampadina accesa a mezzogiorno in agosto. Vorrei tornare al buio e non posso più, perché ho parlato e i miei, la psicologa, voi non mi mollate più. C'è troppa luce nel dolore, c'è troppo dolore nella luce. Mi sento come una bambina che sta imparando a camminare e preferisce gattonare, piuttosto che continuare a cadere e farsi male. Vorrei tornare indietro ma non posso, perché preferisco essere infelice piuttosto che rimanere piccola, soffrire piuttosto che essere preda della paura. Non lasciatemi sola sotto questa luce amara.

Alla ricerca del tempo sprecato
Diario di un professore cieco

Achille, il tuo nome suona ironico rispetto al tuo volto. Non quello indurito di un guerriero, ma quello di un bambino impaurito, nascosto dietro guance ancora imberbi. Gli occhiali sprofondati negli zigomi morbidi, i capelli attaccati con vigore alle radici, le orecchie piccole e la linea della mandibola persa nelle guance carnose. Mentre sfioravo il tuo viso tremavi per la timidezza, come chi vorrebbe ritrarsi al contatto improvviso con qualcosa di freddo. Hai tenuto gli occhi chiusi tutto il tempo, perché non riesci a stare di fronte alla realtà senza uno schermo. Vorrei sussurrarti il segreto per tenere gli occhi aperti, per smetterla di aver paura che la realtà ti ferisca, dal momento che non ci sono alternative. L'ho imparato sulla mia pelle. Chi vede pensa che per sperimentare la cecità basti chiudere gli occhi e muoversi a tastoni, e invece dovrebbe provare a tenere le mani dietro la schiena e offrire la faccia e il petto a ciò che può capitare. Sono dovuto ridiventare come un bambino che muove i primi passi e non sa quanti spigoli abbia la vita e quanto il suo corpo sia reale, e così torna sempre tra le braccia della madre o del padre pieno di graffi e lividi procurati chissà come. È una fase della vita. Poi diventi più accorto, ma la vita continua a ferirti anche se non ne porti segni evidenti. E va bene così, perché la vita è imparare a camminarci dentro e cominciamo a vivere solo quando impariamo ad amare ciò che ci ostiniamo a nascondere per ver-

gogna, e che, dietro una maschera, ci sembra più sopportabile.
E solo chi ci ama ci strappa via la maschera. Ma di quanto amore abbiamo bisogno per avere un volto?

Un tempo per sapere chi ero mi guardavo allo specchio e spendevo ore e frustrazioni di fronte a quell'immagine di cui dovevo dire: quello, purtroppo, sono io. Viene un'età, per me è stato attorno ai 14 anni, in cui non solo si è brutti, ma ci si sente brutti. E non c'è consolazione. Lo specchio diventa il veicolo più impietoso della verità, ogni giorno qualcosa si trasforma in modo imprevisto e ciò che fino a 24 ore prima appariva simmetrico ha perso ogni ordine. Volevo mettere le mani dentro allo specchio e rimpastarmi il viso e il corpo, ma non potevo. Cominciai ad aggrapparmi alle cose che potevano rendermi amabile: la camicia fuori dai pantaloni, la maglietta colorata sotto la camicia aperta, le scarpe da tennis con la chiusura alta attorno alla caviglia, i capelli all'indietro, impastati di gel... Io, che fino al giorno prima ero un pallido adolescente con gli occhiali e il corpo smunto, cercavo di nascondermi dietro l'armatura scintillante che piace al mondo, e soprattutto alle ragazze. Almeno così pensavo. Al primo anno di superiori mi innamorai perdutamente di una ragazza di cui ripetevo il nome come fosse un'àncora di salvezza, la sua presenza era per me l'annunciazione dell'angelo a Maria, la venuta di Dio in terra, la speranza che ci fosse un po' di luce anche per me. Abitavamo vicino e tornavamo a casa insieme. A un certo punto smettemmo anche di prendere l'autobus, che comunque non passava mai, per fare la strada a piedi e dilatare il tempo in cui avremmo potuto conversare. Io lo preferivo anche perché in autobus dovevamo guardarci negli occhi: perdevo sempre le parole e rimanevo in silenzio, tormentandomi le mani e il cervello per cercare cose intelligenti da dire. Camminando, invece, mi potevo difendere dagli sguardi diretti. Lei rideva e aveva quell'allegria che io non conoscevo, perché lo specchio se l'era mangiata tutta. Era lì ad aspettarmi, ogni volta che andavo in bagno, per ricordarmi la verità su me stesso, perché la cosa più terribile di quell'età è scoprire di es-

287

sere, non solo di avere, il tuo corpo, e sgraziato com'è finisci per essere tu il disgraziato.

«Devo dirti una cosa.» Le parole mi uscirono dalla bocca come se non fossero mie. Camminavamo l'uno accanto all'altra e io guardavo per terra. Sentivo la mia voce venire da lontanissimo, come se non mi appartenesse, un'eco del coraggio che non ho mai avuto, sentivo la mia voce dirle che mi ero innamorato di lei. Si mise a ridere e io tremai di paura, ma lei aggiunse subito: «Quanto tempo ci hai messo!». Scappai per la gioia, e credo di averla delusa per la prima volta quel giorno stesso proprio con la mia fuga, perché c'era in ballo molto di più di una possibile, meravigliosa, indimenticabile storia d'amore... La posta in gioco era la mia esistenza, la possibilità di avere un posto nel mondo con quella faccia e con quel corpo. Arrivato a casa mi guardai allo specchio e ciò che vedevo era totalmente diverso, eppure era sempre la stessa faccia, lo stesso corpo smunto. Ora vedevo un viso meraviglioso e pieno di possibilità, mi batteva il futuro nel petto, ero amato. Ero amato. O almeno così mi sentivo. Quel giorno ho scoperto che oggettivo e soggettivo si toccano all'altezza dell'amore.

Qualcosa del genere è successo di nuovo quando sono diventato cieco. La mia immagine è sparita, il mio volto è sparito. Non mi posso riconoscere e verificare i cambiamenti che il tempo impone al viso e al corpo. Non mi vedrò invecchiare. Poi ho scoperto che il mio corpo dovevo riceverlo, e per questo ci volevano altre mani. E le mani che me lo hanno restituito e me lo restituiscono tutte le mattine e tutte le sere sono quelle di mia moglie. Solo lei sa come accarezzare il mio volto e come raccontarmelo. Maddalena ha percorso i miei tratti con pazienza, come una terra inesplorata e nuova: a lei è affidata la continuità dello scorrere del tempo su di me, solo attraverso le sue mani posso avanzare negli anni. È dal volto che ho ripreso ad avere un corpo. Le sue carezze e le sue parole mi hanno ricreato da capo. Così ho saputo di avere la barba meno ispida di quanto credessi, perché a lei piace passarci sopra le dita. Così ho saputo di avere il naso meno affilato di quanto credessi, perché a lei piace accarezzarlo. Così ho saputo di avere le orecchie meno piccole di quanto credessi, perché a lei piace giocarci. Così ho saputo di avere occhi più belli di quanto credessi, perché a lei piace baciarli... Ancora una volta ho scoperto che essere amati è l'unico modo di avere un volto, di avere un corpo, l'unico modo di accettare se stessi.

Come vorrei, Achille, che tu potessi ricevere il tuo volto da mani simili. Come vorrei che l'amore ti toccasse e ti facesse esistere, così come sei.

GIUGNO

Quando apro gli occhi la mattina è già lì da un pezzo, ma io non posso vederla. Sento solo il lievito dell'esistenza che in questo mese fermenta nei raccolti di grano. Tutte le volte che apro gli occhi al risveglio mi spavento. Ogni mattina c'è un istante in cui cerco la luce come quando ci vedevo, più che mai nel mese che contiene la vittoria definitiva della luce sul buio e il giorno più lungo dell'anno. Ogni mattina il mio istinto per la luce deve accettare la notte, ma in fondo è quello che dobbiamo fare tutti nella stretta scatola del mondo e nel breve giro di giorni che ci sono dati. La luce è un istinto, è l'istinto che ha la vita, perché tutto è chiamato a venire in piena luce, senza più vergogna, senza più menzogne. Tutte le cose, da millenni, hanno un unico fine: essere belle, e la bellezza è la quantità di luce che riesce ad attraversarle. E poiché venire alla luce è vita, la bellezza è la quantità di vita che riusciamo a realizzare. Dagli stessi atomi di carbonio possono avere origine un pezzo di carbone o un diamante, anche se, posti l'uno accanto all'altro, sembrano non avere niente in comune. Il primo inghiotte tutta la luce, il secondo tutta la restituisce. Del primo non diciamo che è bello, ma che è utile per produrre calore, del secondo invece ammiriamo la bellezza, perché è luce, e perché è raro. Il calore, la pressione, il tempo hanno trasformato il carbonio in una rara pietra di luce: il carbonio ha raggiunto il massimo della sua possibilità di vita. Noi siamo chiamati a fare lo stesso, a diventare tutta luce. Non la luce riflessa su superfici proporzionate, condivisa con pietre, piante e animali, che inevitabilmente si perde e invecchia, ma la luce che portiamo dentro e che trasforma ogni atomo in vita che non invecchia. In amore.

«Signor Romeo, si accomodi.»

A scuotermi dalle mie riflessioni sulla luce irrompe la voce dell'infermiera, che mi invita a entrare nella stanza del dottore che mi segue da anni per la mia patologia oculare. Mi spiega che potrei affrontare l'intervento, approvato dai nuovi protocolli medici in via sperimentale, a fine luglio, così da sfruttare la pausa lavorativa per recuperare al meglio, dal momento che dovrò rimanere in assoluto riposo.

Chissà quanto durerà la mia pausa lavorativa, penso dentro di me, mentre il dottore mi spiega che le probabilità di riuscita sono alte, grazie all'uso di cellule capaci di riparare i tessuti danneggiati. Non si sa quanto potrò recuperare nella nitidezza, ma sicuramente nella luce e nelle forme. Le sue parole mi fanno paura: ricominciare tutto da capo, proprio ora che ci avevo fatto l'abitudine. Però rivedere mia moglie e mio figlio, vedere mia figlia e i miei alunni è un pensiero che mi conforta e mi incoraggia ad affidarmi alla più avanzata chirurgia oculistica. E con questa sono due le notizie che devo dare ai miei studenti.

«Potremo sostenere la maturità!»

Il loro entusiasmo mi travolge, non appena entrano in casa.

«È merito del suo video!»

«No, è merito vostro... Tanto vi bocceranno lo stesso, ignoranti come siete!»

«Effettivamente...» riconosce Oscar.

Ciascuno di loro prende posto nel mio soggiorno, per una

delle nostre lezioni clandestine. Rimangono in silenzio, segno che possiamo cominciare.

«Mi sottoporrò all'operazione per recuperare la vista.»

I ragazzi accolgono la notizia con un urlo di gioia e mille domande, per le quali ho poche risposte.

«Sarebbe bellissimo che lei tornasse a vedere, professore. Chissà come si immagina ciascuno di noi. E come rimarrà deluso, soprattutto con alcuni...» dice Stella.

«Chissà come rimarrò sorpreso: che scoperte farò, rispetto a quanto mi ero immaginato solo dalle vostre voci, dai vostri racconti, dai vostri volti...»

«Non ci ha mai chiesto di che colore abbiamo gli occhi, i capelli...» interviene Aurora, come se ragionasse ad alta voce.

«Sono cose sopravvalutate. Non le dicono più neanche nei romanzi. Il segreto di una persona è altrove.»

«Per questo lei ci vede meglio di tanti altri che ci hanno avuto sempre sotto gli occhi» mi interrompe Ettore.

«Io avevo solo bisogno di conoscervi nel minor tempo possibile per poter fare al meglio il mio lavoro. Il fatto che qualcosa di così ordinario sembri eccezionale significa che da troppo tempo abbiamo dimenticato come stare insieme. Comunque sia, c'è un'altra cosa che voglio confidarvi, e siete i primi con cui lo faccio, dopo mia moglie.»

«Aspetta un bambino?» mi canzona Oscar.

«Sei il solito fesso! Ho ricevuto una telefonata. Il ministro si dimetterà. L'Appello ha avuto un effetto devastante sul suo gradimento politico e hanno bisogno di rinnovare l'immagine del partito, che mi ha chiesto se sono interessato ad avviare con loro la rivoluzione di cui la scuola ha bisogno.»

«E lei?» chiede Achille.

«Ho risposto che non sono interessato.»

Il silenzio tradisce la delusione dei ragazzi.

«Perché? È un'occasione unica! Non può tirarsi indietro.»

«Io non ho fatto niente, ragazzi. Io sono solo un prof di

scienze cieco, che la sua politica la porta avanti in classe, facendo lezione e occupandosi dei suoi studenti.»

«Ma lei ci ha sempre spinto ad avere coraggio, a metterci in gioco, a rischiare...»

«Proprio questo è il punto: il maggior rischio che corro è provare a volervi bene. È molto più impegnativo. Senza contare che mi sembra una mossa molto banale, dettata dall'ossessione del consenso immediato. La politica ha un disperato bisogno di intercettare la gente, ma non sa come fare, e per questo cerca di appropriarsi della vita di chi ci riesce. Mi userebbero a fini elettorali e tutto si esaurirebbe. Fino a che questa è la rivoluzione di un singolo non cambierà niente. Dobbiamo far loro capire che invece è la rivoluzione di dieci ragazzi che fanno la maturità, altrimenti tutto verrà presto digerito e dimenticato.»

«Potrebbe essere vero, ma valeva la pena provare, professore. Occasioni così non si presentano due volte nella vita.»

«Lo so. Infatti ho proposto un'alternativa...»

«Quale?»

«Che andiate voi a presentare in Parlamento la riforma della scuola che sognate.»

«Noi?» replica Stella con voce tremante.

«Voi. Siete stati voi a mettere in piedi questo casino e ora andate fino in fondo.»

«E che dovremmo fare?»

«Studiate, confrontatevi e proponete i punti essenziali della scuola del futuro. Per la prima volta degli studenti potrebbero riuscire a dire la loro ed essere presi sul serio, senza il falso paternalismo da telecamera: avete voi la palla.»

«Ma che ne sappiamo noi?» mi interrompe Elisa.

«Solo un mondo marcio, un mondo a rovescio, crede che dei diciottenni siano dei cretini incapaci di affrontare la realtà. Le possibilità sono due: o è vero o è falso. Avete l'opportunità di dimostrarlo. E credo che questo sia il vostro esame di maturità, più che quella farsa in cui vengono promossi tutti a fine anno.»

«Io ci sto. Facciamogli vedere di cosa siamo capaci!» esplode Caterina.

«Voi siete pazzi... Ci riderà dietro tutta l'Italia» le risponde Achille.

«Almeno li avremo fatti ridere. Non mi sembra che manchino i comici nella nostra politica» interviene Mattia.

«Potrete dimostrare che non è la politica a farvi schifo, ma i politici incapaci di lottare per il bene comune, per le persone, per le loro vite. In fondo l'Appello vale in tutti gli ambiti. Se solo le persone tornassero ad ascoltare gli altri e a condividere progetti per un bene più ampio della loro pancia...»

«Sono cose più grandi di noi, professore» dice Ettore.

«Vi hanno fucilato l'anima, vi hanno spezzato i sogni, vi hanno avvelenato la libertà. Ricordatevi dei ragazzi della Rosa Bianca: avevano la vostra età quando cominciarono a riunirsi di notte per leggere, pensare e rimanere liberi. Voi siete una piccola Rosa Bianca. Non avete visto quanti ragazzi si sono risvegliati grazie a voi?»

«Ma noi non abbiamo idee geniali!» ribatte Elena.

«Il mondo non lo cambiano le persone geniali, ma le persone libere.»

«Noi al massimo possiamo occuparci dell'esame di maturità e di che cosa metterci al mattino.»

«È quello che vi hanno fatto credere per anni: vi trattano da contenitori di desideri da sfruttare. Vi hanno prima illuso che per essere felici bastasse il piacere, poi vi hanno fatto credere che la libertà servisse a procurarsi quel piacere e così vi hanno reso dipendenti, schiaffandovi un cellulare in mano a otto anni. Ma la libertà serve ad amare! A prendersi cura del mondo e degli altri! Solo questo rende la vita bella, perché la riempie di senso! Non è ora di essere liberi e di liberare tanti altri? Dante, Magellano, Galileo, Einstein non si sono accontentati di pensare al loro orticello, e proprio per questo hanno realizzato cose che non verranno mai più dimenticate e lo hanno fatto in mezzo a mille difficoltà: ne andava della loro vita e sono sicuro che anche loro non si sentivano all'altezza. Tutto sta a farsi trovare pronti. E questo è il vostro momento.»

«Certo che lei è furbo, professore, prima ci mette nei casini e poi se ne scappa.»

«Io vi copro le spalle, come sempre. Qualsiasi cosa succeda, saprete sempre dove trovarmi. Io mi sottopongo all'intervento, anche se ho una paura folle, e voi preparate la vostra riforma da raccontare a tutti. L'Appello era solo la fase uno, ora bisogna passare alla fase due.»

«E poi ci fermiamo?» chiede ironicamente Elena.

«Questo dipende da voi. Di certo sarà una maturità indimenticabile.»

«Però lei viene ad ascoltarci...» si assicura Achille.

«Ma avrò gli occhiali da sole, così nessuno mi riconoscerà.»

I ragazzi scoppiano in una risata.

«E ora mettiamoci al lavoro con le cose serie: perché l'acqua nel lavandino gira in senso orario?»

«Che palle, professore, ma chi se ne frega?» sbotta Oscar.

«Se non sai rispondere a questa domanda e non impari il metodo per farlo, è inutile tentare qualsiasi rivoluzione: sarebbero tutte chiacchiere. Mi sa che nei prossimi giorni sarete indaffarati tra studio e preparazione del vostro più memorabile Appello.»

L'ultimo nostro giorno di scuola si svolge in Parlamento. Sono venuti anche Anna, Virgilio e Patrizia. Ho paura e mi tremano le gambe come se dovessi sottopormi al mio intervento. Ormai li amo così tanto che le loro cadute sono mie, i loro successi sono miei. Me ne sto seduto in un angolo ad ascoltare: Virgilio mi protegge da indebite intromissioni di giornalisti o curiosi, Patrizia ha incoraggiato i ragazzi uno per uno durante il viaggio in treno,

Anna li ha spronati a ripassare il loro discorso sino all'ultimo istante, perché familiarizzassero con la paura di essere ascoltati da un pubblico del genere. Non sarei voluto venire per lasciarli più liberi, ma mi hanno detto che si sarebbero sentiti più tranquilli se fossi stato presente. L'aula è gremita, come accade per le votazioni più importanti. Tutti, con la loro presenza, vogliono dimostrare, a beneficio delle telecamere, che la loro forza politica è in prima linea per la scuola, salvo poi scoprire dal curriculum di molti che la scuola non è mai stata la priorità e mai lo sarà: solo chi ha scoperto se stesso e il mondo attraverso la cultura farà qualcosa per la cultura.

«Diamo inizio alla sessione straordinaria dei lavori del Parlamento con la proposta dei fondatori dell'Appello.»

Un applauso scrosciante si abbatte sui ragazzi, cadendo a cascata su di loro. Segue un lungo silenzio, durante il quale comincio a elencare le 10 forme delle nuvole in base all'altitudine a cui si formano: Cirri, Cirrocumuli, Cirrostrati, Altocumuli, Stratocumuli, Nembostrati... Potrei andare nel panico al posto loro da un momento all'altro, ma devo resistere. Poi passo a classificare i tipi di lava delle eruzioni vulcaniche, dalla più basica alla più acida. Finché sento la prima delle loro voci, quella che ha il compito di catalizzare l'attenzione di tutti, e capisco che non devo classificare più nulla, ma godermi questo istante di vera, irripetibile, entusiasmante politica.

MATTIA

Il mio nome è Mattia. La nostra riforma richiede una premessa, tanto semplice quanto disattesa: *Nutre la mente soltanto ciò che le dà gioia, e la vita cresce soltanto grazie a relazioni buone.*
Nella scuola che voglio:
1. Non c'è più l'obbligo: va a scuola solo chi vuole impegnarsi a conoscere il mondo e la memoria del mondo, perché il cosmo

con i suoi misteri diventi una casa e gli uomini con le loro storie una famiglia.

2. *Insegnanti, docenti e professori si chiamano Maestri. Ogni Maestro deve possedere tre requisiti: Sapienza, cioè amare e conoscere ciò che insegna; Empatia, cioè amare e conoscere le persone a cui lo insegna; Passione, cioè trovare il modo di adattare ciò che insegna a chi lo insegna.*

CESARE

Il mio nome è Cesare. Nella scuola che voglio:

3. *I ragazzi scelgono liberamente i Maestri. I Maestri usano la medesima aula, che deve avere una finestra sull'esterno e va arredata con buon gusto e armonia. Ci deve essere almeno una pianta. Le classi sono composte da 12 alunni.*

4. *La giornata scolastica va dalle 8.00 alle 13.30. L'Appello si svolge ogni giorno nella prima mezz'ora, con tutti i Maestri presenti: ogni alunno ha a disposizione circa un minuto per dire come si chiama, qual è stata la cosa più bella e quale la più brutta del giorno prima. Dalle 8.20 alle 8.30 si ascoltano due brani musicali, uno scelto dal Maestro della prima ora e uno dagli alunni, a turno. Nel pomeriggio, dalle 15 alle 18, il Maestro studia e riceve studenti per colloqui, recuperi e approfondimenti.*

ETTORE

Il mio nome è Ettore. Nella scuola che voglio:

5. *Le tappe formative (primaria, secondaria di primo e secondo grado) durano 4 anni ciascuna, all'ultimo quadriennio si aggiunge un anno incentrato sull'orientamento alla scelta universitaria o al lavoro. Ogni anno consta di 3 trimestri e la valutazione finale di ogni materia risulta dalla media ponderata dei voti dei 3 trimestri.*

6. *Per diventare tali i Maestri scelgono sin dall'inizio, ciascuno nel proprio ambito, un percorso specifico della durata di 7 anni: 4 di laurea e 3 di specializzazione. Ai posti di specializzazione, il*

cui numero è stabilito in base alle reali necessità, si accede tramite un concorso annuale. **I 3 anni di specializzazione, retribuiti, consistono in un tirocinio attivo della durata di un anno a fianco di diversi Maestri della disciplina: uno per ciascuno dei 3 quadrienni.** *Parte dell'anno di tirocinio viene dedicata al sostegno di studenti con Bisogni Educativi Speciali.*

AURORA

Il mio nome è Aurora. Nella scuola che voglio:

7. Lo stipendio dei Maestri consente loro di vivere in buone condizioni, senza fare altri mestieri o ripetizioni.
8. Non ci sono più interrogazioni e compiti a sorpresa. Ogni verifica viene pianificata con cura. L'apprendimento non si servirà più della paura. Il sapere non avrà bisogno del potere.

ACHILLE

Il mio nome è Achille. Nella scuola che voglio:

9. Sono aboliti i banchi. Ogni aula ha un tavolo ovale da 13 posti (contro ogni superstizione): ci si guarda in viso. Il Maestro non ha la cattedra, ma siede al tavolo o passeggia attorno a esso. I supporti tecnologici sono: la parola, i libri, i quaderni, la penna (i cellulari sono spenti). Al centro del tavolo, dotato di tecnologia olografica, possono apparire le immagini o i testi necessari alla lezione. Nel giorno del compleanno di uno studente il tavolo viene addobbato a festa e l'Appello è sostituito dal festeggiamento.
10. I compiti, assegnati in quantità tale che si possano svolgere tra le 15 e le 18 (stesso orario del Maestro), sono preventivi. Gli alunni studiano prima le nozioni "attorno" all'argomento, e la lezione diventa la ricerca comune del tesoro. Il Maestro guida la caccia: non svela il tesoro (l'attenzione si attiva solo se può scovare il nuovo), ma mette in condizione di trovarlo (la memoria trattiene solo ciò che scopre, non ciò che ripete). Sono quindi abolite le domande-ripetizione: "Quali sono le fasi del pessimismo leopar-

diano?", e caldeggiate le domande-scoperta, per rispondere alle quali si fa uso degli indizi per raggiungere conoscenze e soluzioni: "Dai Canti quale filosofia di vita possiamo dedurre?". L'errore non è una colpa ma una leva per elaborare una nuova strategia. I ragazzi trovano le risposte in coppie/gruppi (il 12 dà tutte le possibilità), condividendo punti di vista e conoscenze. L'apprendimento individuale viene saggiato nelle verifiche personali (scritte/orali) pianificate.

ELENA

Il mio nome è Elena. Nella scuola che voglio:
   11. Le aule non hanno le porte: chiunque può vedere e ascoltare dalla soglia.
   12. Ai Maestri è vietato parlare della propria vita privata, se non è attinente e necessario alla lezione (esempio: "La prima volta che incontrai Leopardi avevo 13 anni"). La vita del Maestro si mostra solamente in: ciò che insegna, il modo in cui lo insegna, la cura per coloro a cui lo insegna. Alla fine di ogni settimana i ragazzi ringraziano il Maestro per ciò che hanno imparato con il suo aiuto. Il Maestro che parla male degli altri Maestri sarà multato.

CATERINA

Il mio nome è Caterina. Nella scuola che voglio:
   13. Una volta alla settimana, a turno, nelle stesse modalità descritte prima, un Maestro offre una lezione della sua disciplina agli altri Maestri della stessa materia. Una volta all'anno il Maestro offre una lezione ai Maestri delle altre discipline.
   14. Viene istituito: a) il Maestro di Lettura, con qualifica in drammaturgia. Legge, per 4 ore settimanali, ad alta voce, libri scelti con gli altri Maestri. In 13 anni sono 1485 ore di lettura. Leggendo almeno 30 pagine all'ora ne otteniamo 45.000 (100 libri da 450 pagine). Gli alunni ascoltano e vengono gradualmente coinvolti nella lettura. Non ci sono verifiche e interrogazioni: i testi

non sono più pre-testi per fare altro. Per esempio: *al primo anno delle superiori si legge integralmente l'Odissea, 24 libri, ciascuno dei quali per la lettura ad alta voce richiede 30 minuti: bastano 12 ore; b) il Maestro di Grafia per un'ora alla settimana, perché la mano unita alla mente è tutto; c) il Maestro di Latino (per le medie), per 2 ore alla settimana, perché sintassi, comprensione del lessico e logica non si sa più cosa siano.*

OSCAR

Il mio nome è Oscar. E se proprio non se ne può fare a meno, nella scuola che voglio:

15. I colloqui con i genitori sono 3 all'anno e riguardano la vita intera dello studente, di cui i voti sono solo una parte. È necessaria la presenza di entrambi i genitori, se possibile. Durante gli ultimi 5 anni ad almeno 2 dei 3 colloqui sarà presente anche lo studente.

16. Il Maestro ha un quaderno per ogni alunno. Ogni pagina è divisa in due colonne: nella prima annota i punti forti e le doti, nell'altra i punti deboli, le fragilità, le fatiche della crescita. Conta sui primi per migliorare i secondi: sanzionando solo i secondi non si ottiene quasi nulla. Ogni studente sceglie un Maestro-Tutor (parola latina che, mi hanno detto i miei compagni, si legge come si scrive e significa "colui che protegge"), con il quale avrà 3 colloqui all'anno sul suo percorso e sulle eventuali difficoltà. I Maestri si incontrano ogni trimestre per concordare l'azione educativa per ciascuno studente, in base a quanto osservato nei 3 mesi precedenti.

STELLA

Il mio nome è Stella. Nella scuola che voglio:

17. I Maestri indicano per ogni argomento quale aspetto della vita viene liberato da menzogna e luoghi comuni: la cultura non è un museo, ma vita che aumenta la vita grazie al vero, al bello, al buono. Distinguendo il vero dal falso, il bello dal brutto, il bene dal male, e le gradazioni intermedie, i ragazzi imparano a comprendere e a scegliere: la libertà, fondata su conoscenza ed esperienza della realtà, è il fine del percorso educativo.

18. *Al termine dell'anno i Maestri ricevono valutazioni anonime sul proprio operato da parte degli studenti, in modo da migliorare i punti deboli e fare affidamento su quelli forti. I giudizi sono a esclusiva conoscenza dell'interessato. Il Maestro non si sente mai "arrivato".*

ELISA

Il mio nome è Elisa. Nella scuola che voglio:

19. *C'è un'ampia biblioteca con sala lettura, in cui Maestri e studenti possono fermarsi (sino alle 18) a leggere e studiare, lontani da distrazioni (cellulari spenti) e protetti dal silenzio che è il terreno da cui nascono l'intelligenza, il pensiero e la memoria.*

20. *L'alunno non è mai un problema, casomai ha un problema, e lo risolve insieme agli altri o al Maestro. Nessuno viene lasciato solo.*

Mi rendo conto che sto trattenendo il respiro per ascoltare meglio le loro parole. Sto per rilassarmi, in attesa della reazione dell'aula, ma la voce di Mattia riprende subito: «Vorremmo infine ringraziare il nostro Maestro, Omero Romeo, senza il quale tutto questo non sarebbe accaduto, e ci sembra assurdo che proprio lui sia stato sospeso dall'insegnamento. È stato lui a renderci più liberi, non dicendoci che cosa avremmo dovuto fare ma aiutandoci a scoprire, attraverso la sua materia, chi siamo già e chi possiamo diventare. Voi avete la responsabilità di rappresentare i nomi di tutti: ricordatevene. Perché se un solo uomo è riuscito a salvare dieci ragazzi semplicemente prendendosi cura di loro, voi siete chiamati a fare altrettanto con un intero Paese. Grazie per l'attenzione».

Dopo qualche secondo di silenzio un applauso corale si

alza dagli scranni. Non è solo di circostanza, ma di chi sente che qualcosa dentro di sé si libera o desidera farlo, altrimenti che senso avrebbe quel gesto che porta le mani a chiudersi per produrre un suono ripetuto e con intensità diverse? Le braccia vogliono agire e lo sottolineano mettendosi in azione. Sono scettico sul fatto che questi signori trasformeranno il loro applauso in azione concreta, ma sono certo di una cosa: oggi i miei ragazzi hanno ricevuto la maturità. Quello che abbiamo ascoltato è il fuoco di un'orchestra impegnata in un'armonia che va oltre la somma dei singoli. Applaudo come un padre fiero dei suoi figli, ho gli occhi pieni di lacrime e vedo, vedo ancora la possibilità di qualcosa di nuovo al mondo, grazie a questi ragazzi che la vita e la cecità mi hanno donato. E quando li sento raggiungermi, abbracciarmi e prendermi il volto, so che questo è un giorno che ricorderò per tutta la vita, perché vivrà per sempre nelle pupille dei miei occhi ciechi.

Alla ricerca del tempo sprecato
Diario di un professore cieco

Sul tuo volto, Cesare, più che su qualsiasi altro ho sentito le doglie di un parto. Dietro quei tratti nervosi e tesi sentivo una vita schietta e pura che spinge nei versi, nelle rime e nei battiti per opporsi al caos. Quell'anello sul sopracciglio è parte di una corazza con cui cerchi di proteggerti da altri colpi, è un aculeo per difenderti dagli attacchi dei predatori, è un promemoria fisso del dolore. Le tue guance con la barba ancora incerta tradiscono un candore selvaggio, un intrico restio a qualsiasi mappa, a qualsiasi regola. Sarebbe come chiedere a una cascata o al vento le ragioni della loro imprevedibilità. Nel tuo volto ho sentito spingere forte per dare alla luce, per darti alla luce. E i tuoi versi non sono altro che l'urlo di un parto: chi mai sopporterebbe di ascoltarli se non chi è consapevole che sono necessari a dare vita? E quell'urlo verso chi è scagliato se non verso la vita stessa, a cui chiedi conto di tutto ciò che ti ha tolto?

Quando ascolto le canzoni che amavo da ragazzo, quell'età mi viene restituita. La musica è la dimostrazione che il tempo si fa e si disfa secondo il ritmo che gli diamo. Mai come da adolescente ho ascoltato a ripetizione la stessa canzone, come se nascondesse un segreto da decodificare o come se avesse sostituito le favole che da bambino volevo ascoltare una volta e un'altra ancora. Le *canzoni che amiamo a 18 anni sono una specie di oracolo su chi siamo, su chi diventeremo, su chi non smetteremo mai di essere.*

Avevo una audiocassetta fatta da un compagno di scuola, il mio migliore amico: era il tempo in cui chi aveva un costoso e nuovo lettore cd poteva doppiare le canzoni su un'audiocassetta. E lui me la regalò per il mio compleanno: valeva più del cd originale, perché l'aveva fatta lui per me, e aveva scritto i titoli delle canzoni a mano. L'ultimo anno delle superiori suonammo al concerto della scuola in un teatro che ci sembrò immenso: lui alla chitarra e io al basso. Suonammo e cantammo una delle canzoni di quella cassetta: la musica era necessaria a raccontare qualcosa che altrimenti sarebbe stato impossibile dire, e poi ci faceva sentire come i miti appesi alle pareti delle nostre camere. L'esito fu modesto, ma per noi grandioso e indimenticabile. E quel nastro sentito decine e decine di volte, con i titoli delle canzoni scritti a mano in strettissimi spazi rettangolari, era un tesoro inesauribile, tanto che quando la bobina si spezzò non esitai un istante a ripararla con precisione certosina. Conservo ancora l'audiocassetta e ogni tanto la riascolto, ritrovando quel mondo intatto dentro di me, fatto di ricordi pieni di paura e di coraggio, i due sentimenti dominanti della mia adolescenza.

Quando abbiamo bisogno di tirarci su, col mio vecchio amico ci troviamo per bere un buon bicchiere di vino e ascoltiamo proprio quella cassetta, con un vecchio "mangianastri", come lo chiamavamo un tempo. Così fermiamo la tristezza, il tempo e persino la morte, perché quella cassetta è la garanzia che la nostra amicizia durerà per sempre. Quel rock di fine anni Ottanta mi ha permesso di trasformare la paura in coraggio di vivere e mi ricorda quel palco che nessuno di noi due avrebbe voluto e potuto affrontare da solo. Ogni genitore, ogni insegnante dovrebbe conoscere le tre canzoni preferite di un adolescente, perché ne potrebbe ricavare il pentagramma del presente e del futuro. Ogni vita ha un timbro, un ritmo, una melodia, un suono inconfondibili, come la tua, Cesare, come quella di mia figlia.

La notte in cui è nata Penelope io ero in sala parto. Di quella festa ho sentito solo le urla. Prima quelle di mia moglie che cercava di spingerla nella luce, poi quelle di Penelope che nella luce si era appena tuffata come in un mare troppo grande per chi non ha mai nuotato. Mi sentivo così inutile che sarei voluto scappare. Hanno poggiato Penelope sul cuore di Maddalena, e io le ho detto che la nostra bambina era bellissima. Lei, con un filo di voce, mi ha chiesto come facessi a saperlo.

«Ha preso da te.»

«Perché?»

«Non senti come si lamenta?»

«Non ti mando a quel paese solo perché non ho le forze di farlo come si deve...»

Le ho accarezzato il viso stremato e il sorriso nascosto dietro la stanchezza. Che lavoro è strappare alla natura il corpo di una creatura. Quanta vita bisogna dare per fare la vita. Ma poi quell'energia, apparentemente perduta, si moltiplicherà. Penelope si era già addormentata. Un giorno darà nomi nuovi alle cose del mondo, e la bellezza ancora una volta sarà riconosciuta, custodita e moltiplicata.

LUGLIO

Seduto in fondo all'aula, ascolto gli orali di maturità dei miei studenti. La città fuori arranca nel caldo come una vecchia macchina su una strada di montagna. Rarissime folate di vento addolciscono l'arsura e il sudore, qualche ventaglio accompagna le domande con il suo ipnotico ticchettio, mentre professori e studenti conducono un duello con pistole a salve. Alla fine di ogni colloquio il presidente di commissione pone la fatidica domanda *e adesso cosa farai?* Dopo tanti anni a scuola, la domanda più importante è un pro forma affidato a uno sconosciuto che non sa nulla delle vite degli studenti, giusto qualche risposta su Manzoni, le cause della Prima guerra mondiale e gli integrali... Una domanda che riduce ciascuno di loro a un *fare*, come in una catena di montaggio, al posto di *essere*: *Chi sei? Che cosa sei venuto a portarci che prima non c'era?* Solo quando troviamo la ragione per essere possiamo cominciare a fare qualcosa di buono. Andiamo scoprendo la nostra origine lungo il cammino, crediamo di dover crescere, e invece dobbiamo nascere, per trasformare in nascita persino l'uscita da questo mondo: quando il frutto è maturo, può e deve essere colto. La nostra nascita è davanti a noi, e la morte alle nostre spalle. E così, mentre i miei dieci campioni rispondono, alla loro maniera, all'unica domanda che dopo 13 anni finalmente si occupa del loro destino, mi sembra di percepire con chiarezza, anche se dicono altre cose con altre parole, l'amore che ogni nome custodisce.

CATERINA

Io sono l'amore per Dio, che si nasconde e, nel silenzio e nell'apparente inutilità, tiene salda la speranza degli uomini. Se qualcuno può ancora dire *solo Dio basta*, allora Dio entra nella storia degli uomini.

MATTIA

Io sono l'amore per le parole, che trasformano il mondo in una casa, perché anche il più esiliato degli uomini possa scoprire di avere una dimora dentro se stesso. E ricordarlo ad altri.

STELLA

Io sono l'amore per i padri, che vorrebbero strappare la vita a se stessi pur di darla a noi. Ma la vita sempre gli sfugge dalle mani, perché anche loro hanno mani piccole, eppure quel tentativo basta a farci essere figli e a riprovarci anche noi, di padre in figlio, nei secoli dei secoli.

ETTORE

Io sono l'amore per il lavoro, che può trasformare in bellezza persino il dolore, perché è nel lavoro fatto bene e per gli altri che il giardino del mondo viene custodito e ampliato.

ELISA

Io sono l'amore per la realtà, perché solo abbracciandola si può incontrarla e magari cambiarla, un passo alla volta.

CESARE

Io sono l'amore per l'amore, perché solo per lui si può affrontare ogni inciampo della vita, ogni caduta, ogni salita. Se si smette di credere nella sua promessa, si spegne la vita, e finisce la festa.

ELENA

Io sono l'amore per un figlio, perché un figlio vive sempre nella carne di una madre e mai una madre potrà perderlo veramente. E non c'è pace in un mondo senza figli.

OSCAR

Io sono l'amore per le madri, perché la carne di cui siamo fatti è la loro e tutti i colpi o le carezze che ci procuriamo sono loro a riceverli. E non c'è pace in un mondo senza madri.

ACHILLE

Io sono l'amore per gli amici, perché ciò che sai amare è la tua eredità e chi pensa a te sente che nessuno gli ha mai voluto così bene, e questa è l'unica cosa di cui abbiamo bisogno per respirare.

AURORA

Io sono l'amore per se stessi, quello che fa gioire di essere al mondo, di essere stati creati così come siamo. Perché così come siamo valiamo più di tutte le galassie, dei pianeti, delle comete, dei ghiacciai, delle spiagge, dei mari e di tutta la bellezza che l'universo può contenere.

Non c'è altro da ricordare di questa maturità: aver custodito i loro nomi, nient'altro, perché ogni nome che salviamo è un pezzo di mondo che salviamo. Dei voti, come di quasi tutte le nostre imprese sopravvalutate, non si ricorderà nessuno, se non il nostro ego.

Non sempre ci sono riuscito, però ho provato ad amarvi. In voi ho potuto vedere un mondo nuovo, tanto fragile quanto luminoso.

Adesso il mondo è maturo.

Un lieve ronzio riempie la sala operatoria. Chiedo a Dio che vada tutto bene, che io possa rivedere chi amo o vederlo per la prima volta.

«Professore, adesso sentirà un piccolo bruciore nel braccio. Lei conti fino a dieci, scandendo i numeri.» Ormai sono il professore di tutti.

Annuisco. Sono un esperto di elenchi a dieci punti, ma il quattro è l'ultimo numero che ricordo.

Apro gli occhi, appesantiti da un sonno lungo e senza interruzioni. Ci vedo! La luce della mattina dilaga e il sottofondo della risacca è ipnotico. Mi avvio sul sentiero che porta al mare, stretto tra pini con la corteccia imperlata di resina rappresa dal freddo della notte ma pronta ad ammorbidirsi ai primi raggi del sole per rilasciare il suo profumo denso, mescolato a quello degli aghi di pino secchi e dei cespugli sgualciti di pancrazi marini. Il sentiero è giallo, la sabbia bianca e il tufo sbriciolato si mescolano riflettendo la luce del sole in mille scaglie di vetro e di zucchero. Più mi avvicino alle dune che escludono lo sguardo dal mare, più la sua presenza è annunciata dal rumore delle onde che da millenni custodiscono i segreti del vento. Le canne si piegano alla brezza fresca che spira da terra, si inchinano come se fossi il loro re. I sassi tondi che le intemperie hanno levigato sono l'unica segnaletica che delimita il sentiero nella sabbia, fuori cespugli di spine, agavi, vite selvatica chiazzano di verde la sabbia. L'odore dei pancrazi è amaro ma lieve, il vento lo trascina e lo riporta indietro come la risacca, mescolando cielo, sabbia, mare e felicità. Una felicità tutta inscritta dentro un istante, sollevato però dalla fatica del tempo, perché niente qui sembra destinato a corrompersi, come i ricordi dei bambini. Scalo il dolce dislivello tra due dune con i piedi scalzi fasciati dal fresco della sabbia. E poi eccolo, il Mediterraneo, culla di una religione di luce. Le onde si piegano come pagine di un libro che Dio sta sfogliando per gli uomini, e non c'è nessuno. Solo mia madre, seduta sul suo asciugamano, un cappello di paglia, a tesa larga, elegantissimo, e gli occhiali da sole. Mi tende le braccia perché io la raggiunga.

«Mamma!»

«Omero.»

«Io ti vedo!»

Ride con la sua delicatezza mai ricercata, naturale. Sembra scolpita nella luce, come luce che si stacca dalla luce.

«Come sei bella, mamma!»

«Grazie, bambino mio.»

«Non esagerare, mamma...»

«Guardati! Se non sei il mio bambino...»

Solo ora mi accorgo che sono un bambino di qualche anno, ma con i ricordi e i pensieri dell'adulto.

«Ma dove siamo?»

«Dove tu hai sempre desiderato, Omero.»

«E dov'è?»

«Qui.»

«E non ha un nome?»

«Il tuo.»

«E come ci sono finito?»

Mi fa sedere accanto a lei e si toglie gli occhiali. I suoi occhi scuri sono calmi e riposanti come la risacca.

Mi dà una carezza.

«Devi scegliere, Omero.»

«Che cosa?»

«O rimanere qui con me e camminare lungo questa spiaggia, come facevamo un tempo, o ritornare indietro, oltre quelle dune da cui sei venuto, percorrere la strada al contrario.»

«Dove sono Maddalena, Pietro, Penelope? Dove sono i miei studenti?»

«Dove eri fino a un istante fa. Nel tempo.»

«E qui dove siamo?»

«Tra il tempo e Dio. E tu puoi scegliere.»

«Io voglio stare qui, con te. Ma non posso abbandonare i miei studenti e la mia famiglia.»

«È quello che succede quando si muore, Omero. Ma non li abbandoni, sei con loro in un altro modo.»

«E quale?»

«Il modo dell'amore.»

«Cosa vuol dire?»

«Che siete l'uno nell'altro indipendentemente dallo spazio e dal tempo. Ed è una presenza che nessuno può più modificare o rovinare. Per loro si manifesta come nostalgia, mancanza, dolore. Per te come pienezza e vicinanza. Ma sono lo stesso spazio e lo stesso tempo, piegati in modo diverso. Non smetterai di prenderti cura di loro, come hai sempre fatto. Devi decidere se vuoi accettare il loro dolore o preferisci fartene carico tu, tornando.»

«Mamma, ho paura.»

«Lo so, non ti preoccupare. È solo il peso della vita, prima o poi il tempo finisce. Lo strappo sembra doloroso, è solo l'abitudine che hai fatto alla vita. La morte non è un muro, ma una luce che rende finalmente evidente quanto hai amato, tutto l'amore dato e ricevuto.»

Guardo il mare che si muove come una carezza trasparente data alla terra. L'alternativa è tra l'amore pieno di cadute, fatiche, fragilità e l'amore senza fine e senza lacrime. E poi io qui ci vedo. Vedo il mare, vedo mia madre, vedo tutto.

Rimaniamo in silenzio a guardare l'orizzonte. Poi le prendo la mano e la invito ad alzarsi.

«Mi accompagni fino alla duna?»

«Certo, figlio mio.»

«Tu mi aspetti per quando sarà il momento?»

«Lo sto facendo da quando sono passata nell'amore.» Si tiene il cappello di paglia con la mano perché non voli via, ora che sulla duna il vento respira senza ostacoli. Mi lascia la mano. E io scendo lungo il sentiero, come facevo da bambino, nella casa al mare, dietro la pineta. Mi giro e la guardo con gli occhi pieni di lacrime. Lei mi sorride.

«Arrivederci, figlio mio.»

«Quando?»

«Quando tutto sarà compiuto. Prenditi cura dei ragazzi, hanno bisogno di te.» Si gira e ritorna al mare.

Mi metto a correre sul sentiero, a occhi chiusi. Inciampo.

Li riapro ed è tutto buio come sempre.

«Papà!», è la voce di Pietro.

«È tornato!» dice Penelope come se si trattasse di un gioco.

Maddalena mi bacia con tutto il viso, tra le lacrime.

«Che è successo?»

«Hai rischiato.»

Finalmente ricordo: sono in ospedale.

«Non lo fare mai più» mi sussurra all'orecchio.

«Che cosa?»

«Di morire.»

«Non sono morto!»

«Sì, eri morto. Poi sei tornato.»

«E gli occhi? Non vedo niente...»

Maddalena tace. Allora capisco.

«L'ho scelto io.»

«Che cosa?»

«Di rimanere. Ci sono ancora un bel po' di cose da fare.»

«Tipo?»

«Amarti, amore mio. Amarti.»

Rimaniamo in silenzio. La stringo come un naufrago che si aggrappa alla terra dopo aver rischiato di annegare. Di ritorno da un viaggio in cui aveva visitato Itaca, mia madre mi raccontò che l'isola faceva pena e che questo le aveva dato conferma che l'*Odissea* era vera dal primo all'ultimo verso: Ulisse era tornato per sua moglie, per suo figlio, per suo padre... non certo per quel sasso in mezzo al mare.

Patrizia è seduta nella poltrona della mia stanza d'ospedale e mi legge le ultime pagine del *Dottor Živago*, il cui cognome, mi spiega, significa "vivo", proprio come mi sento io in questo momento. La voce di Patrizia che legge un romanzo immortale mi rincuora. Come quando di fronte al mare o in cima a una montagna inspiriamo profondamente l'aria perché vorremmo impadronirci del soffio della vita, così accade con i libri che hanno saputo rendere trasparente la bellezza, perché chi li ha scritti ha creato una storia comune tra uomini distanti nello spazio e nel tempo, e ha piegato lo spazio e il tempo con l'amore per la parola. Patrizia legge:

Spesso, nella vita, ho tentato di dare un nome a quella luce di incantesimo che lasciasti cadere allora su di me, a quel raggio che gradualmente si spegneva, a quel suono che moriva, cose che mi hanno accompagnato per tutta l'esistenza e sono divenute la chiave della mia conoscenza di tutto il resto del mondo, grazie a te.

Si ferma e rimane in silenzio. Ne approfitto per commentare:

«Mi chiedo come sia possibile che i libri non solo parlino di noi, ma a noi.»

«Non tutti, professore. Solo quelli che funzionano come l'Appello...»

«Cioè?»

«Quelli che danno un nome a qualcosa che anche noi sentivamo ma ci sfuggiva, che portano vita dove c'erano solo ombre, che ci impediscono di rinnegare le cose più semplici, che creano legami tra le persone...»

«Patrizia, ma lei da dove le tira fuori certe cose?»

«Dal mio passato, professore...»

«Che vuol dire?»

«Che c'è stato un tempo in cui ho preso una laurea in letteratura russa: volevo leggere la vita con gli occhi di quella lingua e mi sarebbe piaciuto insegnare.»

«Ecco perché la fissazione con i romanzi russi...»

«Mi sono laureata con una tesi sul *Diario di uno scrittore* di Dostoevskij.»

«E poi cosa è successo?»

«E poi ho avuto paura di fare i concorsi e ho rinunciato...»

«Per fortuna, Patrizia! Per fortuna!»

«Che dice, professore?»

«Ha insegnato molta più letteratura nel suo stanzino con il caffè e la musica di quanto avrebbe fatto da una cattedra. Si può pure conoscere a memoria la *Divina Commedia*, ma se non fa amare di più il mondo non serve a nulla.»

«Dice?»

«Io non avrei mai letto *Il dottor Živago*. E mi sarei perso un pezzo d'anima.»

«Lei vede sempre le cose in modo diverso...»

«Sono costretto.»

Ridiamo.

«Ci sono i tuoi alunni fuori, ma non li fanno entrare tutti. Non ti devi affaticare. Ho detto loro che uno potrebbe salutarti a nome di tutti. Te la senti?»

«Certo.»

Dopo qualche minuto, in questa stanza ammutolita dalle finestre chiuse per consentire all'aria condizionata di

315

mitigare il calore estivo, sento avvicinarsi i passi delicati di qualcuno.

«Come sta?», è la voce di Elena.

«Un po' come Dante: ho dato un'occhiata all'aldilà e sono tornato.»

«E com'era?»

«Tutto vero.»

Elena mi prende le mani e se le poggia sul viso. L'unico che ancora non conosco, perché lei non ha mai voluto che lo toccassi. È un volto bellissimo, adesso lavato dalle lacrime.

«Io voglio che sia tutto vero già adesso, professore. Non di là, ma di qua» mi dice con la voce rotta da singhiozzi profondi come quelli dei bambini, che mescolano il dolore allo spavento.

«Perché piangi?»

«Perché ho sempre mentito. Ho mentito a tutti, perché non mi perdonerò mai quello che ho fatto.»

«Il tuo bambino?»

«La mia bambina.»

«Pensi fosse una bambina?»

«No. Lo so. Io non ho abortito, professore. La verità è che ho portato a termine la gravidanza, per questo ho perso l'anno scolastico. È nata una bambina bellissima, ma avevo deciso che l'avrei data subito a qualcuno che potesse crescerla. Io avrei preferito abortire, avrei sofferto di meno.»

«Perché?»

«Perché adesso so che mia figlia è in giro per le strade del mondo, cresce di giorno in giorno, e io non so neanche com'è fatta. Di che colore ha gli occhi. Se ha i capelli ricci come il padre o lisci come i miei... L'ho vista solo una volta, attraverso il vetro. E l'ho salutata per sempre. Non la vedrò mai più, ma lei è mia figlia.»

«Che donna che sei, Elena! Quanto coraggio ci vuole per non impadronirsi delle cose e delle persone, per amarle a tal punto da dare loro la vita e lasciarle libere. È quello che hai fatto tu. La cosa più coraggiosa che si potesse fare, tu l'hai fatta. Eliminarla sarebbe stato più comodo, ma non ci sarebbe stato amore nel tuo dolore. Adesso il tuo dolore è pari solo all'amore che hai saputo dare, per questo soffri così tanto, perché hai amato altrettanto.»

Elena piange senza ritegno e io raccolgo singhiozzi e lacrime. Poi mi poggia la testa sul petto e cerca pace.

«Non hai niente di cui rimproverarti, Elena. Smettila di punirti con questa storia dell'aborto. La tua bambina riempirà il mondo anche del tuo sorriso, del tuo amore, che l'ha difesa, anche se lei non lo sa. Ed è grande un amore che si dà senza possibilità di essere corrisposto. Tu hai amato come ama Dio, Elena: in silenzio e senza aspettarti nulla.»

Le accarezzo i capelli.

All'improvviso si stacca dal mio cuore.

«Lei è l'unico che mi ha guardata, professore, l'unico che mi ha vista. E lei, lei vedrà?»

«No, Elena. Non recupererò la vista» le dico, con un sorriso appena accennato.

«Perché sorride?»

Le accarezzo il viso e sento che è diventato più vero, più luminoso, come sanno essere i volti delle donne a 18 anni, quando la femminilità vi dimora al di sopra delle loro stesse possibilità e finisce per confonderle.

«Perché io ci vedo, Elena. Ci vedo benissimo.»

317

Alla ricerca del tempo sprecato
Diario di un professore cieco

Viene per tutti il giorno in cui la vita si mostra per quello che è: un tradimento. Non perché effettivamente ci tradisca, ma perché ci denuda di tutte le illusioni con cui l'abbiamo tradita noi. L'amore non è come lo avevamo sognato, la natura se ne frega dei versi delle poesie, l'intelligenza più raffinata spesso lo è solo nel male, gli uomini mentono pur di farsi amare... Tradiamo continuamente la vita per costringerla a essere all'altezza dei nostri miraggi, ma quanto c'è di essenziale nelle cose e nelle persone purtroppo non è evidente, lo diventa solo quando la smettiamo di tradire la vita e proviamo ad amarla così com'è. E questo accade solo in momenti di dolorosa rivelazione, in cui la vita può mostrarsi indifesa perché noi le andiamo incontro finalmente disarmati. In quei momenti capiamo la nostra vocazione: prendercene cura, amarla, ripararla. Quando finalmente tutto si spoglia, viene allo scoperto, perché la smettiamo di lanciargli addosso i nostri incantesimi e lo accogliamo, allora possiamo smetterla di tradire e diventare fedeli al corpo della vita, nudo e indifeso. Nell'esistenza di ciascuno c'è una notte oscura che spezza ogni incantesimo, denuda ogni miraggio, chiude la via a ogni evasione, ma è proprio in quell'abisso dello spirito che ritroviamo il nostro sangue e si mostra il vero Dio: allora possiamo decidere, finalmente liberi, se cadere o compierci. Siamo tutti ciechi che hanno bisogno di riacquistare la vista, forse per questo ridare la vista è il miracolo che Cristo operò più di frequente. E allora vedremo la nuda bellezza della vita, senza aggettivi, come sul nero di una lavagna i segni di polvere di cui siamo certi: il mare contro la spiaggia, le foglie nel vento, i frutti sui rami, i versi degli animali, le rotte dei pianeti, i salti dei ruscelli, il silenzio delle notti, il profumo dei fiori... E i volti degli uomini.

I vostri volti, le vostre voci, i vostri nomi sono stati il luogo in cui ho toccato questo intreccio di gravità e grazia che è il corpo della vita. Voi siete stati la mia religione, voi mi avete insegnato che l'unico punto di osservazione del mondo, l'unica scelta che ci restituisce la vista, è la fedeltà alla vita. Solo così non si spreca il tempo, anzi lo si moltiplica. Aveva ragione Einstein: il tempo non è assoluto ed è misurabile solo in relazione al movimento dell'osservatore. Il tempo che ho guadagnato è il tempo che ho usato per uscire da me stesso e muovermi nella vostra direzione; è il tempo che non ho sprecato a tradire la vita; è il tempo che non ho impegnato a morire; è il tempo in cui vi ho amato.

AGOSTO

Mia moglie mi ha regalato un orologio di cui non conoscevo l'esistenza. Quando ci vedevo, il tempo era qualcosa che perdevo: la luce che cala, la sabbia di una clessidra, la lancetta che avanza. Sono tutti modi di misurare il tempo considerando sempre e solo ciò che perdiamo. I nostri orologi sono figli di questa paura di morire: qualcosa avanza e rintocca, inesorabile, la fine. Adesso ho scoperto che il tempo si può misurare con l'olfatto. In Cina, fino alla fine del 1800, esistevano gli orologi a incenso. Una tradizione antica che misurava il tempo con il profumo. I maestri artigiani costruivano eleganti scrigni forati dentro i quali, sopra uno strato sottile di brace, veniva applicato un sigillo di metallo, che imprimeva nella brace un solco con la forma di un disegno o di una lettera: dentro questo canale vuoto si versava l'incenso. Ne risultava una scultura in rilievo che per bruciare impiegava un tempo proporzionale alla sua lunghezza. Gli orologi più raffinati prevedevano varie essenze, così da scandire con odori diversi i segmenti di tempo. Il profumo accompagnava una conversazione, una lettura, un impegno quotidiano, segnandone non il perdersi, ma il compiersi. Non ci si preoccupava dello scorrere o del vuoto, ma di quello che doveva ancora venire, della sorpresa di un nuovo profumo. E alla fine del processo rimaneva una scultura di in-

321

censo vetrificato nella forma del sigillo iniziale, come uno stampo. Di frequente il segno utilizzato era *fu*, che significa "felicità". Mia moglie mi ha regalato uno di questi orologi, perché non sopporto più la voce robotica che comunica le ore. Ora posso sentire non il tempo che scorre ma che profuma, ugualmente "brucia", ma nel primo caso non resta nulla, nel secondo il disegno del gran lavoro fatto. Così l'amore ha sorpreso i nostri corpi in una fresca sera d'estate, inattesa e profumata, e dentro questo tempo siamo stati vivi. E mai dimenticherò, grazie a quel profumo, lento e multiforme – menta, gelsomino, zagara, mandorla –, di avere un corpo che si apre a un altro con fiducia e gioia totali, senza pretendere nulla e senza nulla tenere per sé, un corpo a cui viene restituito molto più di quello che può dare. Andiamo a caccia di una ragione per essere, e non ne troviamo mai una sufficiente, abbiamo paura che la nostra esistenza non sia giustificata e, pur di non subire il dolore dell'assenza di quella ragione, decidiamo di non essere. Quante energie sprecate a non essere, a fare finta, a nascondersi, a non vedere ciò che è sotto gli occhi, a usare una lente di rimpicciolimento anziché di ingrandimento, come fanno i poeti e gli scienziati per vedere tutto meglio, per non poterlo più ignorare. Essere richiede molto coraggio, e troppa libertà. Non essere è più comodo, perché l'unica ragione per essere non è una ragione, ma una scelta: è amare di più.

I ragazzi mi hanno invitato ad andare con loro al mare. Mi hanno portato in un posto indimenticabile, perché l'ho conosciuto attraverso le loro risposte: io faccio le domande e loro prestano attenzione a ciò che altrimenti non avrebbero notato. Loro vedono attraverso di me e io attraverso di loro. Ciascuno è maestro e discepolo al tempo stesso, come in ogni vera relazione. Serve sempre una domanda per vedere le cose, perché vediamo veramente solo ciò su cui fissiamo l'attenzione e la fissiamo solo su ciò che amiamo, e così lo chiamiamo a "presentarsi", a diventare "presente". Solo dando loro un nome le cose rispondono con la piena presenza. Alla fine ciò che conta non è se ci vedi, ma che cosa guardi. Non vedere mi ha costretto ad ascoltare il canto imprigionato nelle cose, che è la loro storia. Come quei carillon antichi che restano muti fino a che qualcuno non ha l'ardire di aprirli e guarirli dal loro silenzio.

Sento le urla, le risate, i giochi, il miracolo di dieci ragazzi che la vita mi ha fatto incrociare perché io smettessi di avere paura con l'unico antidoto che abbiamo contro la morte: l'amore.

SETTEMBRE

Settembre manifesta una certa propensione della vita a dare ascolto ai nostri desideri, tanto da rendere più facile, quasi naturale, amare. La città sembra disponibile a far sua la leggerezza accumulata durante le vacanze e dà colpi d'ala inattesi. Tutte le cose sembrano rivelare le loro parentele segrete. Patrizia mi ha accolto nel suo stanzino con un nuovo caffè e un nuovo romanzo: ha scelto *Vita e destino* di Vasilij Grossman (ci vorranno 2 anni per leggerlo, ma di tempo ne abbiamo) e le sue parole quasi d'esordio mi suonano come una profezia per questo nuovo inizio: "Le izbe russe sono milioni, ma non possono essercene – e non ce ne sono – due perfettamente identiche. Ciò che è vivo non ha copie. Due persone, due arbusti di rosa canina, non possono essere uguali, è impensabile... E dove la violenza cerca di cancellare varietà e differenze, la vita si spegne".

Per questo c'è bisogno di un nome proprio. Lo sanno i bambini che imparano a parlare: nominano ogni cosa, anche quando è superfluo, per darle vita, perché il nome che hanno scoperto o inventato è la vita di quella cosa. Lo sa l'innamorato, che ripete il nome dell'amata come una magia capace di rifare il mondo quando era diventato insensibile all'appello della realtà. Al contrario dimenticano i nomi propri tutti gli uomini e le donne che non amano la vita. Ogni forma di appello è loro nemica: la sostituiscono con numeri e nomi comuni.

Poi Patrizia mi ha accompagnato nella mia nuova classe. Sono seduto ad aspettarli e ripasso ciò da cui voglio partire: la recente ricerca che ha consentito, con potentissimi telescopi, di raggiungere i corpi celesti che si trovano a quasi 14 miliardi di anni luce da noi, il numero di anni che ci separa dall'inizio dell'espansione dell'universo. Quella luce ha impiegato "quasi" 14 miliardi di anni a raggiungerci e ci racconta come stavano le cose proprio all'inizio, come nelle favole. L'immagine ricostruita è quella di un oceano immenso con zone dal moto ondoso e vorticoso e altre con semplici increspature, addensamenti di materia ed energia che poi avrebbero dato vita ai miliardi e miliardi di galassie che continuano a espandersi e a formarsi nell'universo. In quel "quasi" però c'è tutto quello che ci manca di sapere. Siamo arrivati al 99,998 per cento di conoscenza dell'inizio, ci manca uno 0,002 per cento, che però è tutto. In quell'immagine, infatti, nelle zone apparentemente buie, a ben guardare c'è una luce tenue e diffusa. Quel che resta della luce totale dell'inizio è il crepuscolo che il nostro occhio riesce a percepire. Un plasma di particelle di materia ed energia, in cui la luce è imprigionata come dentro una perla. Ma dietro quel banco di nebbia luminosa cosa c'è? Una frazione di secondo prima dell'inizio dell'espansione di quel plasma cosa c'era? Qualcosa che supera la velocità della luce e quindi non potremo mai vederlo, ma sappiamo che natura ha: è un'onda di pressione, in qualche modo simile a un suono. Dico simile perché, non essendoci l'aria, non è un suono vero e proprio, ma qualcosa che ha esercitato pressione su quella luce, contraendola e ampliandola, come un cuore che comincia a battere, come il vento sul mare. Già gli antichi avevano intuito che il suono aveva impresso movimento e armonia alle cose: alla luce prima di tutto. Dietro le cose c'è una voce, i cui effetti evidenti sono ovunque: nelle volute d'acqua di una cascata, nelle file ordinate delle formiche, nelle fasi della Luna e nei cerchi dei tronchi degli alberi, che segnano le stagioni come orologi terrestri... Una voce che ha messo in moto ogni cosa riempiendola del desiderio che abita in ogni angolo visibile o invisibile dell'universo, in ogni essere nato e nascituro, per i secoli dei secoli. Una voce che tempera il misterioso equilibrio tra leggi e caos, armonia e imprevedibilità. Quella voce assomiglia a un "ti amo" detto ai miliardi di nomi dell'universo. Quella voce primordiale e onnipresente, che chiama tutto all'appello, io la sento. I nomi propri sono il canto di questa voce: Pioggia, Luna, Formica, Fuoco, Vento, Mare, Nuvola, Uomo, Donna... E tutte le altre cose che sono state, sono e saranno. E così oggi ci sarà un'eco di questa voce, perché in tutte le scuole del Paese risuonerà l'Appello, sin dalla prima ora, quella che sta per scoccare, mentre i ragazzi entrano uno dopo l'altro e brandelli di conversazioni si mescolano all'odore di vernice sulle pareti ritinteggiate ancora una volta. Il vento si insinua con gentilezza dalle finestre, dopo aver rimescolato la terra, il cielo e i desideri degli uomini che si affaticano nella città, tutti a caccia di un pezzetto di felicità o di anima. O di quella voce?

Strisciante si insinua il panico di una nuova avventura, troppo grande per le mie mani e per il mio cuore. Ma adesso non ho più bisogno dei miei elenchi per accogliere il caos che ho paura di affrontare.

Adesso mi basta ripetere 10 nomi propri, i miei elementi della tavola periodica del mondo, perché io adesso lo so: tutte le domande hanno un nome, e ogni nome è l'incrocio tra il tempo e l'eternità, tra la storia e l'amore.

CATERINA

MATTIA

STELLA

ETTORE

ELISA

CESARE

ELENA

OSCAR

ACHILLE

AURORA

Suona la campana. Cala il silenzio. Mi tolgo gli occhiali.
Si ricomincia.

Epilogo

«Sono passati 15 anni e ci ritroviamo sotto questo cielo stellato, come voleva mio padre. So che avreste preferito ci fosse lui, ma sapete anche che il tumore al cervello non gli ha lasciato scampo. L'operazione a cui si è sottoposto nell'anno della vostra maturità andò male proprio perché si scoprì che cosa aveva originato la cecità, o in che cosa era degenerata. Lui, però, non volle dirvelo: non era il momento. Poco prima di morire mi consegnò la busta con le lettere in cui avevate scritto i vostri desideri e mi disse che sarei stata io ad aprirla insieme a voi, perché questo 14 settembre sarebbe caduto nell'anno del mio diciottesimo, la stessa età che avevate voi nell'anno trascorso insieme.

Ma partiamo dal desiderio di mio padre:

Fra 15 anni spero che avrete voglia di rivedermi,
e non solo per farmela pagare.

Fra 15 anni vorrei aver pubblicato il mio primo libro di poesie.

MATTIA

Sono io, presente! Ho studiato Lettere e sono diventato insegnante. Ho pubblicato la mia prima raccolta di poesie qualche anno fa. Si intitola *Terra Madre*. C'è una poesia de-

329

dicata a tuo padre, e un verso dice: "Questa è la tua vocazione: non soffra di solitudine la terra, / anche se il prezzo è la tua. / Niente che valga è mai stato pagato poco". Tutte le mattine faccio l'appello come lo faceva tuo padre e alcune delle cose che abbiamo sognato in quel pazzo Appello in Parlamento sono diventate realtà.

Fra 15 anni vorrei non aver più paura di crescere.

STELLA

Sono io, presente! Ho studiato astrofisica e faccio parte di un gruppo di ricerca che si occupa delle onde gravitazionali. Non ho mai portato a termine il libro di mio padre, perché era giusto che il robot rimanesse sul suo pianeta. Un giorno leggerò quella storia al mio bambino, e forse sarà lui a continuare il racconto del nonno. O forse no.

Fra 15 anni vorrei avere un'altra vita.

ETTORE

Sono io, presente! Abito a Brooklyn, dove ho aperto un piccolo ristorante italiano che si chiama *Pappa Buona*: se passate da New York siete tutti invitati! Ho sposato una ragazza americana e aspettiamo un figlio. Nascerà a dicembre e lo chiameremo come mio nonno: Giulio.

Fra 15 anni vorrei potermi lasciare amare da un uomo.

ELISA

Sono io, presente! E sono qui con Andrea, che ho conosciuto proprio in una piccola libreria mentre sfogliava dei libri per bambini e aveva in mano uno di quelli che ho scritto e illustrato io: *La bambina blu*. È la storia di una bambina che nasce blu e deve trovare il modo di tornare rosa come tutti gli altri bambini, e la aiuta la sua maestra, di nome Anna, perché anche lei ha un bambino di un altro colore. Andrea lo sfogliava incuriosito e io gli ho chiesto se gli piaceva. E lui mi ha risposto che gli piaceva la foto dell'autrice.

Fra 15 anni vorrei avere una famiglia mia.

CESARE

Sono io, sono presente! Udite, udite, gente! Quello che la vita m'aveva levato, poi me l'ha ridato con gli interessi. Mi sono trovato un lavoro in un'officina e con i soldi che ho guadagnato mi ci sono comprato un taxi. Guido sera e mattina, e così ascolto musica tutto il giorno. Mi sono anche sposato e ho già due bambini: si chiamano Luce e Omero. Gli insegno un sacco di cose: dalle stelle alle note.

Fra 15 anni vorrei avere una bambina.

ELENA

Sono io, presente! Anzi, siamo noi. Beatrice e io. Non ho potuto lasciarla a mio marito, perché ancora ha bisogno di essere allattata. Sono diventata pediatra, di bambini ne vedo a centinaia e ricordo i nomi di tutti, uno per uno.

Fra 15 anni vorrei vincere un Oscar.

OSCAR

Sono io, presente! Una cazzata del genere potevo scriverla solo io. Ho aperto una palestra di pugilato e va alla grande. L'ho chiamata Oscar. Nella mia vita ci sono tre donne:

mia madre, che abita con me e mi aiuta a tenere in ordine i conti, mia moglie, che mi aiuta a tenere in ordine la testa, e la zia Patri, che viene a mangiare da me una volta alla settimana. Mio figlio si chiama Rocky 1.

Fra 15 anni vorrei stare con Aurora.

ACHILLE

Sono io, presente. Ero proprio senza speranza... Sono un ingegnere informatico e faccio ricerca in robotica applicata alle cure mediche al Mit. Stiamo lavorando su un microrobot, piccolo quanto mezza aspirina, capace di riconoscere e asportare le cellule maligne di alcuni tumori. Soffro sempre d'asma.

Fra 15 anni vorrei amare il mio corpo.

AURORA

Sono io, presente. Mi metto il naso rosso e faccio clown terapia per i bambini. Lavoro come infermiera in un reparto di pediatria oncologica. E ho appena deciso che domani sera esco a cena con Achille.

Fra 15 anni vorrei ritrovarvi tutti felici.

CATERINA

«Caterina non è qui, ma è presente. Mi ha scritto una lettera, come faceva con mio padre, con il quale ha continuato a corrispondere anche dopo essere entrata in clausura. Ve la leggo: "Carissimi eroi dell'Appello, non ho mai smesso di custodirvi nel mio cuore. Ogni giorno prego per voi, perché l'Amore del Padre si riversi nelle vostre vite e voi possiate rispondere al suo Appello. Come il nostro professore, posso sembrare cieca alle cose del mondo, ma come lui ci ha insegnato si vede bene solo nell'Amore. E così continuo a vedervi e a ripetere i vostri nomi come i doni più belli che la vita mi abbia fatto, dopo quello di mio fratello. Dico sempre a Gesù *ti aiuto?*, e lui fa tutto per e con me. Quando volete, venitemi a trovare o scrivetemi. Ci sarà ad attendervi anche una marmellata con frutta di stagione, di cui sono diventata la più grande confezionatrice del creato: fa miracoli. Sempre vostra, Caterina".

E adesso vorrei leggervi le righe che mio padre mi ha dettato per voi, perché voleva essere presente a questo Appello, anche se in modo diverso. Sono stata spesso gelosa, perché in questi anni mi parlava tanto di voi, a volte sembrava vi amasse più di me e mio fratello. Vi trattava come figli. Per questo ho deciso di raccogliere in un libro le memorie che registrava e il suo *Diario* di quell'anno straordinario. Dopo smise di scriverlo. Mi disse che questa lettera doveva esserne l'ultima pagina e che era giusto lo concludessi io, che in qualche modo ero stata la sua salvezza. Avevano deciso di chiamarmi Penelope per questo motivo: lui mi ripeteva che ero stata io a riportarlo a casa, e in quella casa aveva trovato voi.

Carissimi, quando ascolterete queste righe sarete radunati sotto il cielo di settembre. Vi prego di osservare con attenzione un meraviglioso corpo celeste che si vede proprio in questo periodo: Elica. È una nebulosa nata da un'antichissima stella simile al Sole, ed è soprannominata l'Occhio di Dio per la sua forma e l'iride incandescente al centro della quale, come una pupilla, si sta formando una nana bianca. Mi è sempre piaciuto osservare quella nebulosa. Da lì Dio mi guardava nelle notti di fine estate e provavo un misto di paura e di meraviglia per la sua bellezza, per la sua grandezza, per la sua antichità. Il giorno in cui me la fece scopri-

re, mio padre mi raccontò una storia che non ho più dimenticato. E vorrei che fosse la voce di Penelope a riportarvela, come se fosse la mia ultima lezione. Perdonatemi, ma anche dall'aldilà non mi tolgo questo vizio.

È un'antica favola nordica che mi raccontava spesso: narra come nacque il popolo degli elfi che si nascondono negli alberi, nelle rocce, nei corsi d'acqua, spaventando, sorprendendo e meravigliando gli uomini che si inoltrano nelle foreste...

Un giorno Dio andò a trovare Adamo ed Eva che vivevano in una casa in mezzo al bosco. I due gli mostrarono i loro figli e le loro figlie con orgoglio, presentandoli uno per uno, con i loro nomi.

"Sono tutti qui?" chiese Dio un po' preoccupato.

Adamo ed Eva tacevano. Dio pose di nuovo la domanda, ed Eva ammise che non aveva fatto in tempo a lavarne e vestirne alcuni come si deve.

"E dove sono?"

"Li ho nascosti alla tua vista."

"Ma nascondere alla vista è nascondere alla vita" le rispose Dio. Ciò che, per vergogna, gli uomini gli celano rimane nascosto anche agli uomini. Da quel giorno i bambini che Adamo ed Eva avevano nascosto divennero invisibili e vissero nei boschi, mostrandosi solo quando e a chi volevano. Per questo sono imprevedibili e dispettosi, perché vivono nella vergogna di esser stati nascosti dai loro genitori.

Mio padre aggiungeva sempre *ricordati che più vuoi apparire perfetta, più figli stai nascondendo all'amore...*

La lettera di mio padre continua così.

Vorrei che ricordaste questa favola perché riassume quello che ho imparato da voi: nascondiamo proprio ciò per cui vogliamo essere amati. Ricreare la vita significa accoglierla totalmente, come fa una pianta con la terra, la luce e le stagioni, invece noi nascondiamo i nostri "figli" che non crediamo all'altezza: gli aspetti di noi che riteniamo vergognosi e non vogliamo mostrare per paura di essere giudicati e disprezzati. Ma proprio così quei figli finiscono per diventare invisibili prima che agli altri a noi stessi, e cominciano a tormentarci... fino a che non troviamo il coraggio di mostrarli a chi vuole finalmente amarli. Allora quel popolo di cose dolorose e vergognose smette di nascondersi e tormentarci, torna a far parte della famiglia e diventa il cuore della nostra vita, il suo frutto più genuino. Ciò che viene nascosto all'amore rimane per sempre nascosto. Quando smettiamo di aver paura di non essere all'altezza della vita, solo allora cominciamo a lasciarci amare e ad amare veramente, a partire proprio dal punto in cui ci credevamo sconfitti. Vi ho insegnato che la scienza indaga i segreti dell'universo, che sono codici che prima o poi risolveremo: dalla Sfinge al labirinto, il nodo prima o poi sarà sciolto. Ma la vita non è un segreto, è di più: è un mistero, e la scienza non basta. Il segreto richiede una soluzione, il mistero una genuflessione. Nel mistero dobbiamo rimanerci, e lo possiamo fare solo insieme. Spero di avervi mostrato che la scienza della vita è l'amore, perché solo l'amore arriva sino al mistero di ciò per cui vogliamo essere amati e gli dà un nome a cui possiamo rispondere, senza più vergogna e senza più lacrime. Tutto il tempo in cui sono stato vivo e rimarrò vivo è quello dedicato ad amare gli uomini e Dio e a lasciarmi amare da Dio e dagli uomini.

Vi aspetto sulla spiaggia.»

Ringraziamenti

... fila
ciascuno il filo
luminoso
e doloroso della grande trama,
fabbrica una storia
nella storia.

M. LUZI, *Viaggio terrestre e celeste di Simone Martini*

Un poeta, povero e giovane, non aveva mai visto il mare, ne aveva solo letto nei versi stupiti e nelle righe commosse di altri scrittori. Finalmente un bel giorno riuscì a mettere insieme il denaro per intraprendere il lungo viaggio che lo avrebbe portato su un'isola del Mediterraneo. Non appena la raggiunse, si sedette a riva e rimase in silenzio a guardare. La sera tornò nel modesto albergo dove aveva preso alloggio e un altro ospite, a cui aveva raccontato perché era lì, vedendolo tornare dalla spiaggia gli chiese se era soddisfatto. Lui rispose: «Non l'ho visto», senza ulteriori spiegazioni e lasciando perplesso il suo interlocutore, che però sapeva di avere a che fare con una creatura bizzarra, come sono tutti i poeti. La stessa scena si ripeté per sei giorni, fino alla sera del settimo, quando il poeta inaspettatamente rispose: «L'ho visto!». L'altro, diventato ormai compagno di confidenze e silenzi, gli chiese come mai solo allora. Il poeta rispose che aveva visto tornare una barca, da cui erano scesi degli uomini e, «negli occhi dei marinai che fanno il mare e dal mare sono fatti», finalmente lo aveva visto.

Credo che lo stesso accada per la vita. È negli occhi di chi le è più esposto che possiamo vederla, dopo aver ascoltato troppe opinioni e idee. Così è accaduto e accade ogni giorno a me, con i miei studenti. I loro occhi sono come quelli dei marinai: lì ho imparato a guardare la vita, perché niente come l'adolescenza ne trabocca. La scuola è il luogo in cui credevo si insegnasse ai "recenti", dagli occhi ancora chiusi, ad aprirli sulla realtà per poterla finalmente incontrare. Invece, proprio a scuola, in questi 20 anni di lavoro, ho imparato io ad aprire gli occhi. All'inizio credevo che il mio compito fosse trovare le parole migliori per il pubblico che avevo di fronte, poi, giorno dopo giorno, fallimento dopo fallimento, ho scoperto che il pubblico ero io. Lo spettatore di un miracolo, parola che significa semplicemente "ciò a cui la vista non può sottrarsi". Loro non erano i "recenti" da rendere "adulti", ma i "nuovi": il mai visto, l'inedito, l'inatteso. Per accogliere il miracolo dovevo imparare ad ascoltare e avere fede in ciò che non mi ero scelto: loro, e per farlo dovevo diventare "nuovo" io, imparando a guardare attraverso i loro occhi che "fanno la vita e dalla vita sono fatti". Un proverbio dice che chi sta con i giovani diventa giovane. Per me è così. In questi anni sono loro che mi hanno costretto, a volte in modo doloroso, a guardare dove io non sapevo o non volevo guardare, perché avevo le mie idee, le mie convinzioni, le mie ipocrisie. Mi hanno cambiato gli occhi, cambiandomi il cuore, perché per cambiare gli occhi devi prima cambiare il cuore. Lo hanno costretto a dilatarsi per entrarci tutti, anche quelli più difficili e spigolosi, facendomi scoprire che proprio questo mi fa crescere, mi ripara dalla noia e mi guarisce dalle assurdità del sistema scolastico così com'è oggi. Non sempre sono riuscito ad amarli come avrei voluto e a volte ho miseramente fallito, ma anche questo mi ha costretto ad aprire gli occhi sui miei limiti.

Ecco perché il primo grazie va a tutti gli studenti che ho avuto, dalle prime tremebonde supplenze del 2000 a oggi, perché tutti e ciascuno sono parte della mia nascita come maestro, come mi piace chiamare tutti gli insegnanti, e come uomo. I dieci ragazzi del romanzo sono un distillato della piccola moltitudine di "maestri" che ho incontrato tra i banchi in questi anni.

In secondo luogo grazie ai miei colleghi, soprattutto quelli che mi sono diventati compagni di viaggio, perché il segreto per farcela a scuola è avere una buona compagnia di caffè, di interessi e di fatiche. Loro mi aiutano a tenere gli occhi aperti quando sono stanco o quando non riesco più a vedere il porto: Barbara, Cristina, Andrea, Chiara, Matteo, Valentina, Claudio, Alberto, Massimo, Paolo, Marco... Grazie a mia sorella Marta che ancora una volta, senza leggere una riga del libro, ha fatto la sua ricerca e ha creato l'immagine della copertina, sorprendendomi con i suoi occhi sempre nuovi e aperti: che cosa è la scuola se non un singolare e variopinto mazzo di fiori che, invece di finire costretti dentro un vaso per allietare i nostri occhi, vengono lanciati nel mondo, ognuno con il suo colore, forma, essenza, per ricordare al mondo qual è il suo destino, la sua novità, la sua gioia?

Grazie a Marilena Rossi, senza la quale anche questo mio libro non avrebbe visto la luce. A Francesco Anzelmo e Marco Bersanelli per le chiacchierate sull'universo con gli occhi del filosofo e dell'astrofisico. A Nadia Focile, Francesca Gariazzo, Giovanni Francesio, Rossana Frigeni, Jacopo Milesi e a mia sorella Paola per la loro costante vicinanza.

Grazie ai miei amici più cari, senza i quali sarei cieco su tante, troppe cose: Carlo, Federica, Gabriele, Simone, Marilena, Alessandro.

Grazie ai miei genitori, ai miei fratelli e sorelle, ai miei nipoti (Giulio e Beatrice della dedica), che sono presenti in ogni pagina. *Ubi bene, ibi patria.*

Caro lettore, chi crea non si limita a spostare forze già esistenti e destinate comunque a esaurirsi, ne inaugura di nuove. Spero che la gioiosa fatica di chiamare i personaggi dal nulla all'esistenza possa restituirti, moltiplicato, il tempo che hai dedicato loro; e che queste righe possano portarti nel silenzio buono, che la fretta e la disattenzione minacciano e di cui abbiamo tutti bisogno per vivere momenti di essere ed eternità di istanti. In quel silenzio sacro è nato questo libro, e solo in quello stesso silenzio può rinascere in te. A te il mio penultimo grazie.

L'ultimo è all'Amore che, ogni giorno, strappa il mio nome al nulla e lo dà alla luce.

15 settembre 2020

Crediti

Indice